AMOR &
AZEITONAS

Jenna Evans Welch

Tradução de Viviane Diniz

Copyright © 2020 by Jenna Evans Welch
Publicado originalmente nos Estados Unidos por Simon & Schuster
Books for Young Readers, um selo de Simon & Schuster Children's
Publishing Division, Nova York, NY

TÍTULO ORIGINAL
Love & Olives

PREPARAÇÃO
Sofia Soter

REVISÃO
Luiz Felipe Fonseca

PROJETO GRÁFICO ORIGINAL
Tom Daly

DIAGRAMAÇÃO E ADAPTAÇÃO DE PROJETO GRÁFICO
Ilustrarte Design e Produção Editorial

ARTE E ILUSTRAÇÃO DE CAPA
Karina Granda

ADAPTAÇÃO DE CAPA
Larissa Fernandez Carvalho e Letícia Fernandez Carvalho

CIP-BRASIL. CATALOGAÇÃO NA PUBLICAÇÃO
SINDICATO NACIONAL DOS EDITORES DE LIVROS, RJ

W471a

    Welch, Jenna Evans
       Amor & azeitonas / Jenna Evans Welch ; tradução Viviane
Diniz. - 1. ed. - Rio de Janeiro : Intrínseca, 2021.
       448 p. ; 21 cm.

       Tradução de: Love & olives
       ISBN 978-65-5560-307-1

       1. Ficção americana. I. Diniz, Viviane. II. Título.

21-71951
               CDD: 813
               CDU: 82-3(73)

Camila Donis Hartmann - Bibliotecária - CRB-7/6472

[2021]
Todos os direitos desta edição reservados à
EDITORA INTRÍNSECA LTDA.
Av. das Américas, 500, bloco 12, sala 303
22640-904 – Barra da Tijuca
Rio de Janeiro – RJ
Tel./Fax: (21) 3206-7400
www.intrinseca.com.br

1ª edição
SETEMBRO DE 2021
reimpressão
OUTUBRO DE 2024
impressão
IMPRENSA DA FÉ
papel de miolo
PÓLEN NATURAL 70 G/M²
papel de capa
CARTÃO SUPREMO ALTA ALVURA 250 G/M²
tipografia
ADOBE CASLON PRO

Para Sam.

*Eu lutaria contra
um milhão de Dragões Ender,
cem milhões de Creepers,
vinte Aranhas das Cavernas
e um Homem-Porco Zumbi*

por você.

Prólogo

TEM UMA COISA QUE NUNCA CONTEI A NINGUÉM. NEM ao meu namorado, nem ao meu padrasto, nem aos meus amigos, mas é importante para a história, então acho melhor contar logo no início.

Duas ou três vezes por semana, eu sonho que estou me afogando.

É sempre assim: estou na água, com um tanque de oxigênio preso às costas, mergulhando com o rosto voltado para o fundo do mar. A água está morna e com um tom verde-azulado magnífico, mas mal reparo nisso, porque estou muito focada em alguma coisa. Em *procurar* alguma coisa. Não sei o que estou tentando encontrar, só sei que é a coisa que mais desejo no mundo.

Por fim, enxergo algo lá embaixo — um raio de luz. É cintilante e convidativo, e, sem hesitar nem um segundo, dou um impulso mais forte e nado na direção dele. O brilho se concentra em torno de um pedacinho de metal, que reluz cada vez mais conforme me aproximo. Mas, quando estendo a mão para tocá-lo, a luz se apaga, me lançando na mais impressionante e profunda escuridão. É aí que percebo a pior parte: meu oxigênio acabou. Entro em pânico, tentando voltar depressa à superfície, mas estou muito distante, e, quando abro a boca para gritar, a água invade minha garganta, meus ouvidos e...

Você já entendeu.

No sonho, nunca sei o que estou procurando, mas, assim que acordo com a sensação de sal nas bochechas e a garganta irritada fica óbvio. *Dolorosamente* óbvio. Estou em busca da cidade perdida de Atlântida. Do mundo do meu pai. E, mesmo sabendo que estou segura na minha cama, e não no fundo do mar Egeu, ainda preciso me levantar e pegar o mapa do meu pai.

O mapa é outro dos meus segredos. Fica guardado no alto do armário, embaixo da pilha de cadernos de desenho que acumulo desde o ensino fundamental. Embora tenha tentado jogá-lo fora mais de dez vezes, nunca consegui. O mapa foi desenhado à mão e é cheio de setas e anotações sobrepostas, algumas em grego, outras em inglês. Tem até alguns dos clássicos desenhos engraçadinhos do meu pai, como uma serpente do mar de tapa-olho e Poseidon cochilando na rede com o tridente.

É estranho, mas, quando abro o mapa, não vejo nada disso. Vejo meu pai. Estamos à mesinha apertada da cozinha, a cabeça dele curvada sobre o mapa. Seus olhos brilham ao falar do nosso amor compartilhado por Atlântida. Minha versão criança está atenta a cada palavra, porque na época eu não era apenas Olive. Eu era *Indiana Olive*, uma exploradora mundialmente famosa.

Parte cientista, parte arqueóloga, parte mergulhadora de águas profundas, Indiana Olive enfrentava piratas, lulas imensas e negociantes gananciosos que queriam seu tesouro. Ela era corajosa, inteligente e, independentemente do desafio que o oceano lançasse, sempre tinha o pai ao seu lado.

Até que não tinha mais.

Quando meu pai foi embora, deixou vinte e seis coisas para trás. Muitas eram lixo, mas juntei mesmo assim: um pacote de seu chiclete de canela preferido, uma camiseta desbotada, papéis rabiscados. Guardei tudo numa velha caixa de sapato embaixo da cama e, quando minha mãe estava no trabalho, eu tirava as coisas da caixa para tentar entender. Por que ele tinha deixado *aquelas* coisas para trás?

Algumas explicações eram fáceis de encontrar. A camiseta pinicava. O chiclete tinha um gosto muito forte de canela. Mas por que sua espuma de barbear preferida? E o nosso mapa? Meu pai o deixara dobrado na minha mesa de cabeceira. Não precisaria dele em Santorini, para encontrar a cidade perdida?

Fiz uma lista cuidadosa dos itens e, durante dois anos, olhei para ela todos os dias. Foi o tempo que levou para eu entender que meu pai não voltaria. Não gosto muito de falar dessa época, então digamos apenas que às vezes acho que sei exatamente como os atlantes se sentiram ao verem suas vidas ruir e desaparecer.

Depois que entendi aquilo, parei de olhar a lista. Mas ela se mudou com a gente. De um canto para outro, acompanhando cada troca de escola e apartamento, todos os lugares solitários que fizeram parte da nossa vida pós-papai. Foi quando estávamos morando em Seattle, pouco depois de mamãe se casar com James, que ela encontrou a lista: *26 Coisas que Meu Pai Deixou para Trás, por Indiana Olive*. Ela quis conversar comigo sobre o último item — o vigésimo sexto.

Claro que eu não quis tocar no assunto. Eu já não era mais Indiana Olive. Nem era mais *Olive*. Eu era Liv. E Liv nunca falava sobre o pai. Aprendi da maneira mais difícil que contar aos outros sobre meu pai ter me abandonado por causa de uma ilha mítica que 99,9% das pessoas nem acredita que tenha existido não é uma boa ideia. Aliás, é melhor nem lembrar disso com muita frequência.

Então me recusei. Eu não queria conversar sobre meu pai. Não queria conversar sobre meu passado. E não queria absolutamente nada com aquela lista, porque simbolizava tudo o que havia me machucado e tudo o que eu não queria mais ser.

Minha mãe avisou que coisas importantes não gostam de ser enterradas, mas, felizmente, deixou o assunto para lá. Considerei isso uma vitória. Afinal, não tínhamos seguido em frente? De nada me valiam cidades douradas e promessas desfeitas. Não me interessava mais por pistas enigmáticas. Eu dera por concluída aquela parte da minha vida. Assunto encerrado.

Até que Atlântida veio à minha procura.

Capítulo 1

#1. MEIO PACOTE DE CHICLETE BIG RED

Meu pai mascava aquilo o tempo todo. Desembrulhava um pacotinho de papel-alumínio atrás do outro, começando logo após a xícara de café matinal. Ele contava que tinha sido a primeira coisa que comprou ao chegar ao aeroporto de Chicago, vindo da Grécia, e, assim que provou, soube que havia tomado a decisão certa: um país que produzia um chiclete daqueles com certeza sabia o que estava fazendo. Ele emigrara com quase nada. Apenas o passaporte, uma mochila surrada, algumas centenas de dólares e um sotaque grego tão forte que, segundo ele, levou três meses para conseguir pedir uma xícara de café e ser entendido.

Sua filosofia para sobreviver nos Estados Unidos sem contatos, dinheiro ou amigos? "Pula que uma rede cresce."

Ele vivia errando as expressões americanas.

EU ESTAVA OFEGANTE. MEUS PULMÕES PARECIAM BALÕES em chamas. Caixas de correio e árvores começaram a dançar em minha visão embaçada. De acordo com o relógio fitness que James, meu padrasto, havia me dado de Natal, só tínhamos corrido dois quilômetros.

No estilo do grande Mestre Yoda: uma corredora eu não sou. E, naquele momento, nem conseguia fingir.

— Preciso de outro intervalo — avisei, sem ar, me curvando para apoiar as mãos nos joelhos.

Dax, meu namorado, diminuiu o passo e suspirou alto — não porque precisava de mais oxigênio, mas porque aquele era nosso terceiro intervalo em menos de quinze minutos. Nem tive que olhar seu rosto para saber como estava. Decepcionado. Quer dizer, decepcionado e lindo com aquele bronzeado, o falso moicano e os olhos azul-esverdeados. Afinal, era o *Dax*.

Ele apoiou a mão nas minhas costas, mas o contato pareceu mais recriminador do que encorajador.

— Liv, nós já fizemos um intervalo. Tenho que correr mais cinco quilômetros para atingir minha meta de treinamento, lembra?

Eu lembrava. E, de verdade, queria correr aqueles cinco quilômetros com ele. Não só porque Dax detestava correr sozinho, mas também porque, na noite anterior, ele tinha me acompanhado a uma exposição de arte sobre a história da Polaroid no centro de Seattle. Ele tinha até desligado o celular para não sermos bombardeados pelas mensagens de sua legião de amigos. Então, naquela manhã, como agradecimento, eu planejara acompanhá-lo por todo o percurso sem reclamar, o que geralmente até conseguia fazer.

Mas, ao contrário de todos os familiares e amigos de Dax, eu não era uma corredora. Ou ciclista. Ou esquiadora cross-country. E eu definitivamente não funcionava bem pela manhã. Eu era do tipo que citava Star Wars de vez em quando, que gostava de colagens e que cuidava bem de plantas caseiras, mas quando Dax e eu

JENNA EVANS WELCH

tínhamos começado a namorar, concordei casualmente quando ele comentou que gostava de correr pela manhã, e ali estávamos. Dois anos depois, a farsa já havia sido desmascarada, mas ele continuava me arrastando junto. Dax era mesmo persistente.

Aquela manhã parecia mais difícil que o normal. Eu estava com *tanto* sono.

Então, a lembrança me atingiu com tudo. Como uma onda se chocando contra o meu rosto. Eu tinha tido o sonho na noite anterior. Não era de admirar que estivesse com o pique de um bicho-preguiça idoso.

Soprei as pontas suadas da franja para longe dos olhos e tentei fazer outro rabo de cavalo, mas meu corte na altura do queixo ainda estava curto demais. Nem meu cabelo queria terminar aquela corrida. Dax estava decepcionado, magoado e… irritado? Deixei o pesadelo de lado. Era hora de ativar a SUPERNAMORADA!, capaz de evitar qualquer briga com o poder da *distração pelo flerte!*

Tirei meu elástico e baguncei o cabelo, tentando deixá-lo com a aparência perfeitamente despenteada.

— Ei, Dax, sabe o que seria ótimo para o seu condicionamento? Correr com um peso extra. Tipo… — Olhei para o céu com ar pensativo, depois o encarei, sorrindo. — Tipo eu!

Ele gemeu de frustração, mas deixou escapar um sorriso discreto e se abaixou para eu subir em suas costas. Seguimos então num ritmo constante, comigo pendurada em seus ombros. Aliás, aqueles ombros tinham sido a primeira coisa que reparei em Dax, principalmente porque me sentara atrás dele na sala de aula, e naquele primeiro dia eu estava tão ocupada tentando fingir o mesmo olhar entediado de todo mundo que nem deu para reparar em mais nada.

Ele dizia que meu estilo tinha sido a primeira coisa que notou, o que, verdade seja dita, era a primeira coisa que todo mundo notava, e fora de propósito. Quando me transformei de Olive em Liv, assisti a centenas de vídeos de moda antes de encontrar um estilo que eu talvez conseguisse copiar: o de garota francesa. Cortei trinta centímetros de cabelo, maratonei tutoriais de maquiagem e passei um mês inteiro procurando roupas neutras e casualmente elegantes. Em meio a um mar de pessoas vestindo casacos esportivos, o estilo parisiense chique causava bastante impacto.

É verdade que sou greco-americana, e não franco-americana. Mas quem liga para esses detalhes? Eu não.

Dax começou a correr mais rápido, e afundei o rosto em seu pescoço. Durante o verão, Dax passava de vinte a trinta horas por semana na piscina e cheirava a cloro como os outros caras cheiram a colônia. Tecnicamente, ele frequentava uma escola particular, mas, para poder jogar no nosso time de polo aquático, precisava ter duas matrículas, então passava parte do dia na minha escola. Ou pelo menos costumava ser assim. Fazia duas semanas que ele se formara oficialmente no ensino médio, um fato que tirou meu mundo um pouco dos eixos, embora eu viesse me esforçando para disfarçar.

— Adoro o cheiro de ácido hipocloroso pela manhã — comentei.

— E você está cheirando a suor — disse ele, apertando meu joelho direito. — Não consigo correr cinco quilômetros com você nas costas. Vamos voltar pra sua casa.

— Se é o que você quer — concordei, pressionando minha bochecha contra a dele. — Podemos fazer panquecas com gotas de chocolate. O café da manhã dos campeões. Nem mesmo seus novos treinadores da universidade podem discordar.

Universidade. Os músculos do maxilar de Dax se contraíram, e prendi a respiração, já me arrependendo da conversa que teríamos a seguir. A não ser que ele magicamente resolvesse *não* tocar naquele assunto.

Meu olhar se fixou num gnomo de jardim de bochechas rosadas no canteiro de flores pelo qual passávamos, e me peguei rezando para ele por puro desespero. *Por favor, pequeno gnomo de jardim, não me faça ter que mentir para o meu namorado hoje...*

— Você já entrou em contato com a Stanford pra saber sobre o dia de visita do ensino médio? — interrompeu Dax. — Amelia disse que é muito importante no processo de admissão. Eles querem ver que você se empenhou antes de avaliarem sua inscrição.

Muito obrigada, gnomo de jardim... só que não.

— É claro. Espero ter notícias em breve — respondi, minha voz aguda como uma cotovia, um pardal ou coisa parecida.

Não só Dax estava indo para Stanford, como metade de sua família tinha estudado lá, e Amelia, sua prima mais velha, trabalhava no escritório de admissões. O que complicava muito as coisas. E, quando digo *coisas*, me refiro ao fato de que, toda vez que clicava no link que Amelia me enviara, eu sentia a mesma angústia sufocante dos pesadelos. Então não. Ainda não tinha feito minha inscrição para a visita do ensino médio a Stanford. Mas não queria contar isso para Dax naquele momento. Não num dia tão maravilhoso de verão. Não depois da nossa ótima noite na exposição. Não enquanto corríamos pelo meu bairro, com meus braços apertados em volta dele.

Dax começou a falar, mas, por sorte, um borrão em roupas esportivas caras apareceu de repente na calçada, interrompendo a inquisição que estava prestes a acontecer.

— Dax?

Era Maya Nakamura, uma garota da turma de formandos dele, toda esportiva com sua legging e top cor-de-rosa combinando. Seu longo cabelo preto estava preso em um elegante rabo de cavalo, e ela fazia força para segurar um labrador pela coleira. Parecia que tinha saído para correr por puro prazer. Além disso, ela tinha um abdome incrível.

— Oi, Maya — cumprimentei, descendo das costas do Dax para brincar com o cachorro, que sorria em meio à baba.

AMOR & AZEITONAS 15

Eu conhecia Maya de umas festas e do cursinho pré-vestibular. Dax a conhecia desde o jardim de infância, assim como a maioria de seus colegas da escola particular — eu havia descoberto rapidamente que o mundo dos ricos de Seattle era bem pequeno. Eles grudavam uns nos outros feito cracas. Mas fiquei tão feliz com a interrupção que estava disposta a fingir que Maya não tem uma queda enorme pelo meu namorado faz dez anos. No fundo, eu não podia julgá-la. Afinal, era o *Dax*.

— Dax, tentei te ligar ontem — disse Maya, me ignorando como fazia sempre que possível.

Várias garotas da turma dele eram assim. Elas não tinham ficado muito felizes quando ele começara a namorar alguém da (argh!) escola pública. Além daquilo o deixar indisponível, elas não gostavam da mistura de classes.

O pai da Maya era dono de uma empresa milionária, e ela era o tipo de garota que conseguia correr oito quilômetros com o pé nas costas enquanto pintava cartazes para manifestações estudantis e ainda arrumava o cabelo para o baile da escola. Não sei por que alguém faria tudo isso com o pé nas costas, mas deu pra entender.

— Soube da novidade? — perguntou ela.

— Que novidade? — disse Dax, usando a bainha da camisa para limpar o suor da testa reluzente e deixando o abdome à mostra. Ai. Ele estava torturando a garota *de propósito*?

— Entrei para Berkeley! Vamos ficar a, tipo, cinquenta quilômetros um do outro!

— Sério? — falei, me levantando de um salto e limpando a baba de cachorro no meu short.

Apesar da minha relação com a Maya praticamente só existir no Planeta Constrangimento, eu não podia deixar de ficar feliz. Ela estava na lista de espera da Universidade da Califórnia, em Berkeley, havia quase seis meses, e eu tinha visto como ela se dedicara no pré-vestibular. Aquilo pedia uma comemoração.

— Maya, que ótimo! Você merece. — Cutuquei as costelas de Dax com o cotovelo. — Isso não é incrível, Dax?

Ele obedientemente pegou a deixa.

— É incrível mesmo, Maya. Você se esforçou muito. — Ele passou o braço à minha volta e acrescentou: — Liv está tentando uma aprovação antecipada em Stanford. Com sorte, ela estará lá com a gente daqui a um ano.

Ai.

Ai, ai, ai.

— Ah, é mesmo? Você está pensando em ir pra Stanford? — A decepção surgiu no rosto de Maya por um instante, mas seu rabo de cavalo balançou entusiasticamente. — Nossa, que ótimo. Assim vocês vão poder ficar juntos.

O olhar de Dax recaiu sério em meu rosto.

— Talvez — respondi. — Estou entre algumas universidades, e não é fácil entrar em Stanford. Ainda bem que tenho seis meses para decidir onde me inscrever. Ninguém precisa decidir tão cedo, sabe?

Foi a vez do corpo de Dax se retesar. Se Maya percebeu a tensão entre nós, não deixou transparecer.

— Liv, tenho certeza de que você entra na faculdade que quiser. Todo mundo sabe que suas notas nas provas de admissão foram ótimas. Além disso, você ganhou aquele concurso estadual de arte. Por aquelas suas... colagenzinhas? Não foi?

Colagenszinhas. Era exatamente aquele o motivo de eu não contar às pessoas sobre minha produção artística. Eu nem havia me inscrito no concurso, para começo de conversa. Tinha sido coisa da minha professora.

— Aquilo não foi nada de mais — falei, tentando não dar muita importância ao *concurso estadual de arte*.

— Bem, todo mundo achou que foi — acrescentou ela, olhando para Dax.

Meu celular apitou. Era uma mensagem da minha mãe. Olive, você está em casa? Preciso falar com você.

Senti o coração palpitar, mas meu cérebro levou um instante para registrar o motivo. *Olive*. Ela me chamou de Olive. Minha mãe tinha respeitado bastante minha decisão de passar a ser chamada de Liv, e quase não errava mais. Além disso, eram 9h37. Ela não devia estar no trabalho? Por que não estava no trabalho?

Senti outra agitação no peito, e de repente minha cabeça começou a girar, os pensamentos tão rápidos que não conseguia me concentrar em nenhum. *Será que aconteceu alguma coisa? Não aconteceu nada. Se acalma, Liv. Você está exagerando, como sempre. E daí que ela chamou você pelo nome errado? Ela está bem...*

— Liv, está tudo bem? — sussurrou Dax, franzindo a testa.

Fiz que sim, esforçando-me para sorrir. Ótima. Eu estava ótima.

Maya ainda falava, e me concentrei em acompanhar o rumo da conversa.

— Mal posso esperar. Queria que as férias acabassem logo. Estou tão animada para a faculdade! — Ela sorriu para Dax. — Então, Ilha de Balboa. Está pronto para a viagem de formatura?

— Estamos prontos — respondeu Dax, passando o braço em torno de mim outra vez.

Maya arregalou ligeiramente os olhos.

— Liv, você vem com a gente? Que ótimo!

— Minha mãe ainda não decidiu — corrigi depressa.

Cerca de trinta pessoas da turma do Dax iam para a casa de praia de um colega, o que parecia um evento caótico e divertido, mas também...

Sei lá. Se tivesse que explicar, diria que o mar e eu não somos melhores amigos. Gosto de admirá-lo de longe, mas Dax andava falando sobre uma formação rochosa até onde pretendia nadar, e eu já vinha elaborando uma longa lista de desculpas para não ter que nadar até a tal formação rochosa. Eu *sei* nadar. Tenho até certificado de mergulho. Só prefiro *não* me afogar nas profundezas do mar turvo. Eu ainda queria ir, mas não do jeito que Dax tinha em mente. Essa parecia ser uma história recorrente nos últimos tempos.

— Vou dar um jeito — falei com confiança.

Dax me lançou um daqueles seus sorrisos estonteantes. Um sorriso de verdade. Meus ombros relaxaram.

Maya hesitou, seus lábios se franzindo de um jeito malicioso.

— Maravilha. Bem, então a gente se vê em Balboa, "Casal com Maior Chance de Sobreviver ao Ensino Médio"!

Affe. O infame título do anuário.

— A gente se vê, Maya — disse Dax, passando o outro braço à minha volta.

Maya se virou, e nós a observamos sair trotando com o cachorro enquanto eu antecipava a negação costumeira do Dax. Ele não me decepcionou.

— Não está rolando nada com ela — disse ele rapidamente.

— Eu não *falei* que estava rolando nada.

Caí em cima dele, que teve que me segurar.

— Por que você fica dizendo para as pessoas que vou me inscrever em Stanford? — perguntei. — Ainda estou no penúltimo ano.

— Último — corrigiu ele, colocando-me de pé de novo. — Em três meses, você vai estar no último ano. E eu falei que você ia tentar, não que vai pra lá com certeza. Além disso, o que você tem contra a gente ir para a mesma faculdade?

— Nada.

Fechei os olhos por meio segundo. Porque, claro, só de pensar em andar pelo campus, pelos dormitórios e pelas festas com Dax, sem nenhuma supervisão dos nossos pais, eu sentia vontade de sair por aí saltitando e cantando. Mas também entrava ligeiramente em pânico. Por causa da matrícula dupla do Dax, só frequentávamos a mesma escola em parte do tempo; mesmo assim, ele já ditava a maior porção da nossa vida social. Talvez tivesse funcionado no início, quando eu não conhecia ninguém na minha escola. Mas, depois que comecei a fazer meus próprios amigos, pareceu meio... limitante. Ele não gostava muito quando eu saía com outros caras (compreensível), e era difícil conciliar todas as minhas atividades e trabalhos da escola com os jogos dele e os eventos com seus amigos do colégio particular. A vida andava tão agitada que eu tinha até abandonado o futebol este ano (eu era goleira, óbvio: muito menos correria, mas com os mesmos benefícios sociais) para ter tempo de equilibrar tudo.

Não que eu estivesse reclamando. Eu era louca pelo Dax. Completamente maluca por ele. O único problema de Stanford é que não era a *Escola de Design de Rhode Island*.

Só de pensar na RISD, como era conhecida, eu queria me deitar num campo de lilases, começar a cantar do nada ou seja lá o que as pessoas fazem quando seus sonhos se realizam. Mas eu precisava esperar o momento certo para contar ao Dax, e aquele claramente não era o dia. Para o Casal com Maior Chance de Sobreviver ao Ensino Médio, a gente brigava até demais.

Respirei fundo, me preparando para dar uma reviravolta na conversa, quando meu celular apitou de novo. Outra mensagem da minha mãe. Um pouco mais incisiva. Olive, por favor, volta pra casa AGORA. Preciso mesmo falar com você.

Ela me chamou de Olive de novo?

— Quem é? — perguntou Dax, olhando para o meu celular.

Afastei o aparelho rapidamente.

— Minha mãe.

Dax secou o rosto com a camisa outra vez.

— Achei que ela estivesse no trabalho.

Na mesma hora, meu estômago se contorceu como um origami, e tive que me forçar a relaxar. É um reflexo automático me preocupar com minha mãe. Isso tende a acontecer quando se perde um dos pais — a gente automaticamente passa a se preocupar mais com o outro. Não que ela algum dia tivesse me dado motivos para me preocupar. Provavelmente só precisava que eu cuidasse do meu irmão mais novo.

— Anda. Vamos fazer panquecas — falei.

Subi nas costas do Dax outra vez, e ficamos misericordiosamente em silêncio pelos próximos minutos. Já estávamos na minha calçada quando ele apontou para a caixa de correio.

— Você devia dar uma olhada. A Amelia me disse que enviaram os convites pelo correio.

— Dax — resmunguei, descendo das costas dele e fingindo estar com o corpo todo mole.

Eu tinha aprendido aquilo com meu irmão Julius, de cinco anos. Ele era mestre em se transformar num invertebrado sempre que a situação exigia.

— E por acaso entregam correspondência aos sábados? — perguntei.

— É claro que entregam — rebateu ele, naquele tom autoritário que usava às vezes. — Deixa eu conferir.

Ele estendeu a mão para a caixa de correio, mas, por sorte, um pequeno ninja, mais ou menos do tamanho do Julius, escolheu aquele momento para saltar de uma árvore de bordo ali perto e aterrissou bem na cabeça do Dax.

— Somente um ninja pode derrotar um ninja! — gritou Julius, tentando imobilizá-lo.

— Mas que… — berrou Dax, girando o corpo, os braços estendidos. — Julius, nós combinamos que você tem que avisar antes, para eu ter a chance de me defender!

— A prioridade de um ninja é vencer sem lutar!

Arranquei rapidamente o Julius de cima do Dax. Daquela vez, ele tinha se empenhado na fantasia: máscara, duas katanas de plástico e o roupão preto da minha mãe.

— Tá tudo bem com a mamãe?

— Tá — respondeu ele, olhando para mim sem entender. — Por quê?

Meu corpo relaxou um pouco, e coloquei as mãos em seus ombros.

— Lembra o que a mamãe e o James disseram? Que você não podia mais subir na árvore para atacar as pessoas?

— Ou quem sabe não atacar ninguém? — acrescentou Dax, esperançoso, e Julius sorriu de maneira indulgente para ele.

Dax sempre fora um dos alvos principais do Julius, e até então todas as tentativas de cessar-fogo tinham sido em vão.

— Ah, não — resmunguei, tirando a máscara do rosto de Julius. — Esse é o meu delineador novo?

Seus olhos tinham um contorno dourado que eu reconheceria em qualquer lugar. Goldmine, da Urban Decay. Eu tinha comprado para o jantar de formatura do Dax.

— Julius! — reclamei. — Isso custou trinta dólares na Sephora!

— A identidade do ninja precisa ser mantida em segredo! — disse ele, apontando uma katana para mim. — Liv, eu estava na árvore porque a mamãe me pediu pra te procurar. Chegou um cartão-postal pra você. Tá bem sujo e tem uma escrita estranha. Mamãe ficou toda esquisita quando viu.

Não.

— Um cartão-postal? — perguntou Dax, todo animado. — Deve ser o convite.

O pavor me atingiu como uma onda gelada. Meu corpo todo ficou entorpecido. *Tá vendo!*, gritou minha mente de maneira triunfante. *Tinha, sim, alguma coisa errada!*

— Vamos dar uma olhada! — exclamou Dax, pegando minha mão e entrelaçando nossos dedos. — Anda.

A mensagem da minha mãe passou de novo pela minha mente. *Preciso falar com você.*

— Espera aqui, tá bem? Fica com o Julius?

Soltei meus dedos e segui para a porta. Pensei em andar só um pouco mais rápido que o normal, tipo quando tinha uma missão no shopping, mas seis passos depois já tinha começado a correr. Não dava para conter a adrenalina.

— *Agora* você corre! — gritou Dax atrás de mim.

Nem tentei responder. Só uma pessoa me enviava cartões-postais antigos com escritas estranhas. Só uma. E com certeza não era o departamento de admissões de Stanford.

Eu precisava esconder aquele cartão-postal antes que Dax ou qualquer outra pessoa o visse.

Capítulo 2

#2. CAMISA DESBOTADA EM QUE SE LÊ "DELIVERY GREGO HERMES, VOCÊ PEDE, NÓS VOAMOS"

Durante seus primeiros meses nos Estados Unidos, meu pai trabalhou como entregador. Não por acaso, mas por escolha. Ele dizia que a cidade de Nova York era uma fera selvagem e, como todas as feras selvagens, a única forma de domá-la era olhar em seus olhos e então percorrê-la de bicicleta. (Não tente entender, não faz o menor sentido.) No dia em que chegou a Nova York, ele bateu à porta de cada restaurante grego que encontrou e, em três horas, arrumou emprego como entregador de um restaurante na rua 56 e um quarto para alugar na casa da prima da tia da dona do estabelecimento. Ele sempre foi bom em fazer amizades.

MINHA MÃE DEVIA TER ME OUVIDO CHEGAR, PORQUE QUASE nos esbarramos na entrada. Por sorte, consegui desviar de sua barriga com um salto triplo involuntário no último instante. Ela estava oficialmente no estágio de gravidez em que a barriga entrava nos cômodos primeiro, e vivíamos sendo pegos de surpresa por aquilo.

— Liv! — Ela me agarrou pelos ombros, firmando nós duas. — Devagar.

Ela estava descalça, mas vestida para ir ao escritório, com a versão para grávidas de um terninho. Minha mãe era advogada corporativa, o que tinha muito pouco a ver com *Law & Order* e mais com trabalhar até tarde várias noites seguidas para cumprir prazos e voltar para casa cheirando a café velho. Ainda assim, era bem impressionante. Principalmente quando se parava para pensar que ela tinha cursado a faculdade de Direito e passado no exame da ordem sendo mãe solo.

Eu precisava de um segundo para recuperar o fôlego, mas não dava tempo.

— Julius disse que recebi um cartão-postal. Tenho que esconder do…

— Oi, sra. Williams! — a voz de Dax veio da entrada.

Ele exibia um sorriso charmoso e trazia Julius nas costas, ainda empunhando a katana de plástico. Era uma pena que não conquistaria minha mãe assim.

— O inimigo do meu inimigo… — começou Julius, arregalando os olhos.

— …é meu amigo — completou minha mãe. — Oi, Dax.

Ele tentou ignorar o tom desanimado.

— Como está se sentindo hoje? — perguntou.

— Ah… sabe como é… — respondeu ela, apontando vagamente para a barriga. — Muito grávida.

Julius desceu das costas de Dax e enfiou a katana bem no lado esquerdo da minha caixa torácica.

— Mamãe já te mostrou o cartão-postal? O texto na frente nem parece o alfabeto. São só uns rabiscos.

— Rabiscos? — Dax me lançou um olhar confuso.

Dei de ombros. *Vai entender?*

— Liv, é uma escrita diferente. Tipo um *código secreto…* — insistiu Julius.

— Que tal vocês dois irem comer uns pãezinhos de canela? — interrompeu minha mãe. Ela era mestre em mudar de assunto. — Dax, você quer um?

Sempre que minha mãe dizia o nome dele, ficava com o rosto um pouco tenso. Ela nunca admitiria, mas não gostava de Dax. Eu já havia tentado fazê-la confessar, mas ela dizia apenas coisas enigmáticas como "A vida é longa, e os primeiros amores são curtos" ou "É fácil se perder em seu primeiro relacionamento". O que era ridículo vindo de alguém que aos vinte e dois anos já tinha se casado e engravidado do primeiro namorado. Acontecera quase a mesma coisa com o James. Eles se conheceram, e, seis meses depois, ela estava grávida e noiva. Minha mãe era do tipo que caía de amores, por isso seria de se esperar que ela fosse mais solidária com o meu caso, que, preciso admitir, estava menos para cair e mais para mergulhar de cabeça. Mas mesmo assim.

— Adoraria. Muito obrigado — aceitou Dax.

Minha mãe sorriu para o meu namorado, mas a pequena ruga que surgia quando ela franzia a testa estava ali, a que eu tinha batizado de ruga Dax.

— Dax!

Nós três demos um pulo. Meu padrasto estava mais para um subwoofer do que para um alto-falante comum. Ele era tão alto que fazia minha mãe parecer baixinha, tinha mãos grandes, um rosto simpático e uma voz forte que ficava mais forte ainda perto de pessoas de quem gostava. Ele definitivamente, sem sombra de dúvida, gostava de Dax.

James era advogado, que nem a minha mãe, e a única vez que eu o vi de mau humor foi quando perdeu um caso em que tinha trabalhado por mais de um ano. Em vez de gritar e bater o pé, como minha mãe e eu faríamos, ele canalizou sua energia para os tipos de atividades saudáveis que os artigos de revistas sempre sugerem. Primeiro, trocou todas as lâmpadas da sala de jantar; depois, saiu para uma volta de cinquenta quilômetros na bicicleta. Ele era tão saudável que chegava a ser um pouco assustador.

James bateu sua mão gigantesca nas costas de Dax, quase o jogando longe.

— Oi, sr. Harrison — cumprimentou Dax educadamente, recuperando o equilíbrio.

Ele me lançou um olhar de desespero, mas fingi não notar. Dax não fazia ideia de como precisava de James como aliado naquela casa.

— Como anda o polo aquático? E o seu pai? — perguntou James, com sua voz retumbante. — Fiquei sabendo de Stanford. Seu pai deve estar feliz da vida.

— Extasiado — disse Dax, me encarando com um olhar expressivo.

James se recostou na parede, cruzando os braços imensos. Ele estava usando uma blusa branca de golfe e calça social.

— Acha que vai ser goleiro em Stanford? É uma posição difícil.

— É desafiadora, senhor.

Dax relaxou os ombros e aprumou o corpo. Os esportes eram sua zona de conforto, e ele estava acostumado a receber elogios. Segundo as fotografias e os troféus que sua mãe exibia pela casa toda, Dax vinha se destacando nos esportes desde o ensino fundamental.

Aproveitei a oportunidade para me aproximar da minha mãe.

— Cadê? — perguntei num sussurro, estendendo a mão na expectativa de que me entregasse o cartão disfarçadamente.

Em vez disso, ela pegou minha mão.

— Vamos deixar vocês dois colocarem a conversa em dia — anunciou ela.

AMOR & AZEITONAS

Então me puxou pela entrada e pelo corredor em direção ao quarto do bebê. O corredor estava fresco e silencioso, e, quando entramos no quarto, o único som era o ruído abafado do vizinho aparando a grama.

— Hã... por que estamos aqui? — perguntei, olhando em volta para os projetos em andamento.

Havia um amontoado de caixas junto à parede, ao lado de uma cômoda parcialmente montada e várias pilhas de roupas de bebê. Roupas de *menino*. O Julius 2 chegaria antes do fim das férias, e só de pensar naquilo já me sentia cansada.

Minha mãe se virou, quase esbarrando o Julius 2 em mim, e precisei dar um pulo para evitar a colisão.

— Você escondeu o cartão-postal, certo?

Ela confirmou com a cabeça, então levou um instante para se sentar na cadeira de balanço que chegara na semana anterior.

— Sente-se, por favor — pediu ela, indicando a caixa de papelão que continha o carrinho de bebê.

Continuei de pé. Ela parecia escolher as palavras da mesma forma que uma tempestade surgia no horizonte. Que notícia exigiria tanta preparação? Não podia ser o cartão. Será que tinha acontecido outra coisa?

Espera aí.

— É sobre a vovó? — As palavras saíram atropeladas.

Minha avó era uma adição um tanto recente às nossas vidas — bem, à minha vida, pelo menos. Meus avós nunca foram grandes fãs do meu pai ou do fato de sua filha adolescente ter se apaixonado por um imigrante grego. Casar e procriar com o tal grego tinha sido a gota d'água. Ser a tal cria tornava as coisas meio esquisitas. Minha mãe mantivera uma relação de altos e baixos com os pais por anos, mas, depois que meu avô faleceu, minha avó passara a nos visitar de poucos em poucos meses. Acho que ela se sentia sozinha. Mas, algumas semanas antes, ela tinha caído. Talvez tivesse sido mais grave do que a gente imaginava.

— Não, não é sobre a vovó. — Ela apontou de novo para a caixa de papelão. — Senta.

Daquela vez, obedeci, vendo minha mãe alisar a saia já completamente lisa sobre os joelhos. Ela estava com o rosto corado e, quando nossos olhares se encontraram, percebi que estava nervosa. Senti meu estômago queimar.

— Olive, chegou um convite pelo correio hoje. Queria esperar um momento melhor para discutir isso, mas é meio urgente, então acho que precisamos conversar agora mesmo.

Um convite urgente? Eu estava completamente perdida. E transbordando de ansiedade.

— Achei que fosse outro cartão-postal.

— E é.

Ela enfiou a mão no bolso do blazer… e lá estava.

Um cartão-postal.

Um cartão-postal desgastado e amassado que parecia ter enfrentado todo o tipo de intempéries e adversidades até chegar a seu relutante destinatário.

Eu.

Ela o segurou de modo que eu pude ver a parte da frente. Julius estava parcialmente certo. Era uma foto superexposta das ruínas de um templo grego com letras gregas enormes sobrepondo-se à tradução. BEM-VINDO À BELA GRÉCIA!

De tão brega, era quase fofo. E mesmo que não estivesse escrito GRÉCIA!, já saberia de quem era. Eu só conhecia uma pessoa que veria um cartão mal impresso e desgastado, o cobriria com uma fortuna em selos e o mandaria para o outro lado do mundo.

Nico Varanakis. Famoso caçador de Atlântida, pai ausente e meu novo e indesejado correspondente.

AMOR & AZEITONAS

Desabei sobre a caixa, toda a ansiedade se esvaindo para dar lugar a outra coisa. Tristeza? Vazio? Eu tinha recebido o primeiro cartão-postal quase seis meses antes, completamente do nada. Passara anos sem notícias dele, e de repente chegara um cartão com duas frases eloquentes escritas em sua conhecida caligrafia elaborada. *Olá diretamente da linda Santorini. Queria que você estivesse aqui!*

Talvez fosse a pior frase de abertura na história das frases de abertura, exceto *Como foi a peça, sra. Lincoln?* Desde então, eu vinha recebendo cartões de tantos em tantos meses, todos bem parecidos. Cartões-postais da Grécia, mal impressos ou com ar antigo, contendo algumas poucas frases que fariam sentido se ele estivesse de férias, mas que em nosso contexto não faziam sentido nenhum.

Não, eu não respondia aos cartões. Só os lia, chorava sozinha em algum canto, então os rasgava e jogava no lixo. Depois do último, tinha decidido parar de fazer até aquilo. Os cartões pioravam meus pesadelos.

— Eu não quero esse troço.

Fiquei de pé, puxando um fio da minha camiseta. Minha mãe assentiu com ar compreensivo, mas manteve o cartão estendido para mim.

— Querida, acho melhor você ler este.

— Não.

Tentei me afastar, mas ela se pôs ao meu lado antes que eu pudesse reagir e enfiou o cartão na minha mão. Minha mãe era um pouco ágil *demais* para uma grávida.

— Mãe… — comecei, tentando enrolar.

— *Agora*.

Affe. Não adiantava resistir. Virei o cartão com cuidado, instruindo meu coração para não disparar como sempre fazia quando meu pai vinha à tona. Respirei fundo e tentei focar na minha regra fundamental: *Nico Varanakis não tem mais nada a ver com a minha vida.*

Olive,

Ótimas notícias! Estou trabalhando em um projeto incrível e adoraria ter a sua ajuda aqui em Santorini, Indiana Olive. Que tal 15 de junho? Já mandei a passagem de avião para sua mãe por e-mail.

Baba

Meu coração não teve a menor chance.

Na mesma hora, senti minhas mãos começarem a tremer e minha visão ficar borrada nos cantos.

— Liv? — chamou minha mãe, preocupada, mas sua voz parecia distante.

Cambaleei de volta para a caixa de papelão, mas ela me interceptou e me sentou à cadeira de balanço, acariciando meu cabelo para longe da testa.

— Liv. Respira — ordenou.

Eu estava respirando, mas estava respirando *rápido demais*.

— Mãe... — tentei dizer.

Minhas mãos tremiam tanto que o cartão começou a balançar. Eu não enxergava mais as palavras, mas não conseguia parar de encará-lo. Além de suas já conhecidas garatujas, ele tinha usado meu apelido antigo. Indiana Olive. Fazia mais de nove anos que eu não o ouvia. Ele assinara "papai" em grego, uma palavra que eu já dissera mil vezes por dia, mas que não usava há anos.

Minha cabeça...

Eu estava...

— Liv, olha para mim! — chamou minha mãe.

Fixei meus olhos escuros nos azuis dela e *vush*, voltei à Terra. Minha respiração se normalizou. Era um cartão-postal. *Só um cartão-postal.* Papel-cartão, tinta e alguns selos coloridos. Nada mais, nada menos.

— Tudo bem? — perguntou ela, segurando meu braço.

— Tudo — respondi calmamente.

— Que bom.

Ela expirou, ainda segurando meu braço.

— Liv, sei que é muito repentino, mas acho que é uma boa ideia.

O quê? Aquelas palavras me atingiram como um balde de água fria. *Mantenha a calma*, ordenou meu cérebro. Era impossível ela estar falando sério.

— Mãe, você está brincando, né? De jeito nenhum. Quinze de junho é... — Tentei calcular rapidamente. — É daqui a uma semana. — Estendi o cartão de volta para ela. — Além disso, ele escreveu "Indiana Olive". E se tiver a ver com Atlântida?

Um sorriso discreto surgiu, mas rapidamente se desfez.

— É claro que tem a ver com Atlântida — respondeu ela. — Sempre tem.

Sem entender direito, apertei o cartão com tanta força que o senti amassar na palma da mão.

— Mas, mãe, Atlântida não existe. Por que você quer me arrastar de novo para os delírios do papai?

"Delírios" tinha sido a palavra errada. Percebi a mágoa em seu rosto, antes que ela disfarçasse e entrasse no modo lição de vida.

— Liv, não me importo com Atlântida. Mas me importo com você. E, apesar do que seu cérebro de dezessete anos lhe diga, você não tem todo o tempo do mundo. Um dia vai se perguntar para onde esse tempo foi.

Nossos olhares se encontraram de novo, e a determinação dela me assustou. Naquele instante, entendi exatamente do que se tratava. Minha mãe estava pensando na relação dela com meu avô. Os dois tinham sido bem próximos durante a infância dela, mas, depois que meu pai entrou em cena, as coisas se complicaram. E meu avô morrera antes que ela pudesse fazer as pazes.

Minha mãe me encarou com ar suplicante.

— Além do mais, acho que você vai gostar desse projeto.

Uma suspeita incômoda tomou conta de mim.

— Mãe, como você sabe qual é o projeto?

Ela respirou fundo.

— Tenho conversado com ele.

— O quê?! — gritei. Minhas mãos voltaram a tremer, balançando o cartão. Tudo aquilo era um pouco... *demais.* — Você está falando sério?

Quando ela se aproximou, as pontas do seu cabelo na altura dos ombros roçaram meu braço, a voz calma em meu ouvido.

— Sim — disse ela com firmeza. — E prometi que não contaria para você qual é o projeto. Querida, ele está num momento ótimo da vida. Conversei com a Ali, e ela acha que pode ser bom. Sei que você voltou a ter pesadelos. Consigo ouvir lá de baixo...

— Você contou para a Ali que voltei a ter pesadelos?! — gritei outra vez.

Eu parecia até o Julius quando alguém o mandava tomar banho.

Ali era a melhor amiga da minha mãe desde a infância e trabalhava como psicóloga de adolescentes. Ela morava no Maine, e eu sempre sabia quando elas tinham passado horas ao telefone porque minha mãe usava termos como "expressão de raiva assertiva" e "padrões autodestrutivos". Se ela tinha ligado para conversar com a Ali sobre mim, estava realmente preocupada.

Tinha sido Ali quem sugerira que eu e minha mãe fizéssemos curso de mergulho como tentativa de combater meus pesadelos. Talvez, se minha mente desperta entendesse como aquilo funcionava, minha mente adormecida conseguisse relaxar. Eu tinha armado o maior escândalo, mas não adiantara de nada. Fizemos as aulas numa piscina local e completamos a certificação durante as férias de família no México. Depois que superei o pânico, nem foi tão ruim. Acabei até gostando da sensação de liberdade que respirar embaixo d'água me trazia. Mas minha mente adormecida não recebeu o recado. A Liv do sonho se afogava. Toda. Santa. Vez.

Minha mãe segurou minhas mãos, sua aliança de diamante marcando meu pulso.

— Pode ser uma boa oportunidade de trégua, de resolver algumas questões antes de você ir para a universidade.

— Trégua? — gaguejei.

O que aquilo significava no nosso contexto? Não éramos dois países em guerra que precisavam se entender. Éramos dois países que não tinham mais nada um com o outro.

O rosto dela se suavizou.

— Além disso, querida. Sua lista. Não paro de pensar na sua lista.

— *Mãe*.

Me afastei dela, começando a sentir raiva. Aquela lista era particular, e eu tinha pedido para ela não tocar mais no assunto. Quando estava prestes a lembrá-la disso, fomos surpreendidas por uma batida intensa na porta, do jeito que só James era capaz. Demos um pulo.

— Ellen? — retumbou ele. — Liv? Dax disse que vocês marcaram de encontrar a irmã dele na quadra de tênis às onze.

— São 10h45 — avisou Dax, ao lado de James.

Sem querer, fiz uma careta. Cora, a irmã gêmea de Dax, não era minha pessoa favorita no mundo. Ela tinha um nome bonito, mas vivia pisando duro com seus coturnos feios e fuzilando as pessoas com seus olhos azul-esverdeados. Eu tinha quase certeza de que ela havia me desmascarado. De que ela sabia que, até recentemente, eu nunca me encaixara em lugar nenhum.

Mesmo assim, Dax jurava que Cora queria me conhecer melhor, então vínhamos encontrando ela e sua melhor amiga para partidas semanais de tênis, um esporte em que ela era ótima — porque parecia sempre decidida a matar a bola —, e eu não. Naquelas circunstâncias, jogar tênis parecia uma piada. Sentia uma claustrofobia sufocante.

— Já vamos. Comam mais uns pãezinhos! — gritou minha mãe.

— Eu não posso ir, mãe. Não posso.

Senti que estava ansiosa de novo, só que já não podia demonstrar. Eu nem sabia bem do que estava falando. Do clube de tênis? Da Grécia? Dos dois? Depois da partida, eu ia me encontrar com umas amigas para escolher o que usaríamos na festa da fogueira da minha escola, para a qual eu pretendia levar o Dax. Em nenhum lugar dos meus planos havia *voar para outro país e confrontar a pessoa que mais me machucou*.

Minha mãe afastou a franja dos meus olhos.

— Querida, acho que seria bom para você passar algum tempo fora. Fico preocupada que você acabe se deixando levar por... distrações.

Distrações? Uma segunda onda de raiva me invadiu, grande o bastante para me fazer levantar.

— Mãe, isso não tem nada a ver com o Dax.

— Não, não tem — concordou. — Tem a ver com você. Não precisa perdoar seu pai e não precisa ajudá-lo com o projeto. Mas precisa ir.

O pânico cresceu, uma sensação quente e rápida no meu peito.

— Mãe, *não*. Eu não posso.

— Pode, sim — disse ela calmamente.

Seu olhar azul encontrou o meu, e por um instante me senti num daqueles anos terríveis logo após meu pai ter ido embora, quando éramos só nós duas, esbarrando uma na outra em um apartamento apertado e barulhento. Tínhamos enfrentado muita coisa juntas.

Ela pousou a mão fria em cima da minha.

— Dez dias. Você só precisa ir por dez dias. Não vai ter que fazer nada que não queira quando chegar lá. Mas acho importante que você vá.

Qualquer pessoa que ouvisse essa frase acharia que era um pedido, mas eu conhecia minha mãe — aquilo não era um pedido, era uma ordem gentilmente formulada. Minha mãe era o que poderíamos chamar de *determinada*, nos momentos bons, e *teimosa*, em todos os outros. Tinha que ser. Não teríamos sobrevivido aos anos difíceis se não fosse assim. Então eu sabia que, se ela estava dizendo que eu ia para a Grécia passar dez dias com alguém que nunca pensei que fosse ver de novo, procurando uma cidade que quase ninguém acreditava que tenha existido, era exatamente isso que eu ia fazer.

— Mas... a viagem de formatura. Eu tenho planos com as minhas amigas, e...

Olhei nos olhos dela, e a ficha caiu. Não importava o que falasse ou fizesse, eu iria para a Grécia.

Minhas férias tinham virado de cabeça para baixo. A gravidade perdera o sentido. Eu estava caindo, *despencando*, sem nada para me deter ou desacelerar minha queda. Festas? Viagem a Balboa com o Dax? Qualquer sinal de normalidade?

Já era. Tudo por causa daquele pedaço de papel velho. Encarei o cartão-postal, a raiva se enraizando dentro de mim enquanto eu lia a pior frase de todas:

Estou trabalhando em um projeto incrível e adoraria ter a sua ajuda aqui em Santorini, Indiana Olive.

Desde quando ele precisava da minha ajuda? Aquilo era só uma brincadeira que costumávamos fazer. Na vida real, quando eu tinha precisado de verdade, ele não estivera ao meu lado. Ele me decepcionara. Mesmo que me enviasse um milhão de cartões-postais, aquele fato nunca mudaria.

Eles podiam me obrigar a ir, mas não podiam me obrigar a gostar da ideia.

Capítulo 3

#3. GUARDANAPO DE TECIDO DO RESTAURANTE DE ALTA GASTRONOMIA CONSTANTINE, ROUBADO PELA MINHA MÃE OU PELO MEU PAI, DEPENDENDO DE A QUEM VOCÊ PERGUNTAR

Meu pai havia se mudado da casa da prima da tia da dona do restaurante para dividir um apartamento com dois chefs do Hermes, e teve que arranjar um segundo emprego para pagar o aluguel. Ser garçom fazia sentido — ele poderia praticar seu inglês e, além disso, quanto mais ele exagerava no sotaque grego, maiores eram as gorjetas.

Certa noite, ele atendeu a mesa de uma aluna da Universidade de Chicago chamada Ellen Williams, que estava passando o verão na cidade como estagiária de um político local. Ela era alta, com longos cabelos loiros e o tipo de risada que chamava atenção.

Meu pai contava que ela havia derramado a jarra de água nele de propósito. Minha mãe dizia que ele estava se con-

fundindo, embora sempre com um brilho nos olhos. Sincera-
mente, não duvido nada. Nas fotos dos dois daquele verão
— não eram muitas —, meu pai estava lindo, com seu cabelo
escuro e cheio e o sorriso ávido, e minha mãe parecia des-
norteada de tanta alegria.

PEQUENA LISTA DE REGRAS QUE MINHA MÃE ME DEU PARA
a viagem a Santorini — uma viagem que eu nem queria fazer,
para início de conversa:

1. Ligar para ela de manhã e à noite.
2. Não falar com estranhos.

   Impossível, já que cada pessoa naquela ilha seria um estranho, incluindo, àquela altura, meu pai. Eu não fazia a menor ideia de como era a aparência dele. Na última vez que
   ele me vira, eu tinha uma monocelha digna de Frida Kahlo
   e usava um microfone falso porque acreditava que ia ser uma
   estrela do Disney Channel. É claro que todos os meus regis-
   tros fotográficos daquele período foram destruídos.
3. Nada de conversar com garotos no aeroporto, por mais bonitos que sejam (vide regra 2).

   Segundo minha mãe, esses garotos podiam fazer parte
   de uma rede criminosa sofisticada com planos para me se-
   questrar e encenar aquele filme do Liam Neeson. E meu
   pai não era exatamente um ex-assassino de voz rouca, e sim
   um pai ausente que vivia à procura de Atlântida.

   Eu disse a ela que essa regra era só mais uma prova de
   que eu não deveria ir. Minha mãe respondeu que, na verdade, Santorini era segura e que eu ficaria bem. Mas como ela
   podia ter certeza disso? Apesar de já ter sido casada com
   alguém de Santorini, ela nunca pisou na ilha.

4. Se eu me sentir negligenciada ou em perigo, devo ligar na mesma hora para que ela me coloque num voo de volta para casa.

Essa regra vinha com a seguinte advertência: para ativar o plano de fuga, era preciso ser uma emergência grave, e não silêncios desconfortáveis ou conversas difíceis. *Grave.* De novo essa coisa mórbida.

5. Tirar um tempo para "me encontrar".

Ou, em outras palavras, passar um tempo longe do *Dax*. É claro que ela não disse aquilo diretamente porque estava tentando não ser igual a seus pais, o que talvez seja a meta de todas as pessoas que já existiram. Eles não gostavam nem um pouco do namorado dela, e olha só o que aconteceu. Minha mãe largou a faculdade, casou com meu pai no civil em Chicago e engravidou de mim. Vivendo e aprendendo.

E, só para registrar, não gostei daquela história de "me encontrar". Não estava perdida. Estava bem ali.

6. Dar uma chance ao meu pai.

(Sem comentários.)

7. Usar protetor solar.

Sério. Isso entrou na lista.

Eu tinha só uma regra para minha mãe: *embarcar na história que eu tinha inventado para o Dax.* A última coisa que eu queria era que ele — e o resto da escola — soubesse que meu pai procurava há décadas por Atlântida, uma cidade que ele acreditava sem a menor sombra de dúvida que era real, apesar de apenas alguns malucos da internet parecerem concordar com isso. Só de pensar em todos descobrindo meu coração acelerava, e não de um jeito bom.

Eu havia me tornado a Liv. Liv era convidada para festas, formaturas e indicada à rainha do baile, e eu precisava ser a pessoa que todos pensavam que eu era. Talvez pareça fútil, mas, quando alguém se sente invisível a maior parte da vida, ser visto passa a ser importante. Esse era meu caso. Não era mais a Indiana Olive, e *com certeza* não era mais a filha de um cara com uma missão de vida que o colocava na mesma categoria daqueles caçadores de OVNIs com mapas, gráficos e pilhas de livros sobre abdução alienígena.

Em vez disso, o que eu contara para o Dax foi: *Meu pai é um arqueólogo amador! Ele estuda civilizações gregas antigas! Que engraçado eu nunca ter mencionado isso antes! Sei que é de última hora, mas minha mãe está me obrigando a ir!*

"Arqueólogo amador" era certo exagero, mas soava muito melhor do que "caçador de lendas profissional".

E o Dax respondeu: *Não acredito que você não vai na viagem de formatura! Meus amigos vão ficar muito decepcionados porque adoram sua companhia, e eu estou triste porque estava louco para passar uma semana na praia com você!*

Ou pelo menos aposto que ele teria respondido isso se ainda estivesse falando comigo. Só que não estava, porque cancelei nossa viagem no último minuto. Dax gostava de ter tudo planejado, e eu desistir da viagem de formatura tinha bagunçado as coisas. Além disso, no estresse dos últimos dias, acabei deixando escapar que eu talvez tivesse *esquecido* de me inscrever para o dia de visita do ensino médio a Stanford, e a reação havia sido tão dramática e devastadora quanto eu temia. Segundo Dax, nosso relacionamento era o último item de uma lista esquecida no fundo da minha bolsa mais bagunçada. Ou seja, todos os outros aspectos da minha vida eram prioridade em relação a ele.

Não era verdade. Mas não poder explicar por que aquela viagem era tão importante definitivamente não ajudou.

Então ali estava eu. No avião. Tentando respirar enquanto me arrependia de absolutamente todas as decisões que levaram àque-

40   JENNA EVANS WELCH

le momento. Em menos de uma hora eu estaria na Grécia. Na *Grécia*. Por que eu não tinha insistido mais com a minha mãe? Ela não tinha me carregado no colo até o avião. Eu podia ter escapado. Podia ter... Ah, não.

Eu vou vomitar.

Queria colocar a cabeça entre os joelhos, mas o avião com destino a Santorini era pequeno demais para a maioria dos movimentos, que dirá ataques expansivos de pânico causados pela injustiça de ser quase adulta e não ter controle sobre a própria vida. E eu nem tinha conseguido ficar muito irritada com a minha mãe. Ela estava tão *grávida* e tão segura de que estava certa — tão segura que por um instante eu começara a acreditar nela também. *Talvez eu devesse dar uma chance ao meu pai. Talvez seja uma boa ideia.* Mas... não era. Obviamente nós duas tínhamos sofrido um lapso de sanidade.

Quase sem pensar, peguei uma das revistas do bolso do assento à minha frente e comecei a arrancar imagens interessantes para guardar no envelope que eu levava na bolsa. Sra. Martinez, minha professora de artes, dizia que criar o hábito de coletar imagens é parte importante de ser um artista — não que eu me considerasse uma artista. Bem, pelo menos não *ainda*, mas, quando eu não estava desenhando, estava cortando imagens e guardando-as em um envelope que eu carregava para todo lado. Era como um acúmulo visual.

Naquele momento, também era uma técnica muito bem-vinda de relaxamento. Uma distração de todo aquele vasto oceano que eu estava sobrevoando pelo que parecia uma eternidade. Eu devia ser a primeira pessoa na história da aeronáutica a ficar feliz por *não* ter sido colocada no assento da janela. Tinha tanto *oceano* lá fora.

Eu me concentrei nas mãos de novo. Aquele já era o terceiro avião e, a partir de Seattle, eles foram ficando cada vez menores e mais fedidos. Acrescente a isso o fato de eu estar acordada a vinte e três horas, tirando os vinte minutos de cochilo após a decolagem de Nova York (avião número dois) e pouco antes da mulher sentada no 28B derramar todo o seu café na minha camisa. Café *quente*. Em seguida, em penitência por ter me queimado e também me deixado com o cheiro de uma Starbucks humana, ela começou a me mostrar mais de vinte fotos de seu buldogue, Winston Churchill. Pelo menos aquele era finalmente o último voo.

Coloquei a imagem de uma piscina lotada no envelope. Depois a de um garoto com um cachorro na coleira. Um pai carregando a filha nas costas. Ela olhava para o pai, sorrindo como se os ombros dele fossem o lugar mais seguro do mundo.

Affe.

Fechei os olhos com força, mas a caligrafia elaborada do meu pai apareceu por trás das minhas pálpebras. *Adoraria ter a sua ajuda aqui em Santorini, Indiana Olive.* Com o quê? Com o que ele poderia precisar da *minha* ajuda?

Larguei a revista e peguei meu celular na mochila outra vez, caso alguma mensagem do Dax tivesse conseguido me encontrar sobre o Atlântico. Mas não, só tinha a que ele havia me mandado na noite anterior quando devia ter ido me visitar, mas aparentemente estava ocupado. Foi mal, não vai dar pra eu ir. Te vejo em duas semanas.

Aqueles pontos me pareceram passivo-agressivos. Era possível a pontuação ser passivo-agressiva? Em seguida vinha minha resposta exageradamente animada em razão do nervosismo. Duas semanas passam rapidinho. Já estou com saudade. Espero que se divirta muito em Balboa!!! Então tinha entrado em pânico e acrescentado um monte de emojis melosos que faziam eu me odiar mais a cada vez que os olhava. Não era de admirar que Dax não tivesse respondido. Devia estar repensando cada minuto do nosso tempo juntos.

Reler a ruína que era nosso histórico de mensagens me fazia sentir como se um elefante estivesse sentado no meu peito para desfrutar um tranquilo chá da tarde, então larguei o celular e tentei me acalmar dando uma olhada no que eu tinha na mochila. Caderno de desenho. Lápis. Aquarelas. Maquiagem. Garrafa d'água. Diário.

Eu quase tinha estourado o limite de peso da bagagem de mão, mas sou meio possessiva com minhas coisas. Dax brinca que sou acumuladora, já que cada centímetro do meu quarto está ocupado, inclusive com uma dúzia de plantas e um minijardim de suculentas. Não é que eu não goste de jogar nada fora, mas gosto de guardar coisas.

— *Eísai kalá?* — ouvi alguém dizer à minha direita, e me recompus rapidamente diante de um sorriso gentil e muitos cílios.

Era meu vizinho de assento. Devia ter uns vinte e tantos anos, usava óculos pretos deliberadamente nerds e exibia uma expressão preocupada. Seu braço esquerdo, ou pelo menos a parte que eu conseguia ver, era tomado pela tatuagem de um jardim de rosas que, em circunstâncias normais, teria me deixado obcecada. Enquanto minha pele certamente adquirira um tom de peixe morto, a pele escura dele era luminosa, e o cabelo estava bem penteado. Ele obviamente não estava tendo um surto em pleno voo.

— *Eísai kalá?* — perguntou de novo, em um tom menos confiante.

Em seguida, apontou para o bolso atrás do assento. Será que estava oferendo sua revista para os meus dedos nervosos?

— Sinto muito, eu... eu não sei o que isso quer dizer — gaguejei.

Pelo menos estava resolvido o dilema do idioma grego. Vinha me perguntando se eu me lembraria de todo o grego que aprendi quando era criança. A resposta era um grande não.

O rosto dele se iluminou com um sorriso aliviado, os dentes brancos reluzindo.

— Ah, graças a Deus, você é americana.

O sotaque dele parecia do Meio-Oeste. Minnesota? Chicago? Talvez eu devesse saber, tendo nascido lá e tudo mais.

— Achei que você fosse grega — continuou ele —, e estava tentando falar a única frase que sei. Você está passando mal? Tenho um saco de vômito, se precisar.

Ele apontou para o bolso de trás do assento de novo.

— Não estou passando mal. Também não sou muito grega. Só estou… — Procurei pela palavra. Paralisada? Horrorizada? — … nervosa.

Ele olhou para minha pilha de páginas arrancadas da revista, e rapidamente guardei-as no envelope, o rosto queimando.

— Aerofobia — disse ele. — É um espanto não sermos todos afetados por isso, já que estamos literalmente sendo lançados pelo ar dentro de uma lata de sardinhas gigantesca que pode despencar a qualquer instante. Você pensa nessas coisas? Que podemos despencar lá embaixo? Ai, meu Deus, não pense nisso.

Ele arregalou os olhos por trás dos óculos redondos, e senti um sorriso se abrir em meu rosto. Ressaltar o perigo iminente pode não ser a melhor maneira de acalmar um passageiro nervoso, mas estava dando certo comigo. Além disso, era bom conversar. Muito bom.

— Na verdade, não tenho medo de avião. Tenho mais medo do que vai acontecer depois que a gente pousar.

Ele se inclinou para a frente, à espera de uma boa fofoca.

— Ah, é?

Se ele queria uma história interessante, definitivamente conseguiria comigo.

— Estou aqui para visitar uma pessoa. É meio… complicado.

— Um namorado — declarou ele.

Balancei a cabeça.

— Não. Meu namorado ficou em Seattle. É…

Eu ia mesmo contar aquilo para um estranho? Ia, sim. A regra número dois da lista da minha mãe — *Não falar com estranhos* — não passava de uma lembrança fugaz. Eu não ia conseguir me conter. Depois de todas as mentiras que contara ao Dax e aos meus amigos naquela semana, eu era o equivalente emocional de um balão prestes a explodir.

— É o meu pai. Ele mora em Santorini, e não o vejo desde que eu tinha oito anos.

Ele me observou por um instante, esperando o resto da história. Quando viu que nada mais viria, sua expressão se suavizou e ele rapidamente abandonou o olhar curioso.

— Séééerio — disse ele, arrastando as sílabas.

Foi um séééerio simpático. Um séééerio gentil. Senti um nó se desfazer dentro de mim. Ele fez uma pausa, então estendeu a mão com calma.

— Meu nome é Henrik.

— Liv.

Peguei a mão quente e firme dele na minha e, por um instante, me senti segura.

Ele inclinou a cabeça em direção à janela.

— Sobre a situação com o seu pai, isso é muito importante.

Ele olhava nos meus olhos, o que me fazia sentir uma pequena faísca de esperança. Será que ele era uma pessoa mágica que não se intimidaria em abordar o assunto do abandono do meu pai? Eu sempre me perguntara se alguém assim existia mesmo.

Ele tinha razão. Minha história com meu pai era muito importante. A coisa *mais* importante. Ou pelo menos costumava ser. E eu tinha arranjado uma oportunidade de falar sobre o assunto, sem consequências.

— Sabe qual a parte mais estranha?

Ele assentiu, e eu continuei:

— Meu pai vive em busca de Atlântida. Ele acha que a cidade perdida ficava em Santorini e passou a maior parte da vida procurando-a. Por isso que ele foi embora. Um dia voltei da escola e ele havia sumido.

Eu tinha guardado aquelas palavras por tanto tempo que pareciam enferrujadas e cobertas de teias de aranha. Houve um longo silêncio, e daquela vez a expressão no rosto de Henrik era nítida: espanto.

— A cidade perdida de Atlântida? Você está falando da cidade feita de ouro?

— Essa é El Dorado.

Balancei a cabeça, um milhão de fatos vindo à minha mente. Apesar das minhas tentativas de enfiá-los em um canto empoeirado do meu cérebro, eu sabia quase tudo o que havia para se saber sobre Atlântida. Eu já sabia muita coisa antes de o meu pai partir, e estudara o assunto por anos depois que ele fora embora. O fato de que um dia eu já me orgulhara de ser uma enciclopédia ambulante sobre Atlântida era humilhante.

— Atlântida é a que afundou — expliquei.

Henrik se endireitou no assento, animado, batendo na bandeja com os joelhos.

— Isso! Eu já vi um filme sobre essa história. É uma cidade submarina, não é?

— Bem… não exatamente — falei.

A resposta de Henrik era típica. As pessoas achavam que sabiam a história de Atlântida, mas não sabiam. Não como eu sabia. Não falavam com propriedade como meu pai. Se é que ele ainda falava daquele jeito. A maioria das adaptações tomava muitas liberdades, o que era impressionante, considerando como a história já era ridícula por si só.

Eu podia ver as perguntas surgindo na mente dele. Precisava explicar a premissa básica, contar os fatos, e então poderíamos seguir em frente.

— Atlântida foi uma cidade construída em uma ilha por Poseidon, o deus dos mares. As pessoas que viviam lá eram metade deuses, metade humanos, um dos povos mais ricos e avançados que já existiram. A ilha tinha o formato de um círculo, e era constituída por anéis alternados de terra e água.

Formei um anel com meus dedos, então apontei para o centro.

— Havia um templo no meio, cheio de estátuas douradas. As pessoas tinham tudo, como plantas e animais exóticos, e um tipo próprio de metal precioso, construções bonitas, tudo mesmo. Mas, em vez de serem gratas pelo que tinham, fizeram planos para conquistar o resto do mundo. Então os deuses decidiram que eram ingratos e ordenaram que o oceano engolisse a ilha inteira. Nunca mais se ouviu falar deles.

Fiz uma dancinha com as mãos. Atlântida em poucas palavras. Uma história sobre um povo mítico que me fazia lembrar tanto do meu pai que chegava a doer. Nós também não tínhamos sido o suficiente para ele.

Henrik ainda me observava. Não como quem julgava minha explicação ou os dedos que eu ainda balançava, apenas surpreso.

— É um mito — falei, como se não estivesse óbvio, e descansei as mãos no meu colo. — Uma fábula com moral. Seja grato pelo que tem ou os deuses vão te punir.

Minha voz soou tão amarga quanto o café da 28B, mas, em vez de ficar sem graça, Henrik ajeitou os óculos pensativamente, aproximando-se.

— Mas as pessoas ainda procuram por ela. Seu *pai* está procurando por ela.

— As pessoas procuram há milhares de anos, mas ninguém nunca encontrou uma prova definitiva.

Havia teorias sobre Atlântida por todo o mundo. Aponte para qualquer lugar do globo terrestre e pode apostar que, em algum momento, algum caçador de Atlântida chegou à conclusão de que aquela era a única localização possível para a cidade perdida. Antártida, o deserto do Saara, a floresta Amazônica... No (minúsculo) universo dos caçadores de Atlântida, todas essas teorias eram viáveis, mas fortemente contestadas. Foram feitas diversas expedições. Cientistas foram convocados. Até os *nazistas* procuraram Atlântida. Achavam que a raça ariana devia descender dos semideuses atlantes. Pois é. Repugnante.

— E por que seu pai acha que fica em Santorini?

— Bem...

Eu comecei a me arrepender de ter contado tudo aquilo ao Henrik. Estávamos mergulhando fundo demais nesse assunto, mas era assim mesmo com Atlântida. Quanto mais as pessoas sabiam, mais queriam saber. Eu entendia. Já tinha sido assim.

— Na verdade, Santorini é uma das teorias principais porque a ilha tem várias similaridades que batem com a lenda. Meu pai tenta encontrar prova disso desde que me entendo por gente.

Henrik coçou o queixo pensativamente.

— Então seu pai é um explorador.

Não pude deixar de rir. Explorador. Era uma palavra muito mais gentil do que as que eu tinha ouvido serem usadas para descrever pessoas como meu pai ao longo dos anos, e provavelmente era mais gentil do que ele merecia, mas senti meus ombros relaxarem mesmo assim. Eu já tinha percebido que Henrik era o tipo de pessoa que dava às outras o benefício da dúvida. Meu pai também era assim. Talvez ainda fosse. Eu não sabia mais.

— Tipo isso.

Henrik abriu um sorriso.

— Bem, você não precisa me explicar como é. Tenho um desses na minha vida também.

Ergui as sobrancelhas.

— Um caçador de Atlântida?

— Pior. Ele é arqueólogo. *Acadêmico*.

Ele sussurrou a última palavra, e eu caí na risada, o que fez Henrik rir também. A risada dele era ridícula, parecia uma buzina, e o homem sentado à nossa frente se virou e nos lançou um olhar feio, mas Henrik o ignorou, então fiz o mesmo.

Sequei os olhos, curtindo aquele momento de poder rir com tudo. Já fazia algum tempo que eu não tinha uma conversa como aquela, sem nada a perder.

— É o que eu digo que meu pai faz, porque a verdade é constrangedora demais — falei.

Henrik tirou os óculos e limpou-os na bainha da camisa com um floreio.

— Deus abençoe os exploradores. São um caso sério, não é mesmo? Meu namorado trabalha nos sítios de escavação minoicos e passa a maior parte do tempo vasculhando a terra. Ele fica todo animado com pedaços de cerâmica velha.

A agitação alegre de repente congelou em meu peito.

— Você disse *minoico*?

— O que foi? — indagou Henrik, notando minha surpresa. — Você já ouviu falar deles?

— Hã, sim.

Eu sabia mais sobre eles do que qualquer adolescente americana deveria saber. Os minoicos eram uma civilização da Idade do Bronze, que um dia já teve forte presença nas ilhas gregas e também tinha um papel de destaque na teoria do meu pai.

— Meu pai acredita que os minoicos faziam parte de Atlântida.

— Ahhhh — disse Henrik. — Faz sentido. Uma civilização insular avançada que foi completamente destruída por desastres naturais. De acordo com Hye, os minoicos estavam realmente à frente de seu tempo. Será que…?

— Tã-rã. Você virou oficialmente um caçador de Atlântida.

Para mim, aquela conversa toda sobre Atlântida já tinha sido mais do que suficiente. Hora de mudar de assunto.

— Seu namorado é grego?

Henrik fez que não com a cabeça.

— Americano. Ele passa os verões em Santorini e o resto do ano lecionando arqueologia em Austin, no Texas. Sou diretor de uma escola de educação especial em Boston, mas passamos as férias juntos.

— Há quanto tempo vocês namoram?

— Três anos. Dominamos a arte do relacionamento a distância — disse ele casualmente, e senti a esperança crescer dentro de mim.

Dax e eu não precisávamos frequentar a mesma universidade para namorar, não é mesmo? Casais faziam relacionamentos a distância darem certo o tempo todo. Então ouvi a voz de Maya ecoar nos meus ouvidos. *Vamos ficar a cinquenta quilômetros um do outro!* Enquanto isso, Providence, em Rhode Island, ficava a cinco mil quilômetros de Stanford. Mas a gente daria um jeito, não é?

Henrik encarou incisivamente a pilha de imagens que eu arrancara das revistas.

— O que é tudo isso?

— Ah… — hesitei, e juntei rapidamente a pilha. — Coleciono imagens. Para colagens e como referência. Eu desenho e pinto e…

Meu envelope superlotado parecia ainda mais ridículo do que de costume, e o enfiei depressa na mochila.

— Não é nada de mais — concluí.

— Então você é uma artista.

O zíper da minha mochila emperrou, então fiz força, mantendo os olhos nas minhas coisas.

— Mais ou menos. Estou no ensino médio, mas penso em fazer faculdade de Artes. Quer dizer, provavelmente não vou, mas meio que gosto de pensar nisso. Devo acabar estudando alguma coisa completamente diferente.

Eu me sentia tão confiante quanto um peixe fora d'água, e, quando olhei nos olhos do Henrik, ele estava sorrindo.

— Mas você é mais ou menos uma artista?

Não sabia se devia assentir ou negar com a cabeça, então fiz os dois.

— Aham?

— Bem, não consigo imaginar um lugar melhor para alguém que é *mais ou menos* artista do que Santorini. É incrivelmente lindo. — Ele me cutucou de leve com o cotovelo. — E, Liv, sei que só nos conhecemos há uns vinte minutos, mas sinto que você vai se dar bem lá. Mais do que bem. Santorini é mágica. Seja lá o que estiver procurando, você vai encontrar.

Seu tom era uma mistura de confiança e gentileza, e senti o princípio de algo surgir dentro de mim. Esperança? Talvez Henrik estivesse certo. Talvez eu *fosse* me dar bem.

Mas então meu olhar correu para a janela e tomei um susto ao perceber que não estava mais vendo o oceano. Estava vendo Santorini. Naquela faixa marrom de terra, estava o meu pai. Meu *pai*. Toda aquela sensação boa simplesmente evaporou.

Capítulo 4

#4. MAPA DE SANTORINI

De todos os itens que meu pai deixou, acho que o mapa foi o que mais me deu dor de cabeça. Ele era a base da teoria de que Santorini era Atlântida, a prova de todo o trabalho que meu pai havia realizado. Além de ser preciso num grau alarmante ao representar a Santorini moderna (comparei-o com outros mapas), ele ilustra como Santorini corresponde à descrição dos escritos de Platão.

Meu pai literalmente passou anos marcando cada pista e até sobrepondo um desenho de como Atlântida fora um dia, com seus "anéis concêntricos de terra e mar", todos correspondendo com o formato do sistema de ilhas atual. O mapa me parecia a melhor prova de que meu pai voltaria: ele não deixaria o trabalho de sua vida para trás, certo? Até que um dia a ficha caiu. Não é comum as pessoas deixarem para trás o trabalho de uma vida inteira, mas também não é comum deixarem suas famílias.

Ele nunca tivera nada de "comum" mesmo.

AEROPORTO INTERNACIONAL DE THIRA PARECIA UM NOME presunçoso demais para um prédio que, além de pequeno, delimitava com cercas de arame as poucas pistas de decolagem e pouso. Não era nem grande o bastante para uma ponte de embarque e com certeza não parecia grande o bastante para o reencontro que estava para acontecer. O calor da cabine estava sufocante, mas meus dentes não paravam de ranger.

Os comissários de bordo nos encaminharam até o meio do avião para sairmos por uma escada móvel, e todas as pessoas que antes estavam sonolentas de repente passaram a ter a energia de mastodontes selvagens, empurrando e abrindo caminho com o cotovelo. Henrik apertou meu braço, perguntou pela milionésima vez se eu estava bem e anotou seu número em um dos meus recortes de revista antes de entrar na fila para a porta.

Eu, por outro lado, demorei um tempo exagerado para pegar meu fone de ouvido, meus livros e minhas páginas de revista e, quando finalmente ergui o olhar, percebi que seria a última a sair e tive que me apressar para me juntar aos outros. Quando pisei na escada, minhas pernas bambearam. *Estou em solo grego.*

Bem, tecnicamente eu ainda estava a uns quatro metros do solo grego, mas já dava para sentir o cheiro do mar. E de combustível de avião e... de algo enjoativo, doce e podre. Lixo? Cascas de banana assando ao sol? Tentei enxergar a distância, mas qualquer coisa além do aeroporto estava turva pela umidade. Um lugar completamente desconhecido.

Depois que desci os degraus de metal, um micro-ônibus cruzou uma distância tão curta que chegava a ser ofensiva e nos deixou no prédio da retirada de bagagens. Saltamos e entramos em uma sala com piso de linóleo lotada. Os passageiros pegavam suas coisas rapidamente e seguiam para a saída. De repente, tudo se tornou *muito* real para mim. Meu pai estava do outro lado daquelas paredes. O que eu deveria dizer para ele?

Por que eu não passara as últimas vinte e três horas pensando naquilo?

Meu peito ardia, e eu precisava arrumar um jeito de ganhar mais tempo. Minha mente então se agarrou a uma única possibilidade. Talvez minha bagagem se perdesse! O que exigiria tempo no guichê de objetos perdidos, muitos minutos discutindo com agentes de companhias aéreas, algumas ligações de emergência para minha mãe... mas então, *bum*. Minha mala Louis Vuitton apareceu na esteira e completou o percurso com toda a calma, alheia aos meus planos.

Talvez eu pudesse ir lavar o rosto primeiro.

O banheiro tinha um espelho de corpo inteiro sem nenhum problema de sinceridade. Eu parecia um zumbi transcontinental. Pálida, suada, cabelo sem vida, olheiras e uma expressão de surto total. Além disso, a mancha de café na minha camisa parecia prestes a ganhar vida, ficar peluda e sair andando.

Aquela não era a Liv nova e melhorada que eu gostaria que meu pai visse. Era simplesmente patética.

Eu me inclinei até meus olhos injetados ficarem a poucos centímetros do espelho. Eu não tinha os olhos castanho-escuros do meu pai nem os azuis da minha mãe. Eram só meus, grandes e castanho-esverdeados, uma cor que não se encaixava em nenhuma das categorias no formulário para tirar carteira de motorista. De resto, minhas feições eram classicamente gregas e podiam ser um pouco intensas demais se eu não soubesse administrá-las: lábios grossos, covinha discreta no queixo e nariz aquilino. Mesmo tendo a pele mais escura do meu pai, de algum jeito herdei as sardas da minha mãe — um punhado de pontinhos caóticos na ponte do nariz, que eu fingia que me incomodavam, mas na verdade amava. Quando conheci a irmã do Dax, ela me perguntou se minhas sardas eram naturais ou tatuagem. Até parece. Como se minha mãe *algum dia* fosse me deixar fazer uma coisa daquelas.

Cheguei ainda mais perto, querendo avaliar cada detalhe. Quanto eu mudara desde a última vez que meu pai havia me visto? Meu corpo obviamente mudara. Eu tinha um metro e setenta, talvez um ou dois centímetros a mais, e minhas pernas eram quase tão compridas quanto as da minha mãe. Meu cabelo também mudara. Até poucos anos antes, eu usava o cabelo comprido. No entanto, passara a cortá-lo na altura do queixo, com uma franja que ia até quase meus cílios. Eu adorava o penteado, principalmente porque cobria minhas orelhas salientes. Elas não tinham mudado nem um pouco desde que ele fora embora, por mais que eu tivesse desejado.

E se meu pai passasse direto por mim? E se ele estivesse no aeroporto à espera da minha versão de oito anos e ficasse decepcionado quando eu aparecesse? *Não.* Aquele pensamento me levou de volta à realidade, e encarei irritada meus olhos no espelho. Ele não tinha o *direito* de ficar decepcionado. Era ele que tinha me abandonado. Se não me reconhecesse, a culpa seria toda dele. Eu só queria que meu pai soubesse que eu tinha me saído perfeitamente bem sem ele.

Empurrei a mala para dentro de uma das cabines do banheiro e revirei minhas roupas por um instante antes de puxar umas das minhas combinações preferidas: calça jeans preta justa, regata curta e uma sandália de couro delicada. Casual, mas arrumada. Eu tinha um milhão de variações daquele estilo de roupa e, sempre que as vestia, me sentia sofisticada e importante, como uma estudante de arte parisiense atrasada para aula.

Troquei de roupa, encontrei meu brinquinho de ouro preferido, me maquiei mesmo um pouco trêmula e escovei o cabelo até a franja ficar bem lisinha e luminosa. Quando terminei de passar o delineador, já me sentia infinitamente melhor. Por que eu estava preocupada? Liv Varanakis sabia lidar com qualquer coisa.

Olhei uma última vez para o meu reflexo, endireitei os ombros e saí do banheiro em direção à esteira de bagagens. Meus pés me levaram em direção às portas, o coração martelando com toda força, então saí ao ar livre e... nada.

Bem, não era exatamente nada. Em frente a uma rua de mão dupla, havia um meio-fio sujo, um ponto de ônibus e uma pequena vitrine iluminada pelo letreiro laranja-vivo da Air Canteen. Algumas pessoas passaram por mim a caminho do ponto de táxi ou de carros à espera. Mas do meu pai?

Nem sinal.

A menos que não o estivesse reconhecendo. Eu tinha refletido sobre quanto eu havia mudado, mas e ele? Será que ele estava irreconhecível? Examinei a multidão, procurando desesperadamente por alguma característica que me permitisse identificar entre as pessoas passando alguém parecido com meu pai. Uma velha senhora. Um jovem pai com um bebê no colo. Um garoto com cara de universitário usando fones de ouvido.

Ninguém que, em algum momento da vida, pudesse ter sido meu pai.

Por um instante, eu me senti flutuando, suspensa sobre minhas emoções, até que de repente despenquei. Com tudo. *Meu pai não está aqui.*

As pessoas que restavam começaram a se dispersar, indo embora em carros e táxis e me deixando ali sozinha, como uma boia lançada ao mar. Girei o corpo em um círculo lento, a preocupação dando lugar ao pânico. Senti um nó na garganta e comecei a suar.

Fica calma, Liv. Às vezes as pessoas se atrasam. Meu pai era pontual ou não? Pontual, que eu me lembrasse. Mas aquilo não significava que tinha me esquecido. Afinal, ele que enviara a passagem. Minha mãe tinha confirmado tudo. Ele estava à minha espera.

Mas ele já tinha me esquecido antes.

O ar de repente se tornou difícil de respirar. Lutei contra a umidade, tentando desacelerar meus pulmões, mas já estava meio zonza. Não pude evitar. Fui cambaleando até uma das cadeiras frágeis da Air Canteen e consegui me sentar. Eu tremia tanto que mal segurava a alça da mala. Será que eu estava com frio? Não podia estar com frio. Não com aquele calor. Então por que eu tremia tanto?

Procurei meu celular. Devia ligar para a minha mamãe? Para o James? Como eles poderiam me ajudar do outro lado do oceano? Dax atenderia se eu ligasse para ele? Selecionei o número e já ia ligar quando uma voz masculina perfurou o torpor em que eu me encontrava.

— Olive?

Virei o corpo, com o celular na mão, e, assim que vi o que estava atrás de mim, quase gritei. A meio metro de distância, a lente de uma câmera me encarava com seu enorme olho arregalado. Tinha até uma luz gigante presa a ela.

— O qu... quê? — gaguejei.

A câmera continuou:

— Vou considerar isso um sim. Olive, como é ser filha do homem que está prestes a abalar o mundo arqueológico com provas da existência de Atlântida?

Finalmente meu cérebro despertou e tentei me levantar, mas acabei derrubando a mala no processo. Obviamente havia uma pessoa atrás da câmera. Porque câmeras não *saem interrogando pessoas aleatoriamente em frente a aeroportos*. Eu tinha demorado tempo demais para entender aquilo. Será que era estresse ou cansaço? Então me lembrei das regras da minha mãe. Ela não me dissera o que fazer caso um câmera com voz simpática aparecesse do nada, mas eu tinha certeza de que permanecer na defensiva era a melhor opção.

— Por que você está me filmando? — perguntei, recuperando meu equilíbrio literal e o metafórico. — Quem é você?

— Qual pergunta você quer que eu responda primeiro?

A câmera foi baixando lentamente e, quando vi a pessoa por trás, quase me desequilibrei de novo.

Era um garoto grego, mais ou menos da minha idade, a pele vários tons mais escura que a minha. Ele era esguio, quase magrelo, usava uma camisa preta enfiada de qualquer jeito em uma calça jeans preta e calçava um Adidas surrado, também preto. Seu cabelo preto — meio cacheado, meio embaraçado — era pelo menos duas vezes mais grosso do que o da maioria das pessoas, e ele o usava penteado para trás. Normalmente, um cabelo daqueles seria o centro das atenções, mas não naquele caso, graças ao *rosto* dele.

Olhos enormes, sobrancelhas mal contidas, um nariz bem reto e cílios tão escuros que rivalizavam com os meus, que eu passara uns bons cinco minutos reforçando com rímel.

Era o tipo de cara bonito que não precisava se esforçar para parecer bonito. E ele não estava se esforçando *nem um pouco*. Sua aparência era descuidada de um jeito que chegava a ser irritante, como se ele tivesse caído da cama e saído de casa sem nem se olhar no espelho. Como se fosse tão bonito que nunca precisasse usar um espelho. Aquilo na camisa dele eram migalhas? E qual era a dificuldade de amarrar os tênis direito?

Ele também me encarava, como se eu fosse uma surpresa tão grande para ele quanto ele era para mim.

— O que foi? — indaguei.

Ele balançou a cabeça devagar, o cabelo caindo em seu rosto como se estivesse concorrendo para um comercial de shampoo. Aquele cara era *de verdade*?

— Você... estava diferente nas fotos.

Parei de pensar no cabelo dele na hora, porque percebi que estava em perigo iminente. As regras da minha mãe voltaram à mente. Será que ela tinha *razão*? Seria aquilo uma tentativa de sequestro? Ele parecia muito descontraído e desajeitado para ser um sequestrador. Além do mais, sequestradores provavelmente amarrariam os tênis, por causa da *fuga*. Estiquei o corpo para ficar mais alta, tentando parecer o mais intimidadora possível. Tínhamos mais ou menos a mesma altura. De salto, eu passaria ele.

— *Que fotos*? — esbravejei.

Funcionou. Ele recuou um pouco, procurando despertar de seja lá qual fosse aquele transe em que tínhamos entrado. Então sorriu e estendeu a mão.

— As fotos do seu pai. — Após se recompor por um instante, abriu um sorriso para mim. — A filha pródiga à casa torna. Ouvi falar muito de você.

Ele tinha ensaiado aquela frase, dava para notar.

O inglês dele era preciso, com um sotaque tão discreto que dava para esquecer que existia. Obviamente eu precisava perguntar quem ele era, mas ainda estava tentando desvendar qualquer aspecto daquela situação, e só o encarei. Além disso, *o que* ele tinha ouvido sobre mim?

De repente, seu olhar pousou na minha mala e seu queixo caiu.

— É sua? É desmesurada.

Quem usa a palavra "desmesurada"? Parecia um dos meus professores. Quando segui o olhar dele até minha mala, entretanto, entendi o que ele queria dizer. Quando arrumei minhas coisas, não tinha achado a mala tão grande, mas ali naquela pequena área parecia mesmo monstruosa, e também estava pesada. Eu tinha tentado montar uma guarda-roupa básico estilo "verão em Paris", mas aquela história de projeto misterioso complicou bastante. Será que eu ia precisar de tênis de corrida? Vestidos formais? Acabei colocando de tudo na mala, depois tirando a metade das coisas, então colocando tudo de volta outra vez.

Além disso, ainda havia os materiais de artes. Ah, os materiais de artes. No último segundo, entrei em pânico e coloquei lá dentro cada pincel, caderno de desenho e lápis que encontrei.

E... bem, eu não sabia explicar nem a mim mesma, mas também havia trazido a caixa com as coisas do meu pai. Eu não tinha ideia do que faria com aquilo (Devolver? Atirar no mar num ataque de raiva?), mas pareceu estranho deixá-la no armário enquanto eu viajava meio mundo. Minha mala estava parecendo uma *piñata* àquela altura, mas era a *minha piñata*. Aquele garoto desconhecido não tinha que se meter no que eu havia decidido trazer.

— Vou passar dez dias aqui — expliquei, agarrando defensivamente a alça.

— É, mas como vamos colocar isso ali? — Ele apontou para uma moto preta meio velha apoiada precariamente no que parecia ser uma placa de PROIBIDO ESTACIONAR. — Posso levar a câmera junto aos meus pés, mas... — divagou ele, com outro olhar crítico para minha mala.

Foi a gota d'água.

— Quem é você?

Seu rosto se abriu num sorriso, revelando dentes ligeiramente desalinhados. De alguma forma, aquela imperfeição o fez passar de meramente bonito a absurdamente atraente. Desviei o olhar para evitar que minhas retinas fossem queimadas por toda a beleza que emanava daquele ser.

— Olive, sou o *Theo*! — falou, como se fosse uma daquelas celebridades que só usam um nome, como se eu devesse reconhecê-lo. — Seu pai tinha que resolver umas coisas, então me mandou para buscar você. Ele pediu de última hora, então tive que vir correndo. Quase não cheguei a tempo.

Aquilo... não explicava nada. Mas antes que eu pudesse lhe dizer, o rosto dele se iluminou.

— Tenho uma ideia para resolver nosso problema de bagagem. Fica de olho na minha câmera?

Ele e seus cadarços descuidados correram em direção à multidão, me deixando ali, perdida no entardecer.

O que estava acontecendo? Cutuquei a câmera nervosamente com o pé e desejei que Henrik aparecesse, mas seu namorado já devia tê-lo buscado, porque não havia o menor sinal dele. Passado um instante, Theo voltou, falando rapidamente em grego com um homem que tinha o corpo parecido com um barril e um bigode que o fazia lembrar vagamente uma morsa. Por um instante, fiquei hipnotizada. Eu tinha esquecido o quanto eu amava a cadência rápida e ondulante do grego. Sempre me deixava um pouco abalada. Nostálgica.

— Olive, este aqui é o Yiannis — apresentou Theo.

— *Yasou!* Bem-vinda a Santorini — retumbou Yiannis. — Eu levo sua mala.

Para confirmar o que dizia, ele estendeu o corpo em direção à bolsa.

— O quê? Não. De jeito nenhum.

Tentei bloquear o acesso dele, mas Yiannis, a Morsa, parecia acostumado a lidar com clientes relutantes, porque simplesmente se esquivou de mim, pegou a mala, colocou-a no ombro e seguiu para o meio-fio.

— Pare! — gritei, mas Yiannis não parou. — Aonde ele está indo?

— Para Oia. Ele é motorista de táxi, e já tem uma corrida para lá. Vai levar a bagagem pra gente de graça.

Theo estava claramente muito orgulhoso da solução que encontrara e abriu um sorriso que me encantou e enfureceu ao mesmo tempo.

— *Nada* disso é razoável — falei, cerrando os punhos, desamparada.

Theo apoiou a mão no meu ombro.

— Ele está feliz em ajudar. Mais do que feliz. Seu pai fez muita coisa por ele.

Me afastei da mão dele.

— Não foi isso o que eu quis dizer.

— Fazer pelo pai. Seu pai — berrou Yiannis, sorrindo para mim por cima do ombro. — Nico, ele é bom. Tomar cuidado, sim?

— Não! — falei.

Mas mesmo assim meus pertences desapareceram no porta-malas de um táxi amassado. O que estava acontecendo?

— Demos sorte — disse Theo, pegando a câmera e seguindo para o meio-fio. — Agora vamos. Precisamos nos apressar.

— Quem é você e cadê o meu pai? — gritei atrás dele.

— Olive, eu já falei, ele está atrasado e…

Eu não me contive.

— Para de me chamar de Olive! — berrei, irritada. — É Liv. Prefiro que me chamem de Liv.

Theo finalmente parou e franziu a testa enquanto me observava. Parte de mim queria se desculpar por ter gritado, mas parte maior achava minha atitude completamente justificada, então fiquei em silêncio. Ele se aproximou, hesitante, como se faz com um guaxinim possivelmente raivoso. Então me olhou com ar sério, forçando contato visual.

— Mas seu pai sempre chama você de Olive.

A raiva reverberou dentro de mim, e fui forçada a recuar alguns passos.

— Como assim "*sempre* chama"? Não falo com ele desde que eu tinha oito anos.

— Desde os oito? — Theo arregalou os olhos. — Mas os cartões-postais…

Meu coração bateu forte. Ele sabia dos cartões? De repente me senti invadida. Vulnerável. Como aquele cara sabia tanto sobre mim?

— Cartões-postais não contam como uma conversa.

Mais um comentário incrivelmente perspicaz da Capitã Óbvia.

Theo não riu. Ficou só me encarando mais um tempo. Depois deu um passo à frente, o olhar suave e preocupado.

— Seu pai planejou uma surpresa para você, e tinha alguns detalhes para finalizar. Ele queria estar aqui, mas queria mais ainda terminar sua surpresa. Você pode vir comigo? Temos que ir até Oia e não podemos nos atrasar.

Então apontou de novo para a moto, com a esperança de que eu começasse a me mexer.

Mas fiquei empacada na palavra que ele repetia toda hora. *Oia*. Era o nome do vilarejo em todos os cartões-postais. Só que Theo pronunciava "Ia", não "Óia", como eu pensava que fosse. De repente me senti ridícula. Como eu não sabia pronunciar o nome da vila onde meu pai nascera? Será que minha mãe sabia como se falava?

Ah, não. Minha mãe. As regras dela voltaram à minha mente. *Nada de conversar com garotos no aeroporto.* Ela tinha me preparado exatamente para aquele cenário. Aquele era o exemplo perfeito de conversar com um garoto no aeroporto. *Não pegue carona com garotos desconhecidos.* Mas ela não tinha me dito o que fazer caso meu pai tivesse *mandado* o tal garoto ou caso o tal garoto enviasse pequenas descargas de oxigênio para o meu cérebro toda vez que eu olhava para ele.

Tá, não era oxigênio. Estava mais para… eletricidade? Aquilo estava ficando estranho.

Respirei fundo, cerrando os dedos em volta das alças da minha mochila. Pelo menos ainda tinha a minha mochila.

— Como vou saber que você não é tipo aquele garoto do filme *Busca implacável*?

Theo ergueu as sobrancelhas. Aparentemente, as sobrancelhas faziam metade da comunicação por ele.

— Perdão?

A julgar pelo seu tom, ele estava achando muita graça, um sentimento que eu não compartilhava. Dei um passo para a frente, cheia de coragem.

— Sabe aquele filme em que a garota viaja para a Europa, é sequestrada e o pai dela é um ex-agente da CIA?

Theo passou do riso para uma expressão horrorizada, que basicamente consistia em erguer ainda mais as sobrancelhas. Ele se aproximou e fez menção de tocar meu braço, mas deve ter percebido que seria exatamente o que o sequestrador de *Busca implacável* faria, então se deteve.

— O quê? Ai, meu Deus. Não. Já falei, sou amigo do seu pai. Trabalho para ele.

— Você vai ter que provar — insisti, ajeitando a postura para combinar com meu tom confiante.

Coluna ereta, ombros para trás, contato visual. James chamava aquilo de posição de poder.

Theo parecia desnorteado.

— Como?

Boa pergunta. Por um instante, também fiquei desnorteada. Então pensei numa solução.

— Isso é com você.

— *Pismatara* — murmurou para si mesmo. — Igual ao Nico.

Aquela palavra soava vagamente familiar. Teimosa? Orgulhosa? Fiquei irritada, mas não tinha muito como reclamar de algo que eu não havia entendido.

— E então? — falei.

Vê-lo perdido em busca de uma resposta era surpreendentemente divertido.

De repente, ele olhou nos meus olhos e abriu os braços, triunfante.

— Eu sabia sobre os cartões-postais.

Verdade.

— Bem... — rebati.

Ele apontou para o meio-fio.

— E aquela moto é dele. Mais alguém no mundo teria uma moto assim? Era só um monte de sucata quando ele a viu pela primeira vez.

Olhei por cima do ombro do Theo, prestando mais atenção no veículo. A moto claramente tinha passado por alguma catástrofe, e, além da carcaça enferrujada e do assento remendado com fita isolante, o escapamento estava preso de uma maneira meio improvisada. Era a cara do meu pai. Ele sabia consertar qualquer coisa usando qualquer coisa.

— Outra prova — exigi, mas estava começando a ceder.

Theo franziu o rosto, o que chamou atenção para os seus lábios. Quer dizer, boca.

— Vamos fazer o seguinte: você pode me perguntar qualquer coisa sobre ele.

— E você vai saber a resposta?

Ele assentiu, confiante, parecendo aliviado.

— Com certeza. Já estou trabalhando com seu pai há um ano. Sei tudo sobre ele.

Senti o ciúme tomar conta de mim. Um ano inteiro? Quem era aquele cara, seu filho substituto? Eu queria pegá-lo de surpresa. Respirei fundo, procurando me concentrar. Era difícil pensar em detalhes íntimos de alguém que não via há um milhão de anos, mas finalmente me ocorreu uma coisa.

— O que meu pai tem tatuado na parte interna do braço?

Theo sorriu orgulhoso, erguendo um dedo.

— Uma bússola. Com algumas coordenadas numéricas por fora.

Acertou. Na verdade, eram as coordenadas de uma pequena cafeteria em Chicago, onde minha mãe tinha contado para o meu pai que estava grávida de mim. Ele dizia que era preciso marcar os momentos que mudam tudo, e tinha feito a tatuagem. Era bem deprimente pensar no assunto.

Cruzei os braços.

— Quais são os números?

As sobrancelhas dele dispararam para cima.

— Sério?

Dei de ombros.

— Hum… quarenta e um vírgula… oito? E oitenta alguma coisa… oeste?

Ele olhou para mim, esperançoso.

— Quase — respondi.

Na verdade, era 41,8786° N e 87,6251° O. Não lembrava nem o número do celular da minha mãe, mas conseguia recitar as coordenadas tatuadas no braço do meu pai. Eu me lembrava de olhar para elas enquanto ele lia para mim à noite e pensar: *Aí estamos.*

— Além disso, sei que você nasceu durante uma tempestade de neve e seu pai expulsou um cara do táxi para levar sua mãe ao hospital a tempo — disse Theo.

Ele estava com um ar esperançoso. Ou seria arrogância? Maravilha. Dois minutos na Grécia e já estava de saco cheio das recordações. Eu precisava tomar o controle daquela situação. Rápido. Finalmente menos combativa, começava a me sentir zonza. Devia ter tentado dormir no avião. Respirei fundo.

— Beleza. Mas é bom que você saiba que meu padrasto é mestre de Krav Maga e me ensinou a derrubar qualquer um em qualquer lugar. Além disso, se tentar me filmar de novo, vou surtar.

Theo riu, e o som me surpreendeu. Era uma gargalhada profunda, sonora e boba, que imediatamente me tranquilizou. Bem, em parte.

— Seattle deve ser dureza.

— Na verdade, não — falei, pensando em nosso gramado bem cuidado, em nossa casa moderna e gigantesca ao lado de todas as outras casas enormes da vizinhança.

Seattle não era dureza; dureza era tudo o que tinha acontecido antes.

Theo apontou com a cabeça para o meio-fio.

— Está pronta agora? Seu pai vai ficar chateado se perdermos a surpresa.

Olhei para o espaço vazio onde o táxi de Yiannis estivera antes.

— Quais são as chances de a minha mala chegar mesmo a Oia?

— Sessenta por cento — disse ele, com confiança.

Tive que rir, e ele deve ter gostado da minha risada, porque abriu um sorriso. Imenso. Quando nossos olhares se encontraram, senti o pânico tomar conta de mim, porque o rosto dele deveria estar esculpido em pedra, bordado numa tapeçaria ou algo assim. Não *existiam* rostos que nem aquele.

— Vamos — chamou ele, apontando para a moto.

Daquela vez, eu o segui. Com sorte, não passaria muito tempo com ele. Theo seria um problema para mim. Eu podia sentir isso no fundo da alma.

Capítulo 5

#5. UM PEDAÇO DE VIDRO MARINHO AZUL-VIVO, CORTESIA DO MAR EGEU

Tecnicamente, isso meu pai tinha me dado, mas eu sempre considerei mais um empréstimo do que um presente. Ele me contou que tinha sido o único pedaço de Santorini que coubera na sua mala, e o vidro tinha acompanhado a gente em todas as mudanças. Na época, eu adorava o mar, e, sempre que dava, percorríamos de bicicleta os poucos quilômetros até a praia North Avenue e vasculhávamos a areia em busca de tesouros, mas nunca encontrei nada tão bonito quanto o vidro do mar Egeu.

A menos que estivéssemos falando sobre Atlântida, meu pai quase nunca mencionava Santorini. O máximo que eu consegui extrair dele é que era um lugar muito bonito e às vezes ele sentia saudade de lá. Quanto ao pedaço de vidro, quando meu pai voltou para a Grécia, imaginei que não pre-

*cisasse mais dele. As praias de lá provavelmente estavam
cheias de coisas bonitas.*

PROCUREI ME SENTAR A RESPEITÁVEIS DEZ CENTÍMETROS
de distância do corpo do Theo, mas aqueles dez centímetros não
duraram mais do que dois segundos, porque mal me acomodei e
Theo arrancou em disparada. Então meu objetivo principal passou a ser ficar grudada nele.

A moto era incrivelmente barulhenta, com todo tipo de rangido de engrenagens, estalidos e ruídos, e havia a possibilidade bem
real de algum tipo de roedor do Mediterrâneo ter ficado preso
nos raios das rodas. Mas, mesmo que não fosse tão barulhenta,
duvido que teríamos conversado. Theo estava ocupado demais
tentando quebrar algum recorde de velocidade, e eu, tentando
absorver Santorini.

Depois de todas as horas que eu passara observando o mapa
do meu pai, parte de mim acreditava que eu reconheceria a ilha,
mas saber sobre aquele lugar não me preparara em nada para a
realidade. Eu já sabia que Santorini tinha a forma de uma meia-lua crescente, com uma baía aninhada em sua curva, mas eu não
sabia que a ilha era pequena o suficiente para que eu pudesse ver
o formato com meus próprios olhos.

Também havia os penhascos. Vermelhos e bem delineados,
cobertos por extensos vilarejos de casas e igrejas caiadas de um
branco resplandecente, com destaques em tons de amarelo claro,
rosa esmaecido e um ou outro telhado azul-cobalto. De vez em
quando, Theo diminuía a velocidade para gritar o nome dos lugares pelos quais estávamos passando.

— Fira! — gritou enquanto passávamos a toda por uma cidade pequena, com uma rua principal congestionada e um

AMOR & AZEITONAS

McDonald's dividindo espaço com a tradicional arquitetura grega. — O antigo porto!

Ele apontou para uma vasta extensão de mar azul com navios de cruzeiro tão lá embaixo que pareciam peças de Batalha Naval. Cada área residencial por onde passávamos tinha algo por que se apaixonar. Pequenas ruas sinuosas repletas de burros usando cobertores coloridos e sinos, e igrejinhas com cruzes despontando de seus domos azuis. Eu não parava de ter um pensamento idiota provocado pelo sono: *Santorini é assim de verdade.* Também havia outro pensamento idiota: *Theo tem um cheiro maravilhoso.* Como um limoeiro. Ele podia até não ter penteado o cabelo, mas sua colônia ou pós-barba ou seja lá o que fosse era tão cítrica e refrescante que, cada vez que se inclinava para trás para me gritar o nome de algum lugar, eu inspirava o aroma sem perceber.

Tínhamos passado de Fira e estávamos subindo uma estrada estreita e sinuosa quando finalmente me dei conta da primeira frase que Theo havia me dito. *Como é ser filha do homem que está prestes a abalar o mundo arqueológico com provas da existência de Atlântida?*

Ele usara mesmo a palavra "provas"? Porque, se tinha uma coisa que eu sabia sobre os caçadores de Atlântida, é que eles não usavam aquela palavra levianamente. Fiquei louca para fazer mais perguntas ao Theo. Meu coração disparava à medida que a moto subia cada vez mais alto.

Bem quando eu tinha aceitado que aquela era a minha nova vida, que eu ia ficar rodando em uma minimoto desengonçada, admirando aquela beleza inimaginável por toda a eternidade, e também tentando não me perder no cheiro da colônia do motorista, Theo entrou de repente em um estacionamento de terra, levantando uma nuvem de poeira e me lançando para cima dele.

— Ai! — exclamei.

— Oia! — anunciou Theo. — Chegamos.

— Um aviso. Um aviso teria sido bom.

Cadê ele? Enquanto eu examinava freneticamente o estacionamento, meu coração começou a tradicional dança grega conhecida como *Colapso Completo e Total.* O mar ficava à direita, e à minha esquerda havia um ponto de ônibus improvisado, uma barraquinha de frutas e um denso labirinto de prédios brancos. Havia dois garotos conversando em frente a um carro e uma mulher sentada numa cadeira dobrável na varanda de uma loja de souvenir.

Meu pai não estava ali. *Outra vez.*

— Seu pai vai nos encontrar em outro lugar. Na sua surpresa — disse Theo, notando minha pergunta não formulada.

Certo. Suspirei, ignorando a mão estendida dele e descendo aos tropeços da moto, com as pernas trêmulas.

— Theo, o que você quis dizer lá no aeroporto?

— Hã?

Ele estava guardando nossos capacetes sob o banco da moto e, quando se virou e sorriu, senti uma série de cambalhotas na barriga, o que me preocuparia se eu não estivesse num relacionamento sério. Ou pelo menos eu *achava* que estava num relacionamento sério. Será que eu devia ligar para o Dax? Meus dedos coçaram para pegar o celular, mas afastei a ideia. Primeiro, meu pai, depois eu lidaria com o Dax.

Ajustei as alças da mochila, sentindo seu peso tranquilizador em meus ombros.

— No aeroporto, você me falou que sou filha de um caçador de Atlântida que tem *provas.*

— Eu não falei isso — disse Theo rapidamente, mas suas sobrancelhas se ergueram e o entregaram.

Ele devia ser um péssimo jogador de pôquer.

— Falou, sim.

Seu rosto se iluminou em um largo sorriso.

— Está bem, eu falei. Mas seu pai quer contar tudo para você. Ele só podia estar brincando.

— Mas estou falando de prova, prova. Prova *de verdade*.

Theo se aproximou de mim, e minha temperatura subiu alguns graus, assim como na moto. Por segurança, dei um passo para trás.

— Prova *científica* — insisti.

— E existe outro tipo de prova? Não vou contar mais nada. Não quero estragar a alegria do seu pai.

Meu coração disparou.

— A prova tem alguma coisa a ver com o "projeto misterioso"? Tive o cuidado de fazer um gesto acrescentando as aspas.

— O "projeto misterioso"? Não exatamente — rebateu Theo.

Então me lançou um sorriso capaz de dizimar uma cidade inteira. Com facilidade. Mas, mesmo que eu não tivesse namorado, não me permitiria sonhar demais com aquele sorriso, porque aquele cara era claramente tão delirante quanto meu pai. Eu não ia cair naquela.

— Cadê o meu pai? — perguntei.

— Pronta para correr?

Theo tinha estendido a mão para mim, mas consegui me deter antes de estender a minha.

— Você disse correr?

— É, aqui. Deixa eu levar sua mochila. — Quando viu minha expressão, ele riu. — Seu pai também nunca me deixa carregar a dele. Sabia que vocês dois têm basicamente a mesma mochila? A dele só é mais velha.

Nós temos a mesma mochila? Agarrei as alças com força. Eu era um pouquinho obcecada pela minha mochila. Minha mãe a encontrara em um brechó um ano antes de se casar com James, e eu a usava desde então. Era cor de café com leite, o couro gasto à perfeição, e seu formato quadrado tinha o tamanho exato para meus materiais de artes. Será que meu pai também carregava materiais de artes?

Afastei aquele pensamento, voltando para a conversa com o Theo.

— Eu não vou correr.

— Mas... — Ele pareceu decepcionado. — É a única maneira de chegarmos a tempo para a surpresa do seu pai.

Ele parecia estar ficando cansado de repetir aquilo para mim, mas eu não ia ceder.

Minha última corrida com o Dax voltou à mente, e balancei a cabeça.

— Eu não corro. Meu namorado que o diga.

Minha voz falhou um pouco na palavra "namorado", o que foi constrangedor e um pouco revelador também.

— Você que sabe. Mas confie em mim, vai valer a pena.

Então, antes que eu pudesse decidir se Theo merecia um pingo de confiança, ele se virou e saiu correndo em direção ao labirinto de construções. Não era um passo acelerado nem uma corridinha casual, mas uma corrida pra valer. Os prédios rapidamente o engoliram, e fiquei sozinha no estacionamento de terra, sem bagagem, morta de dor de cabeça por causa do cansaço, e sem a menor noção de para onde eu deveria ir.

Na verdade, sou bem rápida quando quero ser.

Oia conseguia ser ao mesmo tempo igual às fotos que eu vira na internet e totalmente diferente, porque as fotos não lhe faziam jus. O vilarejo parecia mais arenoso, mais bonito, menor e ainda mais charmoso do que imagens poderiam capturar. Ou pelo menos era a impressão que eu tinha — mas estava concentrada em manter o olhar no vulto do Theo que ainda continuava à vista, o que não era nada fácil.

AMOR & AZEITONAS

A princípio, tudo parecia igual em Oia. Todos os prédios tinham um estilo parecido — baixos, brancos e angulares —, mas, à medida que seguíamos pelas vielas, as construções começaram a se diferenciar. Passamos por uma igrejinha com postes listrados de azul-claro, e então por uma mercearia cheia de produtos que eu me lembrava vagamente de ver meu pai comprando nas lojas do bairro grego de Chicago: nugá, polvo enlatado, figos secos, barras de gergelim e potes de Nutella. Lojas para turistas exibiam suas mercadorias em pátios abertos — desde burros de pelúcia a trabalhos artísticos originais. Para todo lado havia *branco*. Os prédios, as igrejas e as calçadas, tudo irradiava um branco intenso à luz do sol do fim de tarde, interrompidos aqui e ali por buganvílias fúcsia e o azul-vivo das bandeiras da Grécia. Não havia carros em Oia, e ainda bem, porque duvido que caberiam ali.

Pedestres — turistas, a julgar por seus olhares extasiados — ocupavam cada centímetro do lugar. Metade estava elegantemente arrumada com vestidos esvoaçantes e ternos de verão, enquanto o restante parecia ter acabado de sair da praia. Eles se moviam lentamente com suas câmeras na mão, completamente inebriados, parando para tirar fotos de igrejinhas e portas charmosas e passando por cima dos cachorros com pelos bagunçados que descansavam de forma um tanto inconveniente no meio da calçada. Eram muito irritantes — as pessoas, é claro; os cachorros, eu queria pegar no colo e carregar comigo para onde quer que estivéssemos indo —, mas eu também estaria admirando tudo e tirando fotos se não estivesse desesperada para não ficar para trás.

Theo seguia pelas ruas, desviando dos obstáculos e subindo degraus, enquanto eu corria atrás dele, com minhas sandálias escorregadias no chão de mármore e a mochila balançando pesadamente nas costas. Àquela altura, eu só pensava que deveria ter dado a mão a ele; teria facilitado as coisas. Nem mesmo Dax poderia reclamar. Bem no instante em que achei que meu coração estava prestes a explodir, Theo freou de repente. Tentei parar também, mas minhas sandálias não combinavam com o mármore gasto, e ele teve que me segurar pelo braço para me manter de pé. Eu estava toda suada e desarrumada, e arfava como se tivesse acabado de fugir da prisão.

— Bem-vinda a Atlântida — anunciou Theo.

— Atlântida? — perguntei, ofegante.

Então me virei lentamente, observando aquele novo cenário. Tínhamos corrido para o que parecia ser o lado oeste da ilha e estávamos a poucos metros da beira dos penhascos. A caldeira — a baía em forma de tigela parcialmente cercada pela ilha — se abria imponente e reluzente lá embaixo, com uma ilha bem menor flutuando no meio como um pesado pato de borracha. À nossa esquerda, o restante de Santorini se curvava como um C espelhado, e à direita, o caminho de mármore se estendia um pouco mais, terminando no que pareciam ser as ruínas de um castelo. Estávamos no topo de Santorini, mas parecia que estávamos no topo do mundo. Não era de estranhar que aquele lugar estivesse tão cheio. *Bem-vinda a Atlântida.*

Eu me virei para Theo de novo. Ele não parecia nem um pouco sem fôlego. Na verdade, estava radiante e com uma aparência perfeitamente saudável.

— Você diz isso porque Santorini é a origem do mito de Atlântida? — perguntei, finalmente recuperando o ar.

— Mito? — Ele estreitou os olhos para mim. — Não, bem--vinda à livraria Atlântida.

Theo apontou e, de repente, me dei conta de que havia um microprédio bem diante de toda aquela vista espetacular. Não um prédio qualquer, mas uma área externa em que funcionava uma livraria ao avesso. Era minúscula, talvez do tamanho do meu quarto em Seattle, e parecia ter sido esculpida numa rocha antiga. A fachada era dominada por duas escadas caiadas de branco: uma levava a um terraço aberto com vista para o mar e a outra a uma porta em arco pintada de dourado. Murais de Atlântida coloriam as paredes externas, e todos os nichos e recantos possíveis tinham prateleiras de madeira transbordando de livros e placas curiosas escritas à mão. EU ♥ NARRADORES NÃO CONFIÁVEIS. E também: OS DINOSSAUROS NÃO SABIAM LER E AGORA ESTÃO EXTINTOS. MERA COINCIDÊNCIA? Um questionamento válido.

A mistura de cores, imagens e frases dava à livraria a aparência de uma colagem em tamanho real. Meus dedos coçavam para pegar um lápis e o caderno de desenho. Não sabia bem o que eu desenharia primeiro, mas queria capturar tudo.

Até que eu vi. Acima da porta, pintada em dourado e com uma letra que eu teria reconhecido em qualquer lugar.

Bem-vindos à
Livraria Perdida de Atlântida.
O que estava perdido foi encontrado.
(Aberta diariamente do café da manhã ao pôr do sol)

A força daquela caligrafia me deixou sem ar. Antes que eu pudesse me segurar, corri até lá e toquei as letras, sentindo a textura áspera da construção sob meus dedos. Abaixo das palavras, havia um mapa de Santorini pintado à mão — uma forma que eu saberia desenhar de cor.

Ergui os olhos para o texto outra vez, a respiração presa na garganta. *O que estava perdido foi encontrado.* Seria assim tão simples?

— Primeira impressão? — perguntou Theo, a voz abafada.

Eu me virei e descobri que ele estava com a câmera, dando muito close em mim.

— De novo, não — reclamei, tentando sair do enquadramento.

De costas para o texto na parede, não doía tanto.

Theo manteve a câmera apontada para mim, imperturbável.

JENNA EVANS WELCH

— A loja faz você lembrar de alguém?

— Você está mesmo me perguntando isso?

Cruzei os braços, constrangida.

Com a câmera voltada para mim, eu não tinha a menor ideia do que fazer com as mãos ou para onde olhar. Além disso, era uma pergunta obviamente retórica. A livraria era excêntrica, incomum e tão charmosa que me deixara sem fôlego. Era igual ao meu pai, se ele fosse um prédio. Ou seja, ela estava me fazendo surtar completamente.

Queria mandar o Theo parar de me filmar, mas só apontei para a porta da livraria.

— Ele está lá dentro?

— Sim. Me dá um minuto pra eu me preparar.

Theo colocou a câmera no chão, ajustou-a por alguns instantes e depois apontou para mim de novo.

— Pronto. Vou ficar aqui enquanto você bate.

Ele só podia estar brincando. Quando me virei para olhar, a luz de gravação da câmera estava acesa e ele ergueu o dedão por cima dela.

— Vai — incentivou ele.

— Theo, *não*. Não vai rolar.

Tentei escapar, mas vários turistas na calçada tinham notado a câmera e uma pequena aglomeração bloqueava minha fuga.

— Como assim?

Corri para perto dele.

— Você não vai *filmar* nosso reencontro.

Não chegava a ser uma multidão, mas o grupo de pessoas atrás do Theo já começava a me deixar zonza.

— Você é o quê, um paparazzi? — perguntei.

— Paparazzo — corrigiu ele. — Olive, esse é um momento importante. Você mesma disse que não o vê desde os oito anos.

— *Liv* — corrigi.

Minha voz soava meio em pânico.

— É importante para a história — explicou Theo.

Até então, ele não havia me chamado de *Liv* nenhuma vez.

— Isso não é uma *história*. Sou eu reencontrando meu pai.

— Tudo é uma história. E você vai querer ter isso gravado, confie em mim. — Então ajeitou a câmera no ombro. — Tá, pode bater.

— O quê? Não vou encenar...

Antes que eu pudesse entrar completamente em pânico, ouvi alguém mexendo na porta, e não havia mais tempo. Senti minha respiração quente e rápida, um zumbido nos ouvidos, então a porta se abriu e...

Não era o meu pai.

Quer dizer, a não ser que ele tivesse envelhecido uns setenta anos desde a última vez que o vira.

O homem tinha olhos brilhantes, bochechas enrugadas e estava bem-vestido. Usava o cabelo ralo penteado cuidadosamente para o lado e tinha o tipo de elegância que me fazia pensar nas capas de vinil do Frank Sinatra que James exibia na parede do escritório lá em casa. O homem tinha as mesmas sobrancelhas grossas e olhos grandes que o Theo e segurava um bolinho coberto de pétalas de glacê branco.

— *Kalispéra*! — disse o homem.

Eu não sabia ao certo se estava aliviada ou decepcionada. Meu pai ia aparecer alguma hora?

— *Kalispéra* — respondi.

Uma palavra que eu dissera o tempo todo quando era criança, mas naquele momento pareceu pesada e densa na minha língua. *Boa tarde.*

O homem falou mais alguma coisa em grego, me deixando completamente perdida, e Theo respondeu, gesticulando em minha direção. A única coisa que entendi foi *Olive*.

— Olive, este é o meu avô, mas você pode chamá-lo de Bapou — disse Theo por trás da câmera, que continuava firmemente apontada para mim.

— Bapou? Tipo...

— A palavra grega para "vovô" é *papou*, mas eu falava errado quando era pequeno e o apelido pegou. Bapou também quer que eu diga para você que ele fala inglês muito bem, mas posso lhe garantir que não é verdade. Prossiga com cuidado.

Bapou sorriu para mim e senti toda a estranheza daquela situação.

— É um prazer conhecê-lo, Bapou — cumprimentei, insegura.

— Bela! Bem-vinda a Santorini! — exclamou Bapou, apontando um dos dedos para mim com entusiasmo.

Ele era extremamente simpático.

— Obrigada — falei, tentando retribuir com um sorriso tão caloroso quanto o dele. — É um lindo bolo.

Bapou franziu o rosto e Theo traduziu, o que me rendeu um sorriso deslumbrante do Bapou. Tal avô, tal neto. Bapou ergueu o bolo em minha direção em um brinde.

— Theo? Theo, é você?

De repente, outra pessoa apareceu, e então havia duas silhuetas bloqueando a porta.

Também não era o meu pai.

Definitivamente não era o meu pai.

A mulher era baixa e curvilínea, com a pele acobreada, cabelo escuro preso em um coque alto e uma franja espessa emoldurando os olhos também escuros. Ela estava sem sapatos, usava uma antiga calça Levi's bem larga, dobrada no tornozelo, uma camiseta desbotada dos Rolling Stones e um batom vermelho da cor exata do corpo de bombeiro e das balas de canela. Fiquei imediatamente obcecada por ela.

— Olive! — gritou a mulher, abrindo bem os braços. — Bem-vinda a Atlântida! Estou tão feliz por finalmente conhecer você.

A voz dela era grave e rouca, e seu sotaque era tão parecido com o do meu pai que minha nostalgia se transformou em um sentimento muito maior e mais vazio. Saudade? Dor?

— Pode me chamar de Liv — murmurei.

Ela subiu depressa as escadas e examinou brevemente minha roupa.

— Icônica — disse ela em voz baixa. — Você aperfeiçoou a arte da maquiagem francesa, minha malandrinha grega! E eu sei bem. Passei dez anos em Paris.

Engoli em seco. Era como se ela me enxergasse por inteiro.

— Olive, esta é minha mãe, Ana — disse Theo por trás da câmera.

— Sua mãe? — consegui perguntar.

Ana parecia jovem demais para ser mãe, que dirá mãe do Theo. No entanto, depois que ele contou isso, consegui perceber a semelhança nos olhos grandes e na boca.

— É um prazer conhecê-la — falei. — O meu pai…?

Está aqui? Vai aparecer alguma hora? Eu não sabia direito o que perguntar. Por sorte, Ana falou primeiro.

— É claro. Seu pai deu uma saída, mas volta logo.

Então, Ana viu a câmera do Theo e fechou a cara.

— Theo! Respeito! Falei pra você não…

Ela terminou a frase em grego, o tom irritado.

Theo baixou a câmera sem muito entusiasmo, mas a levantou de novo assim que Ana se virou. O que quer que ela tivesse dito não havia causado nenhum impacto, porque a câmera continuava invadindo meu espaço pessoal. Ana devia ter plena consciência da teimosia do Theo, porque nem insistiu.

— Olive, temos que levar você até o terraço para sua surpresa — explicou Ana. — Depressa. Eu te encontro lá em cima.

Ela disse algo ao Theo, que assentiu. Depois, ela desceu correndo os degraus da livraria. Por fim, Theo baixou a câmera. Os olhos dele brilhavam, exatamente como os de sua mãe, e, sem meu consentimento, meu estômago também se contorceu com a empolgação. Eu conhecia as surpresas do meu pai. O que quer que fosse, seria grandioso.

— Querem que você feche os olhos. Eu vou guiá-la.

A voz do Theo era autoritária, sem me dar opção. Estendi a mão timidamente para ele, que sorriu e a virou para inspecionar as cutículas.

— Você rói as unhas, que nem o seu pai.

— Não roo — falei, puxando a mão de volta.

Olive era uma roedora de unhas compulsiva. Liv não. Entretanto, quando examinei minhas unhas, vi que ele estava certo. Eu tinha roído completamente meu esmalte cinza-azulado. Quando? No avião?

— Meu pai está lá em cima? — perguntei.

— Não. Sua mão, por favor, Olive — disse Theo.

— Liv — repeti, já totalmente sem esperança.

Dei a mão a ele, e, quando Theo se convenceu de que meus olhos estavam fechados, me levou aos tropeços escada acima (aquilo era mesmo necessário?), depois me guiou mais alguns passos e me virou. Pude sentir a brisa do mar subindo pelos penhascos. Ouvi passos atrás de mim, e meu coração acelerou até eu ouvir a voz da Ana.

— Cadê o Nico? Não podemos mais esperar.

— Vamos começar — disse Theo a ela.

Então sua voz soou bem perto do meu ouvido, provocando um arrepio que percorreu meu corpo.

— Pronta para a sua surpresa? Abra os olhos.

Abri os olhos, sem saber o que esperar, e o que eu vi…

Bem, estava à altura.

O último andar da livraria era um terraço do tamanho da nossa sala de jantar, com um pequeno peitoril separando-o do penhasco e da vastidão da caldeira. Estantes de livros contornavam o perímetro do pátio, com fios de lâmpadas serpenteando ao redor e por entre elas. Havia almofadas em tons de joia espalhadas sob uma pequena pérgula de madeira, e por todo o peitoril flores e plantas brotavam de latas de tomate reaproveitadas. Ainda assim, tudo aquilo não era nada em comparação com o que acontecia sobre o mar.

Enquanto eu era apresentada à livraria e à família do Theo, o sol tinha descido rumo ao horizonte e, com isso, ficado totalmente diferente. Em vez de um amarelo-vivo, tinha se condensado em uma densa bola laranja, com bordas quentes e definidas. Sua luz se derramava contra os prédios brancos na costa do penhasco, refletindo um espectro de tons vivos e alaranjados.

O pôr do sol estava brilhante demais para se olhar diretamente, então me virei para a caldeira. A água estava parada, mas diversos barcos grandes a navegavam em direção ao sol, deixando rastros prateados para trás. Um deles soou sua buzina, e o barulho forte e solitário reverberou por toda a caldeira, culminando num ponto logo abaixo do meu peito. Senti um arrepio pelo corpo, tão repentino quanto uma brisa.

Tentei falar, tentei reagir, mas não consegui. Só sabia olhar, completamente hipnotizada. O sol foi descendo lenta e elegantemente, como uma dama fazendo uma reverência, cada vez mais denso e vermelho à medida que afundava, centímetro a centímetro, no oceano. Era inacreditavelmente lindo. Atrás de mim, a ilha estava em silêncio, toda a multidão sem fôlego, assim como eu.

Quando o último ponto vermelho se desfez, uma lufada forte e fria de ar marinho fez meu cabelo voar, então houve um delicioso instante de silêncio, seguido por uma explosão de aplausos calorosos por toda a ilha.

Era a única reação apropriada.

— Bela! Bem-vinda a Santorini! — gritou Bapou, batendo no meu ombro.

— Feliz por ter confiado em mim? — perguntou Theo.

Ele tinha deixado a câmera de lado e sorria como se, de alguma forma, fosse responsável pelo pôr do sol. Talvez fosse mesmo, ou ao menos pelo fato de eu ter assistido àquele.

Já ia perguntar se o pôr do sol de Santorini era assim toda noite quando uma voz sussurrada, vindo dos degraus, me paralisou.

— Ana! Ela já está aqui?

— Com o Theo — respondeu Ana.

Não reconheci aquela voz só com meus ouvidos. Minhas células também reconheceram. Eu sabia seu peso e seu timbre. Conseguia sentir o cheiro da fumaça de cigarro nela, ouvir o estouro do chiclete de canela. Eu procurava aquela voz inconscientemente desde os oito anos de idade.

Meu corpo se virou sem eu precisar mandar, e lá estava ele. Subindo depressa a escada com um pacote embrulhado sob um dos braços, um buquê de flores fúcsia no outro, sem fôlego de tanto correr, o olhar focado em mim.

Nico Varanakis.

Meu pai.

Capítulo 6

#6. MEIO TUBO DE TINTA A ÓLEO WINSOR & NEWTON

A maioria das crianças aprende o nome de cores como vermelho, amarelo, laranja e verde. Eu sabia o nome de cores como úmbria queimada, verde vessie e azul da Prússia.

Eu tinha encontrado aquele tubo atrás da velha estante onde meu pai guardava todos os materiais de arte, e nem precisei olhar o nome para saber de que cor era. Ocre dourado. Quando abri o tubo, só havia um restinho de tinta, e passei no meu pulso, como se fosse um perfume.

Costumo fingir que não herdei o gosto pela arte do meu pai, mas é claro que herdei. Nem me lembro de ter decidido ser artista. Meu pai vivia desenhando ou pintando, então eu também fazia isso. Eu achava que era assim com todo mundo. Era o que nós fazíamos. Tentei desistir da arte visual certa vez, e estudar flauta ou dança, qualquer coisa que não lembrasse tanto ele, mas não consegui. Não tenho outra maneira de ver o mundo além daquela que ele me deixou.

VER SUA LETRA TINHA ME ABALADO, MAS AQUILO ERA um verdadeiro terremoto emocional. Eu não conseguia me mexer. Não conseguia nem piscar. Se eu piscasse, ele podia desaparecer outra vez. Meu coração ainda estava batendo? O oxigênio ainda circulava pelo meu corpo?

Não precisava ter me preocupado de não reconhecê-lo. Se é que era possível, meu pai se parecia *ainda mais* com ele mesmo, como uma caricatura, tudo num tom a mais. Ele vestia exatamente o mesmo tipo de roupa de que eu me lembrava: uma velha jaqueta de couro, tênis surrados e uma calça jeans cinza. Theo tinha razão sobre a mochila. A dele era de um couro mais escuro e parecia mais rústica e robusta, mas poderia ser a prima mais velha da minha.

Os cabelos grisalhos eram uma novidade, mas caíam desgrenhados na testa como sempre, e sua pele marrom-clara brilhava à luz do entardecer, exatamente como eu me lembrava. Mesmo sabendo que era impossível sentir o cheiro de cigarro daquela distância, minha garganta coçou.

Meu pai. De carne e osso. Uma possibilidade da qual eu já desistira havia anos.

Eu não conseguia identificar sua expressão. Ele segurava as flores com o braço abaixado, e seu olhar estava fixo em mim. O que se passava em sua cabeça? Será que estava catalogando como eu tinha mudado? Será que seu coração tinha ido parar na boca — tornando impossível falar —, assim como o meu?

Senti a cabeça latejar de tanta ansiedade e, quando não pude mais aguentar, dei um passo à frente.

— Pai?

Minha voz serviu como tiro de partida. Antes que eu me desse conta, ele largou as flores, engoliu o espaço entre nós em menos de três passos e me esmagou contra seu corpo, me abraçando com força.

— Você está aqui — disse ele com o rosto mergulhado no meu cabelo, como se não pudesse acreditar. — Olive, você está aqui.

Depois de todos aqueles anos, eu estava muito mais alta, e meu queixo quase batia em seu ombro — tínhamos perdido tantas medições da minha altura. Respirei fundo, e o cheiro da sua jaqueta continuava exatamente igual: uma mistura de água salgada, loção pós-barba e aquele chiclete de canela.

Fechei os olhos e, por um instante, senti meus pés alcançarem a superfície. Eu tinha oito anos. Ele não havia me deixado. Tudo ainda estava bem.

— Temos muito o que conversar, querida — sussurrou ele, e meus olhos se abriram, quebrando o feitiço.

Depois de todo aquele tempo, o que *não* tínhamos que conversar? Eu me afastei, adrenalina correndo pelo meu corpo, e, de repente, era como se eu o enxergasse pelos olhos de outra pessoa. De Dax, ou de Cora, ou talvez até do meu padrasto. As roupas velhas e surradas; os óculos, que provavelmente não trocava há vinte anos; as flores no chão.

O olhar de confusão.

Ana correu para recolher as flores, depois pegou a mochila do meu pai. Theo ainda apontava sua câmera idiota para nós, e o peso daquela plateia de repente pareceu demais.

— Olive? — indagou meu pai, os olhos arregalados de preocupação.

Eu continuei a me afastar, caminhando em direção ao peitoril.

— Obrigada por me convidar — consegui dizer, a voz seca.

Obrigada por me convidar? Depois de tanto tempo, eu falara isso? Eu não estava agradecida por ele ter me convidado. Estava ressentida. Confusa, também. Naquele momento eu sentia uma mistura de coisas, um redemoinho de emoções que ameaçava me sugar.

Meu pai abriu a boca, depois fechou. Como se soubesse que deveria dizer alguma coisa, mas não tivesse ideia do quê. *Bem--vindo ao clube.*

— Aqui — chamou Theo por trás da câmera, quebrando a tensão.

Eu me virei para ele e percebi que, enquanto meu pai e eu ficáramos encarando um ao outro como corujas emocionalmente abaladas, Ana e Bapou tinham se ocupado. Uma mesinha empurrada até a parede da livraria fora arrumada com uma toalha antiga de renda, e o bolo do Bapou fora colocado bem no meio, decorado com velas cor-de-rosa. O buquê de flores e o embrulho do meu pai tinham sido cuidadosamente arrumados junto a um punhado de purpurina dourada. Era tudo muito simples e elegante, principalmente contra o fundo de parede caiada da livraria. Tirei uma foto mental, guardando a imagem.

— O que é isso? — perguntei, mas o sangue pulsando indicava que eu já sabia.

— Uma festa de aniversário — respondeu meu pai, sorrindo. — Venha.

Theo se aproximou com a câmera, e Ana bateu nele quando chegamos à mesa.

— Mas... meu aniversário foi mês passado.

Eu me virei para olhar para o meu pai, mas consegui me deter no meio do caminho. Ele sabia quando era meu aniversário. Eu tinha feito dezessete anos. Tinha organizado uma grande festa na piscina, e metade da escola estivera lá, empurrando uns aos outros na parte funda e comendo um bufê de sushi, no qual James insistira. Ele dizia que só se faz dezessete anos uma vez. Mas eu parecia estar fazendo duas vezes.

Meu pai sabia quando era meu aniversário. Ele tinha me enviado um cartão-postal de parabéns, que eu me recusara a ler.

— Pensei que eu tinha alguns pra compensar — disse ele em voz baixa. — Imagino que você nunca tenha tido uma festa de aniversário ao pôr do sol. E Oia tem os mais bonitos do mundo. Achei que seria a maneira perfeita de começar sua viagem.

— Tã-rã — cantarolou Theo. — E seu pai não estava no aeroporto porque estava retirando seu presente no correio.

Meu presente?

— Prometeram que chegaria dois dias atrás — explicou meu pai. — Sinto muito por não estar lá. Queria muito que isso fosse...

Ele parou, mas minha mente completou a frase. *Perfeito. Mágico.* Os dois.

Então eu tinha mais uma coisa com que lidar.

Olhei o presente, meu coração disparado. Era um retângulo pequeno e achatado, embrulhado em papel pardo comum com um barbante em volta. Uma coisa eu já sabia: a não ser que meu pai tivesse mudado radicalmente, o que quer que estivesse ali dentro seria perfeito e exatamente o que eu queria.

— Vai em frente, querida — disse Ana, a voz animada.

Ou ela sabia o que era, ou já tinha recebido um dos presentes do meu pai.

Eu me aproximei da mesa, quase mareada de tanto nervoso. De repente, percebi que o pozinho dourado não era purpurina, mas centenas de minúsculas estrelas douradas salpicadas pela mesa. *A magia está nos detalhes.* Palavras do meu pai. Ele devia ter gastado horas naquilo.

Será que estava todo mundo prendendo a respiração também?

Bapou sorriu alegremente para mim.

Meu pai chegou mais perto.

— Quer abrir o seu presente?

Não queria, mas eu não tinha um bom plano de fuga, então assenti, relutante. Meu pai me entregou o pacote e deslizei cuidadosamente o dedo sob o papel, o coração batendo cada vez mais rápido. Dentro havia uma caixa de madeira bem lisa, com dobradiças e um fecho dourados. Havia uma palavra gravada no topo, e, quando a virei para ler, perdi o fôlego. SENNELIER. Na mesma hora deixei de lado toda a calma que queria aparentar, e meus dedos desajeitados tentaram abrir a tampa depressa.

Lá estavam.

Cinquenta pastéis a óleo aninhados em espuma protetora macia. Todos impecáveis. Todos tão ricos e brilhantes que poderiam estar em exibição em uma confeitaria. Não eram quaisquer pastéis a óleo. Eram os pastéis que outros pastéis queriam ser — os pastéis a óleo que eu queria desde o primeiro momento em que pegara num pincel. As cores eram diferentes de todas as que eu já tinha visto antes. Amarelo-limão, azul-cerúleo, verde-viridiano, laranja-chinês.

Meus dedos tremiam para pegar um. Para começar a aplicá-los sobre todas as colagens em andamento no meu caderno de desenho, para esboçar a cena à minha frente, esfumaçando o pigmento com a ponta dos dedos ou talvez com uma espátula. Mas eu não podia fazer nada daquilo imediatamente porque antes precisava dizer alguma coisa. Qualquer coisa. O silêncio já tinha se estendido por tempo demais, e eu podia sentir a energia nervosa vindo do restante da festa.

Meu pai se aproximou, a voz baixa.

— Henri Sennelier tinha uma loja de material de arte na França, perto do apartamento de Pablo Picasso. Ele fazia materiais personalizados para os artistas, e um dia Picasso pediu algo especial. Ele adorava a praticidade dos gizes de cera, mas queria pigmentos que pudessem cobrir qualquer coisa... madeira, vidro, metal, tudo. Então Henri Sennelier criou esses daí. — Ele estendeu a mão, apontando para os bastões no canto inferior direito. — A loja ainda existe. Já está na quarta geração, bem em frente ao Louvre.

Pensar em Picasso entrando numa loja de materiais de arte e pedindo o que eu tinha nas mãos fez meu coração apertar. Claro que ele tinha sido a gênese daqueles óleos. Eu nunca tinha visto nada parecido com aquelas cores. Peguei o ocre e corri meu dedo sobre sua ponta cerosa. Mesmo sem usá-lo, eu já sabia como ele se derreteria no papel, formando camadas até a cor ficar perfeitamente saturada.

— Nico foi a Paris para encomendar — interrompeu Theo, a câmera apontada para nós. Procurei me esquivar. — Arrumou um voo e simplesmente foi até lá.

— Theo, quieto — disse Ana, mas com um sorriso enorme no rosto.

Lancei um olhar nervoso para o meu pai. Ele tinha voado até Paris para comprar aquela caixa? Mesmo sem contar a passagem, aqueles pastéis provavelmente custavam mais do que sua moto toda remendada. Ele tinha dinheiro para aquilo? Só de olhar para suas roupas, eu já sabia a resposta. Não. Não tinha.

— Mas... Por quê?

Meu olhar encontrou o dele sem que pudesse evitar. Eu tinha me esquecido da sensação de ver aquele sorriso. Era como mil velas de aniversário, todas cheias de desejos e acesas só para mim. Todo o resto parecia não ter graça.

Ele gesticulou para o kit de pastéis com um floreio.

— Sua mãe disse que você adora Paris. E arte.

— Adoro — falei. — Mas...

Seu rosto pareceu esperançoso quando eu não completei a frase.

— E acho que você vai adorar a Grécia também.

— Ela *vai* — interrompeu Theo, sua voz exasperada. Será que o trabalho do Theo era concordar com o meu pai? — Por que não conta a ela logo a melhor parte?

— Theo! — alertou Ana novamente.

Meu coração deu um pulo. A melhor parte? Aquela não era a melhor parte?

— O quê...?

Meu pai abriu um sorriso ainda maior.

— Algumas dessas cores... Eu mandei fazer especialmente para você.

— Por isso que ele teve que ir a Paris — explicou Theo. — Ele precisou se encontrar com os Sennelier.

O quê? Meu coração disparou, parecia que ia pular do peito. Olhei de novo para o kit e na mesma hora soube quais tinham sido encomendadas pelo meu pai. As últimas três. Soube porque não se encaixavam no padrão meticulosamente organizado do conjunto, seguindo as cores do arco-íris. Soube porque algo naquela intensidade lembrava o meu pai.

Minhas mãos tremiam quando tirei cuidadosamente os pastéis da caixa, rolando-os na palma da mão até os rótulos ficarem virados para cima, os nomes dos pigmentos marcados em letras minúsculas. O cobalto intenso que eu vira na cúpula das igrejas era *azul de Santorini*. O turquesa deslumbrante que ecoava na maré ao pé dos penhascos era *atmosfera de Ammoudi*. E o último? O castanho-esverdeado que eu vira em cada espelho e cada reflexo ondulado ao longo de toda a minha vida?

Olhos da Olive.

Ouvi um suspiro profundo e trêmulo, e levei um instante para perceber que tinha saído de mim. Minha respiração parecia pesada; o bastão do pastel, leve como pena em minha mão. Ele tinha acertado em cheio. Como tinha acertado em cheio? Eu não conseguia olhar para ele. Não conseguia olhar para nenhum deles.

— Bela! Bem-vinda a Santorini! — disse Bapou, então apontou para a mesa. — *Toúrta!*

Por fim, uma palavra grega que eu reconhecia. *Bolo*. Eu me virei para a mesa, observando o bolo com mais atenção. Será que era...? Era, sim. Meu coração transbordou. Todo ano, no meu aniversário, meu pai fazia questão de encontrar as laranjas mais perfeitas da cidade, preparar um purê da fruta inteira e acrescentar à massa. O resultado era coberto com um iogurte ácido bem espesso, embebido em mel. Bapou havia acrescentado um círculo de pistaches moídos e fatias de laranja dispostas como uma flor. Nós o chamávamos de Bolo Raio de Sol. Eu não comia um pedaço havia anos, e só de olhar senti água na boca. Traidora.

Como ele sempre faz isso?

Meu pai deu um passo à frente, apontando para os pastéis, a mão a alguns centímetros da minha.

— As duas primeiras cores são para ajudá-la com sua arte enquanto estiver aqui. A terceira simplesmente precisava existir.

Aquilo era demais. Meu coração se enchera como um balão. A qualquer minuto, eu iria ficar na ponta dos pés e sair voando sobre a caldeira. Só os olhares deles me mantinham ancorada. Os três bem juntinhos, como uma família ansiosa. Seus rostos irradiavam expectativa. Bem, seus rostos mais a câmera do Theo.

Bapou inclinou a cabeça, e Ana lançou um olhar nervoso para o meu pai. A câmera continuava firme.

— Olive, está tudo bem? — meu pai perguntou baixinho.

A resposta correta seria que tudo estava muito mais que bem. Estava tudo perfeito — o presente, a festa, cada detalhe tinha sido mágico. Mas outra verdade vinha à tona, expulsando os demais pensamentos, abafando minha voz. *Ele não pode fazer isso.*

Ele não podia consertar os últimos nove anos com um gesto grandioso, por mais perfeito que fosse. Não podia apagar todos aqueles anos vazios. Ele não tinha aquele direito.

Quando abri a boca, não disse nada daquilo. Em vez disso, só comecei a chorar.

O choro de algumas pessoas é bonito e delicado, capaz de inspirar grandes ações ou, pelo menos, uma embalagem de lenços de papel.

Quando eu choro, no entanto, as pessoas entram em pânico.

A princípio, todos pensaram que eu chorava lágrimas de alegria pelo que era, evidentemente, um momento transformador, pois trocaram um olhar de cumplicidade. Um cumprimento silencioso. Entretanto, assim que ficou claro que meu nariz não ia parar de escorrer, todos entraram rapidamente em modo catástrofe. Meu pai correu até mim, me examinando como se tentasse descobrir se eu tinha torcido o tornozelo ou sido picada por um inseto santoriniano gigante. Bapou começou a repetir suas frases em inglês ainda mais alto.

— Bem-vinda a Santorini! Bela!

Theo se empolgou e se aproximou para continuar filmando, mas Ana quase o atacou para afastá-lo de mim.

— Theo, *stamáta to*!

— Mãe, é uma sequência ótima! Isso é vida re...

Ana disse algo ríspido em grego e o arrastou pelo pescoço.

— Olive, você não gostou do kit? Porque vi nas suas redes sociais que você tem praticado autorretratos. Achei que essa cor poderia ser útil.

Ele tinha visto minhas redes sociais? Meu cérebro começou a zumbir, alto demais para eu ouvir o restante do que ele disse. Eu tinha começado a postar algumas coisas no ano anterior por impulso, para ter onde colocar tudo o que estava produzindo, mas meu número de seguidores ainda não havia chegado nem aos três dígitos. Nunca tinha me ocorrido que meu pai pudesse estar entre eles.

Sequei os olhos, afastando-me da mesa, do presente, de toda a festa. Respirei fundo e, por fim, consegui dizer alguma coisa.

— Pai, prefiro ser chamada de Liv agora.

Eram as palavras erradas. É claro que eram. Ninguém tinha me dito o que fazer se algum dia estivesse em uma situação como aquela.

Mágoa, confusão — não sei bem o quê — passaram pelo rosto do meu pai, mas ele procurou disfarçar rapidamente. Suavizou tudo com aceitação. Compreensão. Ele assentiu.

— Liv. É bonito. Muito sofisticado.

Seu sorriso estava de volta, mas ele olhava para longe, me dando espaço emocional, algo de que eu obviamente precisava. Ainda assim. *Ai.*

— Hum.

O ruído veio de trás da câmera, que estava em posição novamente. O constrangimento tomou conta de mim, com força o bastante para me orientar em meio às minhas emoções. *Tá, Liv. Hora de se recompor.* Ana começara a se ocupar, pegando o papel de embrulho e o barbante, como se a cena mais estranha do mundo não estivesse se desenrolando à sua frente, e Bapou começou a ajeitar cuidadosamente o bolo, girando-o para que as velas ficassem perfeitamente centralizadas.

Pigarreei, me afastando do meu pai.

— Desculpe por isso, pessoal. Muito obrigada pela linda surpresa. Mas não durmo desde que saí de Seattle, e o cansaço está me afetando bastante.

— Não se desculpe por seus sentimentos — disse Ana, a voz firme. — Nunca se desculpe por isso.

Theo baixou a câmera e, quando vi sua expressão, quis atirar algo na direção dele. Suas sobrancelhas estavam erguidas, e ele me encarava com um sorrisinho. Por acaso ele estava se divertindo com aquilo?

Meu pai colocou a mochila de volta nas costas, gesticulando para eu também pegar a minha.

— É claro. Vamos acomodar você.

Ele se virou em direção à escada, e eu corri atrás. Apesar da raiva, parte de mim se recusava a deixá-lo sumir de vista.

Enquanto eu estava tendo meu pequeno colapso no terraço, a multidão que admirava o pôr do sol tinha diminuído, as pessoas desaparecendo nas ruas da vila. Até mesmo os cães estavam se dispersando, e um particularmente fofo se aproximou da gente, descansando a cabeça peluda como dente-de-leão no joelho do meu pai antes de seguir pela rua.

Estava preparada para caminhar até a casa ou o apartamento do meu pai, ou onde quer que ele morasse, mas, em vez disso, quando Theo foi despachado para buscar minha mala, Ana e meu pai me levaram até a livraria. Minhas pernas tremiam nos degraus íngremes, mas eu estava ansiosa para ver o que havia lá dentro.

Não me decepcionei.

— A-ah… — gaguejei quando Ana acendeu as luzes.

Se a livraria já era charmosa por fora, era completamente fascinante por dentro. Meu pai sorriu.

— Gostou?

Ele não podia estar mesmo me perguntando aquilo, porque era impossível alguém não gostar da Livraria Perdida de Atlântida. O espaço era pequeno como uma casa de bonecas, a maior parte tomada por uma salinha em forma de semicírculo. Uma porta em arco levava a um segundo espaço que parecia um closet, e os dois cômodos tinham tetos altos e abobadados cobertos por murais de cores vivas. Estantes engenhosamente construídas abraçavam as paredes curvas, com centenas, talvez milhares de livros aninhados — uma mistura de brochuras novas e brilhantes e livros surrados de capa dura de couro. A cada seção, pequenos cartões em destaque indicavam o tema dos livros. MISTÉRIO, FICÇÃO HISTÓRICA, e um grande cartão para ROMANCE!!!

E o *cheiro*. Inspirei, sentindo meus músculos relaxarem. Eu nunca tinha percebido que livros antigos tinham um cheiro específico, mas é claro que tinham. Era um cheiro de couro velho com toques de baunilha e mofo, e alguma outra coisa. Magia? Pó de pirlimpimpim? Fui até o centro da sala principal, virando lentamente para observar cada centímetro. A luz do fim de tarde entrava por duas janelas altas, e as partículas de poeira rodopiavam como bailarinas. De repente, senti um desejo irresistível de gastar todas as minhas economias em livros novos e depois me deitar em algum lugar macio com o tipo de livro que minha professora de literatura sempre tentava nos convencer a ler. Charles Dickens? Emily Brontë? Manda ver.

— Tudo bem? — quis saber meu pai.

Ele parecia muito mais confiante naquele espaço. Ele o preenchia. Olhar para ele entre todos aqueles livros me fez sentir como se eu estivesse prestes a desabar e chorar novamente, então logo desviei minha atenção para o teto abobadado, onde havia sido pintada uma constelação.

— Há quanto tempo isso existe?

— O espaço, provavelmente há uns cem anos. A loja, um só — respondeu ele, sorrindo para mim. — Embora Ana sonhasse em abrir uma livraria em Oia desde que era pequena.

Ana soltou um suspiro exasperado, mas seus olhos brilhavam.

— Um sonho ou um pesadelo? Administrar uma livraria numa ilha pequena não tem sido fácil. Até encontrar um local parecia impossível. Você devia ter visto este lugar antes de seu pai começar os trabalhos. Não passava de uma caverna vazia. Precisei dele a cada etapa. Seu talento está literalmente à mostra nas paredes.

— Mas não teria sido nada sem a sua visão — disse meu pai, esquivando-se habilmente do elogio.

— Eu amei esse cheiro — falei.

— Cheiro de livro é o melhor de todos — concordou Ana, pegando uma pilha de correspondências em uma mesinha e dando uma olhada nas cartas. — Se eu pudesse, engarrafaria e passaria nos pulsos toda manhã.

— Daria para vender e fazer fortuna.

O olhar escuro do meu pai encontrou o meu.

— São só os livros antigos — explicou ele. — Quando o papel dos livros antigos se quebra, o composto cheira a amêndoas e flores de baunilha. Os novos cheiram a papel e cola.

— Só você para saber essas coisas — disse Ana.

A voz dela era doce e suave, e, quando me virei e vi o sorriso de admiração que abrira para ele, meus sentidos ficaram em alerta.

Será que Ana era a namorada dele?

Senti uma pontada no peito, seguida imediatamente de frustração. Parte de mim acreditava que, apesar de ele ter nos deixado, meu pai não tinha seguido em frente. Mas é claro que tinha. Fazia nove anos. Quem sabe quantos relacionamentos ele já tinha tido?

De qualquer forma, eu precisava saber. Fui até uma estante, passando os dedos pelas lombadas.

— Então, vocês dois se conhecem de onde...?

— Desde a infância — respondeu meu pai. — Nós dois crescemos em Santorini.

— E agora vocês são... amigos? — falei a última palavra com entonação de pergunta, mas ele nem piscou.

Meu pai assentiu.

— Isso, grandes amigos.

— Somos amigos e sócios — disse Ana, me olhando incisivamente.

Encarei-a de volta, e Ana piscou para mim.

Meu pai entrou na conversa.

— Nós nos reconectamos há alguns anos. Ana passou muito tempo longe da ilha, mas voltou para cuidar do Bapou, e nós tivemos essa ideia. Ela trabalhava para uma empresa de design, mas dizia que seu emprego não tinha alma suficiente. Ela queria passar o resto da vida cercada por livros.

— Livros de romance — esclareceu ela. — Queria que fosse uma livraria só de romances. E até tinha um nome pra ela: "Calcinhas vermelhas". Por sorte, seu pai me convenceu a mudar. Ele disse que uma livraria em uma ilha grega voltada para leitores de romances anglófonos seria um nicho *um pouco* restrito.

AMOR & AZEITONAS

Ela jogou um punhado de papéis numa lixeira de metal, então se virou para mim.

— Sabe o que eu mais amo aqui? Nunca se está completamente sozinha numa livraria. Com tantas vozes em um só lugar, é impossível se sentir solitário. Enquanto você estiver aqui, fique à vontade para ler o que quiser.

— Espera, enquanto eu *estiver* aqui?

Dei uma olhada em volta do pequeno espaço.

— Tem um apartamento aqui ou coisa assim? — perguntei.

— Melhor — disse Ana, a boca vermelha se abrindo num sorriso. — Nico, mostre a ela.

Meu pai estendeu a mão por baixo de uma longa prateleira que acompanhava a borda superior do teto e ouvi um pequeno *clique*. A prateleira correu para a frente, revelando um espaço oculto com tamanho suficiente para abrigar apenas duas plataformas suspensas, com uma cama de solteiro em cada e algumas prateleiras na base. Havia uma janela do tamanho de um prato no meio, e uma escada presa ao conjunto ficava dobrada no espaço entre as camas.

— Um quarto escondido? — falei.

— Adivinha quem projetou? — perguntou Ana.

Não havia necessidade de responder. Só meu pai inventaria algo assim.

Ele desdobrou a escada de madeira, trazendo-a ao chão, e eu subi até as camas estarem na altura dos meus olhos. As duas estavam cuidadosamente arrumadas, com lençóis brancos imaculados e cobertores tricotados à mão, mas a parede acima da cama da esquerda estava cheia de mapas e anotações manuscritas, a maioria em grego. Havia livros grossos de aparência científica em francês, grego e inglês nas prateleiras, junto a uma pequena pilha de camisas pretas e calças jeans. Vi um par gasto de Adidas por cima de tudo, idêntico ao que Theo usava. Meu coração martelou enfurecidamente.

Apontei para o lado oposto.

— Essa cama é pra mim?

Meu pai confirmou com a cabeça.

— Bem, pode ser. Eu alugo um quarto de uma família local...

— Quarto? É uma caixa de sapatos — disse Ana com voz desdenhosa, mas sorrindo afetuosamente para ele.

— ... e você é bem-vinda para ficar lá comigo, mas acho que aqui pode ser mais *confortável*.

A inflexão na última palavra fez com que eu me concentrasse em sua expressão. Ele enfiara as mãos nos bolsos da jaqueta, meio sem jeito, e balançava o corpo para trás, apoiando-se nos calcanhares, o rosto sem nenhuma emoção, fora um discreto indício de preocupação. Eu claramente deveria tentar ler nas entrelinhas, mas não conseguia descobrir o que era. O que ele queria que eu escolhesse?

— Ou você pode ficar comigo — disse Ana. — Mas Bapou também mora lá e insiste em tratar nosso apartamento como as cozinhas industriais em que trabalhava. O ambiente é um tanto caótico. Theo prefere ficar aqui. Assim pode passar um tempo mais sossegado. E com todo o trabalho que vocês três vão fazer, provavelmente vai querer um lugar para descansar.

Ela ergueu as sobrancelhas para o meu pai, e um discreto sorriso dissipou o ar de preocupação no rosto dele.

Certo. O projeto.

A festa de aniversário e meus sentimentos confusos tinham me distraído. Pulei da escada, aterrissando com um baque surdo no tapete da livraria.

— Pai, qual é o projeto? Mamãe não quis me dizer.

O rosto do meu pai se iluminou novamente, me forçando a desviar os olhos. Ele era o sol, e eu era Ícaro. Se eu voasse muito perto, iria me machucar.

— Como eu falei antes, temos muito o que conversar. Mas hoje você precisa de descanso. Ana, você poderia nos dar licença um instante, por favor?

AMOR & AZEITONAS

— Claro. — Ela pegou uma pilha de livros e saiu para a sala ao lado. — Estou aqui se vocês precisarem.

Eu duvidava que qualquer canto da livraria ficasse fora do alcance da nossa voz, mas meu pai esperou cerimoniosamente até ela desaparecer na sala ao lado antes de falar em voz baixa.

— Sei que você acabou de conhecer o Theo, mas eu o conheço há muito tempo e confio nele completamente. Mas, se você se sentir desconfortável, eu dou outro jeito. Só pensei que poderia ser... divertido.

Hesitei. Dividir um quarto — hã, plataforma — com um garoto que eu mal conhecia não seria exatamente confortável, mas o que era confortável em tudo que eu estava vivendo? Não, minha mãe provavelmente não ficaria feliz com aquilo, e Dax com certeza não gostaria nada, mas tecnicamente não violava regra nenhuma. Ela nunca havia falado: *Não divida um quarto minúsculo com um garoto grego que você conheceu no aeroporto.*

Além disso, a livraria era como uma amiga. Um porto seguro na tempestade pela qual eu estava prestes a passar. Eu *queria* ficar ali, e não tinha nada a ver com meu colega de quarto.

Tá, tinha um pouquinho a ver com meu colega de quarto, mas porque eu queria bombardeá-lo com perguntas sobre o projeto misterioso e talvez observar um pouco mais o movimento de seus belos cílios.

Claro que a última parte era só brincadeira.

Eu me virei para o meu pai, a voz decidida:

— Vou ficar na livraria.

Seu sorriso aliviado foi como um soco no estômago.

Mistério resolvido. Ele esperava que eu escolhesse o quartinho. Ou seja, nós dois estávamos mais confortáveis com a ideia de eu dividir um quarto com um desconhecido do que com ele. A Olive de oito anos nunca acreditaria em como meu pai e eu tínhamos nos distanciado.

Capítulo 7

#7. ANEL AJUSTÁVEL COMPRADO EM UMA MÁQUINA DE VENDA AUTOMÁTICA, TAMBÉM CONHECIDO COMO ANEL DE NOIVADO DA MINHA MÃE

Quando o estágio da minha mãe acabou, ela foi embora de Nova York, e meu pai também. Ele alugou um quarto e arrumou emprego como garçom em um restaurante no bairro grego de Chicago. Ele passava os dias exercitando seu inglês enquanto servia spanakopita e dolmades para os turistas, e as noites, com minha mãe. Ela estudava o tempo todo, então ele a acompanhava à biblioteca, onde desenhava ou estudava inglês.

Ele a pediu em casamento no último dia quente de outubro. Os dois tinham decidido dar uma volta até o píer da Marinha e pararam para ver a roda-gigante junto a um depósito de máquinas de venda automática. Meu pai colocou uma moeda numa das máquinas e, quando saiu um anel, ela *disse sim. Eles só se conheciam havia 139 dias. Ela já estava grávida de mim.*

Uma vez perguntei à minha mãe se papai estava nos projetos dela, e ela disse que projetos são para prédios, não pessoas, o que não era bem a resposta que eu queria.

O BANHEIRO DA LIVRARIA FOI OUTRA SURPRESA, PRINCIPAL-mente porque ficava em uma caverna subterrânea. Para chegar lá, Ana me fez atravessar a entrada da livraria e outra porta construída diretamente na rocha sob a rua principal de Oia. Lá dentro, a caverna se dividia em duas partes: numa ficava o banheiro com uma pia pequena, um chuveiro, um vaso sanitário e um espelho irritante de tão pequeno. Na outra, o depósito, cheio de caixas de livros e folhetos.

O chuveiro era, na verdade, uma torneira hiperativa que se projetava da parede e, para usá-lo, era necessário escolher que parte do corpo você queria que fosse atacada por água enquanto se contorcia em posições acrobáticas. Mesmo assim, um banho é um banho. Saí de lá me sentindo recuperada. E daí se eu tinha chorado descontroladamente na minha primeira noite em Oia? Não queria dizer que eu não tinha a situação sob controle.

Limpei cada vestígio de maquiagem e fiz o que pude para conferir meu rosto no espelho. Meus olhos estavam um pouco inchados, e as olheiras, escuras, mas, no geral, até que estavam razoáveis. Como Theo ainda não tinha voltado com a minha mala, peguei o pijama que Ana deixara em frente à porta do banheiro e vesti. Era um lindo short com acabamento em renda e uma blusa combinando, feita de tecido macio. Adorei sentir o ar da noite nos meus braços e pernas ao sair da caverna e voltar para a livraria.

Ana ou meu pai tinha aberto a janela do quartinho, então me estiquei por cima das cobertas, estendendo os braços sobre a cabeça até preencher todo o espaço. O ambiente era aconchegante e escondido, como uma casa na árvore ou um submarino. Julius trocaria seus melhores nunchakus por uma noite naquele lugar.

Pensar no Julius me fez pensar no Dax na mesma hora, e senti um embrulho no estômago. Ele já devia ter respondido minha mensagem àquela altura. Meu pai deixara minha mochila e a caixa de pastéis a óleo apoiadas no meu conjunto de prateleiras, e revirei a bolsa até finalmente encontrar meu celular bem no fundo. Tinha uma mensagem do número de James. LIV AQUI É O JULIUS TUDO BEM PERDER PARA O OPONENTE MAS NÃO PARA O MEDO. Em seguida, havia uns trinta emojis, a maioria de ninjas.

Um conselho surpreendentemente relevante.

Mas do Dax? Nada. Então, como a Rainha de Tudo que é Patético, escrevi para ele novamente. Cheguei a Oia!!! A gente se fala em breve?

Affe.

Olhar para todos aqueles pontos de exclamação me deu vontade de me atirar nas profundezas da baía de Ammoudi. Respondi a mensagem do Julius — SAUDADE DO MEU NINJA —, então olhei em volta e fui atraída pelos mapas nas paredes do Theo. Eu me debrucei para a frente na cama, tentando ver melhor. Havia vários, mas o principal era um mapa-múndi colorido, com cidades e países marcados com alfinetes. Um monte de post-its cercava suas bordas rasgadas, e cada um tinha um número e um fio preso a uma das cidades. Devia ser algum projeto.

Eu estava prestes a pular o espaço entre as duas camas para olhar mais de perto quando a porta abaixo de mim se abriu e a voz do Theo me interrompeu.

— Olive?

Pega no flagra. Deitei depressa na minha cama.

— Aqui em cima — falei, me encolhendo ao notar como a minha voz saiu animada. — Você vai subir?

Os passos dele alcançaram a escada.

— Depende. Você vai chorar de novo?

Quis lançar um comentário sarcástico para cima dele ou pelo menos um dos meus travesseiros, mas, por sorte, um pedaço do Bolo Raio de Sol apareceu de repente em um prato branco com um garfinho, seguido pelo rosto sorridente do Theo.

— Brincadeira. Sei que foi um desastre completo lá em cima, mas você *quer* um pedaço de bolo. Acredite em mim.

Fiquei muito sentida com a menção ao "desastre completo", mas também queria muito o bolo, então aceitei o prato. Theo subiu, trazendo sua própria fatia, depois sentou de pernas cruzadas, com as costas viradas para a parede. Então olhou para mim. Olhou *fixamente* para mim. Teria sido um tanto desconfortável se eu não tivesse o bolo para me manter ocupada. Dei uma mordida, fechando os olhos involuntariamente. O Bolo Raio de Sol sempre fora delicioso, mas Bapou conseguira elevá-lo a outro patamar. O bolo era saboroso e amanteigado, com um toque de canela em cada pedaço que desmanchava na boca. Estava compensando bastante o resto daquele dia.

Ao abrir os olhos, encontrei Theo sorrindo para mim.

— Bom?

— Já disseram que seu Bapou é um gênio?

Ele abriu ainda mais o sorriso.

— Todo mundo diz isso. Ele é o melhor padeiro de Santorini. Pode não se lembrar de tomar os remédios ou de pagar a conta de luz, mas sabe preparar qualquer doce ou bolo grego sem ter que olhar a receita. É um milagre. Seu pai só teve que descrever o bolo, e ele fez. Bem, esse e outros seis bolos de teste. Seu pai queria que ficasse perfeito, e todos concordamos que esta era a melhor versão.

Seis bolos de teste?

Theo ainda me observava. Como se fosse descobrir alguma coisa caso olhasse para mim por tempo suficiente. Senti meu rosto ficar quente, o que significava que devia estar vermelha — sempre acontecia quando eu ficava com vergonha. Baixei a cabeça e mordi outra garfada antes de apontar para o quarto ao nosso redor.

— Invadi seu espaço.

— Hã?

Ele continuava me encarando.

Indiquei as camas com meu garfo.

— Sua mãe disse que você gosta da paz e do sossego daqui. Vou estragar as duas coisas com a minha presença. Invadi seu espaço.

Ele sorriu e cruzou os braços de maneira convencida sobre o peito.

— Que agressivo. Olive, a Conquistadora, *invadiu* meus domínios.

— Liv.

Atirei meu travesseiro em cima dele, que o pegou com uma das mãos e jogou de volta.

— Não me importo de dividir o alojamento da livraria com você. Mas tenho uma pergunta.

A voz dele estava séria, e cravei o garfo no bolo, nervosa.

— Tá...

Uma ruga surgiu em sua testa, e ele se inclinou para a frente, apoiando os cotovelos nos joelhos.

— Qual é o problema entre você e o seu pai?

Quase engasguei com o bolo na boca.

— Como assim?

— Seu pai sempre falou como se vocês dois fossem próximos. Mas parece que não sabem muita coisa um sobre o outro.

Achei que você pelo menos soubesse sobre a livraria. E na festa de aniversário...

Ele fingiu que sua mão era um avião e depois a chocou contra a cama.

Fiz uma careta. Theo tinha razão. Mas por acaso não sabia que era melhor não comentar sobre os momentos constrangedores das pessoas? Cruzei os braços com força, uma versão tímida da postura dele.

— É um assunto particular. Não sei se temos intimidade para falar sobre isso.

Ele abriu outro sorriso e se sentou direito, apontando para o espaço minúsculo entre as camas.

— Acho que já passamos dessa fase. E seria bom criarmos intimidade logo, não seria? Você já está usando o pijama da minha mãe.

Era um bom argumento. Bom mesmo. Além disso, tinha sido tão agradável conversar com Henrik durante o voo. Como seria desabafar com alguém que realmente conhecia meu pai?

Suspirei.

— Está bem. Não vejo meu pai desde os oito anos.

— Por que não?

Ele se inclinou para a frente de novo, cotovelos nos joelhos, queixo nas mãos.

O olhar do Theo era pior do que sua câmera. Desviei rapidamente os olhos, virando para a janela aberta.

— Porque ele abandonou minha mãe e eu para procurar Atlântida.

"Abandono" não era uma palavra minha. Era do James. Eu o tinha ouvido falando isso com um colega uma vez. Havia doído, mas às vezes a verdade faz isso. *Machuca.*

Esperei que a palavra cumprisse seu papel. Em geral, as pessoas exibiam um olhar terrível de pena ou procuravam algo reconfortante para dizer, mas não o Theo. Assim como Henrik, quando contei meu drama, ele nem pareceu desconfortável. Em vez disso, teve a audácia de parecer *intrigado*.

— Quem disse que ele deixou vocês por causa de Atlântida?

Senti meu rosto esquentar outra vez.

— Ninguém precisou dizer nada. É bastante óbvio quando alguém vai embora e não volta.

— Hum.

Ele continuou a me observar, e senti uma necessidade avassaladora de me defender. Quem era ele para me fazer todas aquelas perguntas íntimas?

— Cadê o seu pai? — disparei e, na mesma hora, fiquei horrorizada.

E se o pai dele estivesse morto? E se Theo nem tivesse pai?

Aquilo também não o perturbou. Ele deu de ombros casualmente.

— Em Cingapura, provavelmente deixando a noiva dele tão infeliz quanto deixava minha mãe.

Fiquei sem jeito. Queria comentar que meus pais também eram divorciados, mas ele obviamente já sabia. Houve outro longo silêncio.

— Eu sinto muito.

Ele deu de ombros.

— Tá tudo bem. Ele também não se envolvia muito na minha vida quando morávamos juntos, então não é tão diferente. Meu pai é de Le Bugue, na França.

O nome francês saiu de sua boca com a mesma facilidade de quando falava grego, e senti uma pontada de inveja. No máximo eu conseguia entender algumas palavras gregas, enquanto ele era fluente em pelo menos três línguas. Já estava até começando a achar que o inglês dele podia ser melhor do que o meu.

— Qual idioma você mais fala?

Ele olhou para o teto.

— Bem… Eu xingo em francês, converso com meu avô em grego, mas me sinto mais confortável com o inglês. Sempre que meu pai estava por perto, ele insistia para conversarmos em inglês.

Não restava nada além de migalhas do meu bolo. Theo percebeu e me estendeu o prato dele pelo espaço entre as camas. Não tive a dignidade de recusar.

Enquanto eu comia, ouvi uma língua que eu não conhecia vindo pela janela. Croata? Russo? Inclinei-me e vi um grupo de pessoas tirando fotos da livraria lá fora. Se eu tivesse me deparado com a loja na rua, também teria tirado fotos ou pegado meu caderno para registrar o máximo de detalhes possível. Eu me virei de volta para o Theo.

— Você morou em Cingapura antes de Santorini?

— Por pouco tempo. Meu pai é consultor de gestão para empresas multinacionais, então se muda com frequência. Já moramos em todo canto.

Parei de comer, intrigada.

— Tipo onde?

Ele olhou para o teto.

— Cingapura, Melbourne, Tóquio, Londres, Munique, Amsterdã e Los Angeles. Ficamos mais tempo em Los Angeles. Quase três anos. Depois passamos dois anos em Londres. Minha mãe e eu nos mudamos para Santorini depois que eles se divorciaram. Estamos aqui há um ano.

Eu estava impressionada. Impossível não ficar.

— Então é disso que tratam seus mapas. São todos os lugares em que você já morou!

Ops. Acabei entregando que tinha bisbilhotado.

Ele não pareceu se importar.

— E todos os lugares onde quero morar. Meu objetivo é ser documentarista de aventura. Viajar e filmar tudo.

Bem, aquilo explicava a câmera. Senti que minha visão sobre ele havia mudado de leve. Theo era um pouco insistente demais, mas também era aventureiro e tinha um projeto. Eu não podia deixar de admirar sua confiança. Aquilo fazia meus projetos sobre a faculdade de arte parecerem meio bobos.

— Interessante. — Dei mais uma mordida no bolo dele, depois larguei. — Los Angeles. Então, além de conversar com seu pai quando estavam juntos, é por isso que seu inglês é tão bom?

— Meu inglês não é bom. É perfeito, Olive — disse ele, acrescentando um forte sotaque grego na última palavra. — Além disso, assisto a muita TV americana. Para aprender inglês, basta assistir a nove mil horas de séries de comédia.

— É Liv — corrigi.

Theo balançou a cabeça.

— Me desculpa, mas acho que não vou conseguir lembrar. Olive já está gravado na minha mente, e, além disso, você não tem cara de Liv.

Levantei a cabeça na hora, indignada.

— O quê? Tenho, sim — protestei.

Ele balançou a cabeça.

— Não. Não tem *mesmo*. Que tal um apelido? Eu vou te chamar…

— De jeito nenhum… — comecei, mas ele atropelou minha objeção.

— Kalamata! — exclamou, dando um soquinho no ar.

— Kalamata? — gemi. — O tipo de azeitona? Só porque me chamo Olive?

Ele arregalou os olhos, fingindo surpresa.

— *Olive* quer dizer azeitona em inglês? Ah, é, você tem razão. Na verdade, Kalamata é minha variedade favorita de azeitona. Que estranha coincidência.

— Então, você está dizendo que vai continuar a me chamar de Olive, só que de uma maneira diferente.

Fiquei irritada, mas não tanto quanto minha voz fazia parecer. Kalamata não era o pior apelido já inventado.

Mas aquilo ainda era ridículo. E o fato de eu estar sorrindo também.

Theo balançou a cabeça.

— Não vou chamar você de Olive. Vou chamar de Kalamata. Completamente diferente.

— Bem, eu proíbo — falei, tentando soar soberana e decidida. Não funcionou.

— E eu proíbo você de proibir. Meu quarto, minhas regras.

— *Seu* quarto? — reclamei, mas nós dois já estávamos rindo.

Senti uma contração feliz na barriga. Ele estava flertando comigo? Pior: eu estava flertando de volta? Pensei no Dax outra vez, e então meu estômago se contraiu, mas por outro motivo. Ele devia ter respondido às mensagens àquela altura.

Peguei meu celular depressa, mas, quando olhei a tela, a única notificação era da minha mãe. Chegou bem? Então me virei para a janela compartilhada. Após a despedida espetacular do sol, a noite se descerrava rapidamente como uma cortina de teatro. Por onde andava Dax?

Quando dei por mim, Theo me analisava com uma sobrancelha erguida. Enfiei o celular embaixo do travesseiro, sentindo as bochechas quentes de novo.

— Então, voltando ao seu relacionamento com o seu pai — disse Theo, como se fosse uma mudança normal de assunto.

— Você sempre se interessa assim pela vida dos outros?

— Sempre — respondeu ele com firmeza. — Quero ser cineasta, lembra? Além disso, você me interessa.

Sua voz era inofensiva, como se não passasse de uma brincadeira, mas nossos olhares se encontraram por alguns segundos a mais do que o necessário e senti um calor correr pelo pescoço. Eu precisava dar um fim em seja lá o que fosse aquilo. Imediatamente.

— Eu tenho namorado — deixei escapar.

— Eu sei, você comentou.

— É?

Theo assentiu casualmente.

— É. Quando chegamos a Oia. Você disse: "Eu não corro. Meu namorado que o diga."

Ele fez uma imitação até bem parecida da minha voz. Além disso, parecia calmo, quase indiferente, o que fez eu me sentir uma idiota. Estava na cara que eu tinha interpretado suas intenções errado. O que era um alívio. Ou pelo menos eu achava que aquela sensação era de alívio. Sem dúvida, estava na mesma *família* do alívio.

Ele apontou para o meu colo.

— É por isso que você não para de olhar o celular? Ele está mandando mensagem?

— Hã... — Eu sabia que a verdade era patética, mas estava cansada demais para inventar uma mentira. — Estou esperando ele responder. A gente meio que... não está se falando.

Esperei por algum tipo de comentário ou pergunta íntima demais, mas não veio nada. Só mais daquele olhar curioso.

— Como é o seu namorado?

— Dax? Ele é...

Senti um aperto no coração ao lembrar da semana anterior. Ele andava irritado, distante e, sinceramente, um pouco egoísta. Por outro lado, ele nunca gostara de mudanças de última hora e, além disso, estivera mesmo animado para eu ir na viagem de formatura com ele. Eu também ficava mal-humorada quando algo me decepcionava. Era compreensível. E o fato de eu tê-lo enrolado com aquela história da visita à faculdade também não tinha ajudado.

— Bom... ele é muito focado e bom em tudo. Todo mundo adora dele.

— Todo mundo, é?

Um sorriso lento se abriu no rosto de Theo, revelando os dentes inferiores desalinhados. Por que os dentes dele eram tão insuportavelmente charmosos?

— Bem, acho que eu deveria contar que tenho uma ex-namorada. De um relacionamento sério. Mas continuamos amigos. Só que do tipo que não se fala.

Surpreendi nós dois ao cair na gargalhada.

— Essa coisa de "continuar amigos" já deu certo algum dia?

Dava para ver que Theo tinha ficado feliz com a minha risada.

— Não na minha experiência, que pra ser sincero é bem vasta.

— Destruidor de corações. Por que você e sua ex terminaram?

Estava sendo intrometida, mas, segundo a lógica do Theo, era melhor deixar de lado aqueles escrúpulos bobos.

— Eu me mudei.

Aguardei o restante da explicação, mas ele só ficou me encarando.

— E daí? Você não namora a distância?

— Não mais.

O tom de voz dele indicava finalidade. Dizia: "Não vou mais falar sobre isso." O que era inaceitável, já que ele tinha me interrogado sobre meu relacionamento com meu pai. Olhei bem nos olhos dele.

— Por que *não mais*?

Ele olhou nos meus olhos durante 1,3 segundos, apenas o tempo necessário para eu notar um vislumbre de tristeza. Foi bem angustiante, mas sumiu quase tão rapidamente quanto surgiu. Theo ergueu uma sobrancelha.

— É um assunto particular. Não sei se temos intimidade para falar sobre isso.

Ele não tinha o menor direito de imitar minha voz tão bem. Dava até para ouvir um leve sotaque de Chicago, que eu nunca tinha percebido. Ergui uma sobrancelha de volta, mas tive a impressão de que não era tão boa naquilo quanto ele. Além do mais, eu não ia insistir em cutucar a ferida do Theo. O que quer que tivesse acontecido, parecia pessoal e doloroso, e eu entendia tudo de acontecimentos pessoais e dolorosos.

— Bem, me lembre de nunca mais contar nada para você — falei, em tom de brincadeira.

— Você vai contar — garantiu ele. — Sou um cineasta. As pessoas não conseguem deixar de me contar suas histórias.

— *Futuro* cineasta — corrigi.

— Hum — resmungou ele, apagando a luz.

Nós nos deitamos no escuro, mas a conversa não parecia ter terminado. O luar iluminava nossas camas, e eu não conseguia ignorar o fato de que ele estava deitado logo ali do meu lado.

— Sinto muito pela sua namorada — sussurrei.

— Sinto muito pelo seu pai — disse ele. — Parece que não sei muita coisa sobre o relacionamento de vocês, mas sei que ele sempre fala de você. Eu achava que fossem melhores amigos.

— Só que do tipo que não se fala — respondi, repetindo as palavras dele.

Theo riu, depois ficou quieto, e a escuridão moldou meus pensamentos. Antes de entender que meu pai nunca mais voltaria, eu também falara muito sobre ele, para quem quisesse ouvir. Depois, eu passara todo o tempo tentando fazer com que as pessoas *não* perguntassem sobre ele.

Ele sempre fala de você. Theo queria dizer *sempre* mesmo ou só desde que começara a me mandar cartões-postais? Meu pai tivera uma mudança repentina de atitude? Pensar naquilo me fazia sentir um peso no peito.

E quanto ao sono? Esquece. Nas últimas horas, eu sentira que estava louca por uma cama, mas, assim que arranjei uma — e confortável, ainda por cima —, minha mente estava acelerada demais para eu relaxar.

Depois de dois ou três minutos intermináveis, Theo se apoiou em um cotovelo.

— Kalamata, quer ouvir um rap francês?

Também me apoiei no cotovelo.

— Os franceses… fazem rap?

Nossa, eu era muito culta. Theo riu.

— Claro que sim. Quer dizer, é verdade que o rap surgiu na década de 1970 em festas de rua em Nova York — disse ele, como se fosse de conhecimento geral —, mas alcançou outros lugares desde então. Os franceses começaram um pouco mais tarde, mas são ótimos. Além disso, não sei por quê, mas para mim rap francês é como chá de camomila. Durmo como um bebê quando ouço. Você topa?

Eu só enxergava o contorno sombrio de seu rosto, mas as luzes da rua iluminavam seus olhos. Ele era bonito até no escuro.

— Posso dar uma chance.

Theo se sentou e começou a mexer em caixas de som e cabos. De repente, um pensamento horrível me fez levantar. Se íamos dividir o quarto, eu teria que alertá-lo sobre os pesadelos. O problema era que eu nunca tinha contado a ninguém sobre aquilo, e ele com certeza me faria perguntas. Ainda assim, eu tinha que contar. Fiz uma careta e respirei fundo.

— Ei, Theo, preciso avisar uma coisa. Eu tenho, hã… — Hesitei antes de dizer a palavra para ele. — Pesadelos.

Ele parou de se mexer, o luar refletindo da caixa de som em sua mão.

— Pesadelos?

— É, bem ruins. E eu grito ou… choro às vezes. Não é nada de mais, só queria que você soubesse para não se assustar.

Queria soar indiferente, mas minha voz não estava cooperando. Acabou saindo meio trêmula, aguda e completamente estranha.

Ai. Era por *isso* que eu não contava para ninguém.

Theo continuou parado, absorvendo a informação.

— Tá. E o que devo fazer se isso acontecer? Acordar você?

Aquela pergunta me deixou perplexa. Eu fazia de tudo para evitar dormir na companhia de outras pessoas, então as únicas que já tinham visto aquilo acontecer eram minha mãe e algumas amigas da escola.

— Hã... não sei. Ninguém nunca fez isso antes. Eu geralmente acordo sozinha. Então talvez só me deixar quieta?

Ele pôs a caixa de som no chão.

— Entendi. E não se preocupe, os sons relaxantes do Busta Flex costumam resolver todos os problemas.

O rap francês começou a tocar alto na caixa de som, e ele ajustou o volume antes de se enfiar embaixo das cobertas. Eu me sentia aliviada, mas também um pouco surpresa. Por que ele não tinha me perguntado sobre o que eram os pesadelos? Se ele tivesse perguntado, eu teria contado?

Provavelmente não.

Fechei os olhos e me concentrei na música. Theo tinha razão. Definitivamente não era uma canção de ninar, mas era estranhamente relaxante. As palavras e sons se misturavam, e a batida esvaziou minha mente das preocupações. Com sorte, eu não estaria tão emocionalmente confusa na manhã seguinte. Pelo menos eu tinha o Theo para me ajudar a encarar aquela situação com meu pai. Por mais implacável que fosse, ele parecia um bom aliado.

Eu estava tentando descobrir como agradecer ao Theo por ter me ajudado ao longo daquele dia quando ele começou a falar:

— Azeitonas são tão fascinantes. Você sabia que o maior tipo de azeitona é a verde Bella Di Cerignola e a menor é a arbequina? E também que podem ser pretas, roxas, verdes, marrons ou cor-de-rosa? Ou que oliveiras vivem em média de trezentos a seiscentos anos? Li por alto sobre elas enquanto esperava Yiannis trazer sua mala.

Não pude conter o sorriso.

— Você continua sem poder me chamar de Olive, Theo.

Ele ergueu uma das mãos no ar.

— E quem está chamando você de Olive? Só estou citando alguns *fatos interessantes*. — Pude ouvi-lo respirar fundo. — Mais uma coisa... você acha que pode confiar no seu pai? Porque eu confio.

Não. Eu não ia entrar nessa. Não naquela noite.

— Boa noite, Theo — falei com firmeza.

Então ficamos em silêncio de vez.

Capítulo 8

#8. DUAS FOTOS DA MINHA MÃE, TIRADAS COM UMA CÂMERA POLAROID 600 ANTIGA

De acordo com as histórias de família, minha mãe decidiu ser advogada aos impressionantes sete anos de idade, depois de resolver uma disputa no parquinho. Ela pretendia cursar a faculdade de Direito, mas, depois que eu nasci, meus pais decidiram que antes seria melhor trabalharem por alguns anos. Um dos empregos que arranjaram era numa empresa que organizava a venda de bens e propriedades de pessoas que precisavam se desfazer de seus imóveis. Meu pai acabou se revelando ótimo naquilo. Uma vez, encontrou um vestido Givenchy para minha mãe exatamente igual ao que Audrey Hepburn usou em Bonequinha de luxo. Em outra, encontrou para mim um jogo de chá em miniatura pintado à mão, em que cada xícara tinha o formato de um pássaro canoro diferente.

As câmeras, meu pai comprou para si mesmo. Ele dizia que, se eram boas o bastante para Andy Warhol, eram boas o bastante para Nico Varanakis. Lembro que ele tirou dezenas de fotos da minha mãe, mas só encontrei duas. Nas fotos, ela está com um vestido leve, um chapéu de aba larga e um sorriso extasiado que eu nunca vi ao vivo. Quando ele partiu, acho que levou aquele sorriso junto.

ACHEI QUE NÃO CONSEGUIRIA DORMIR DE JEITO NENHUM. Mesmo quando não estava a menos de quinze centímetros de um garoto definitivamente intrigante que definitivamente não era meu namorado, tinha dificuldade para dormir. Além de toda a questão do afogamento noturno, eu falava, ria e até chorava dormindo, e uma vez acordei no quintal, no meio de uma frente fria, usando apenas o short do pijama e uma camisa constrangedora que minha mãe e James compraram para mim na viagem de aniversário de casamento a Paris, com a piadinha ESTOU LE CANSADA.

Já na estranha casa da árvore da livraria, ao som do rap francês do Theo? Eu não só dormi. Eu repousei. *Descansei.* Do momento em que fechei os olhos até quando voltei a abri-los, acho que não me mexi um centímetro. Acordei aconchegada, os cobertores me envolvendo em um casulo quentinho, e a música já não passava de um tamborilar baixo. A cama de Theo estava vazia, os lençóis esticados e arrumados, o travesseiro afofado com perfeição. Apesar da aparência bagunçada, pelo visto ele mantinha tudo bem organizado.

Dax!, gritou meu cérebro enquanto meus olhos examinavam as coisas do Theo, e na mesma hora senti um aperto de ansiedade no peito. Será que ele já tinha me respondido?

Eu me virei de lado e peguei o celular de onde o guardara nas prateleiras. Mensagens da minha mãe. Várias mensagens da minha mãe. Enquanto eu reproduzia uma cena de *A Bela Adormecida*, ela me inundara de mensagens por quase uma hora.

Liv, me liga.

Liv, me liga agora.

Você está viva?

Vou deixar o Julius usar suas sombras da Urban Decay.

3... 2...

Suspirei fundo e liguei para ela, esfregando os olhos para despertar. Quando tinha sido a última vez que eu me sentira descansada assim? Meu corpo estava tão feliz que cantarolava. Além disso, a luz que entrava pela janela tinha um tom de amarelo quente e ensolarado e, quando inspirei, senti cheiro de água salgada. Talvez eu conseguisse me acostumar com a vida na ilha.

— Liv?

Minha mãe atendeu no segundo toque. Ela parecia ligeiramente ofegante e, ao fundo, ouvi um *vup-vup-vup* ritmado que eu conhecia bem.

— Mãe, você está na esteira? Que horas são aí?

— Quase dez da noite. O Fedor convocou uma reunião hoje cedo, e não pude fazer minha corrida matinal.

Fedor era o apelido secreto que minha mãe tinha dado ao sócio-gerente de seu escritório de advocacia. Além de um histórico sórdido de receber crédito por trabalhos que não tinha feito, ele usava colônias fortes e gostava de correr na hora do almoço e deixar as roupas suadas se acumularem numa sacola junto à porta do escritório. Também houve a vez em que ele *esquentara um prato de linguado e couve-de-bruxelas no micro-ondas da sala ao lado do escritório dela* — provavelmente tinha sido sua pior infração. Minha mãe já odiava o Fedor em tempos normais, mas, grávida, estava prestes a contratar um assassino de aluguel.

Recostei na parede, me preparando para uma das suas histórias.

— O que ele fez?

— Não vou entrar em detalhes, mas envolvia atum.

Ela fez um ruído de ânsia de vômito que não parecia totalmente fingido. Contive uma risada e a ouvi ajustar a velocidade na esteira, provavelmente para mais. Minha mãe nunca deixava de correr. Nunca. Nem nos fins de semana, nem nas férias, nem mesmo quando estava doente. Nem mesmo grávida, quando tudo a fazia vomitar e tinha que usar um cinto pesado que parecia um dispositivo de tortura para garantir que sua barriga ficasse apoiada. Por mais irritante que seu hábito rigoroso fosse às vezes, também era reconfortante saber exatamente onde ela estava. Eu conseguia visualizá-la usando short de corrida, o cabelo loiro preso num rabo de cavalo bem firme, a pele clara brilhando de suor. As pessoas nunca achavam que éramos mãe e filha, provavelmente porque éramos muito diferentes uma da outra fisicamente, e também porque teriam que me pagar cerca de um milhão de dólares e colocar uma manada de hipopótamos raivosos atrás de mim se quisessem me fazer participar de uma das meias maratonas em que ela sempre se inscrevia.

Mas estou divagando.

— Liv, por que você não me ligou quando chegou ontem à noite? Eu fiquei tão preocupada!

Hesitei, observando a luz do sol que entrava pela janela brincar sobre minhas pernas. Parte de mim queria continuar com raiva dela por ter me mandado para a Grécia, mas o fato era que foi minha mãe — sempre — quem esteve ao meu lado. Aquilo significava muita coisa. Respirei fundo.

— Papai organizou uma festinha pra mim e, quando cheguei na cama, estava tão exausta da viagem que desmaiei.

Olhei para minha prateleira. Meus pastéis a óleo estavam lá, me encarando; talvez fosse minha imaginação, mas senti o cheiro da cera.

A voz dela se suavizou.

— Ele fez uma festa para você?

— Pelo meu aniversário. Ele me deu um conjunto de pastéis a óleo personalizados de uma loja de artes da França. E cronometrou minha chegada com o pôr do sol daqui. Foi...

Tentei dar a entender que não tinha sido grande coisa, mas só de lembrar senti meus olhos marejarem outra vez, e a última coisa que eu queria era fazer minha mãe chorar também. Era melhor me ater aos fatos.

— Ele se esforçou muito — concluí.

Apesar do meu esforço, ela com certeza percebeu minha emoção, porque houve uma longa pausa seguida por uma série de bipes quando ela parou a esteira.

— Ele sempre foi bom com aniversários — comentou minha mãe.

Parecia que estava tentando conter a própria emoção.

Por alguns segundos, senti aquela velha dor se estender entre nós. Tínhamos contido aquele sentimento juntas por tanto tempo, e, independentemente do quanto doesse, minha mãe sempre estava comigo me dando força. Não tê-la comigo para compartilhar daquela sensação era estranho.

— Ele já te contou sobre o projeto? — perguntou.

— Não.

Nem tentei arrancar a informação dela. Mesmo eu tendo perguntado várias vezes na semana anterior à viagem, ela mal dissera uma palavra. Só: *Acho que você vai gostar.* Minha mãe era um túmulo quando queria.

— Como está a livraria?

Dei um tapa na cama. Ela também sabia sobre a livraria?

— Mãe, há quanto tempo você e o papai têm conversado?

— Seis meses — disse ela.

— *Seis meses?*

Eu sabia que não devia me sentir traída, mas me sentia. Tínhamos vivido a perda do meu pai juntas. Por que ela não me incluíra naquilo?

— Por acaso eu ainda sei quem você é?

Era para a pergunta ser uma piada, mas acabou saindo séria. Quando ela voltou a falar, usou o mesmo tom.

— Liv, sinto muito por ter escondido isso de você. Mas achei que seria melhor abordarmos as coisas com seu pai com cuidado. Eu queria saber como ele estava antes de permitir que estabelecesse contato.

Estabelecesse contato? Não estávamos falando de uma invasão alienígena. Era daquilo que se tratavam os cartões-postais? Um plano para fazer a volta do meu pai parecer repentina? Eu estava zonza de raiva, mas minha mãe logo retomou a conversa e me distraiu.

— Oia não é incrível? Passei o dia inteiro olhando fotos na internet.

Ela sabia pronunciar Oia corretamente, o que fazia sentido.

— É linda — admiti. — Muitos cães e pessoas. E todos os prédios pintados de branco.

— É para evitar que as casas fiquem quentes demais no verão. Como é o quartinho da livraria?

Segurei o celular com força.

— Você sabe disso também?

— Seu pai estava preocupado que você pudesse ficar desconfortável com esse arranjo. Mas eu disse que achava que ficaria tudo bem. Afinal, você tem um irmão.

— De *cinco* anos — respondi, sem conseguir acreditar.

Desde quando minha mãe era tão tranquila com relação a garotos? Mesmo sabendo que ela confiava em mim, eu tinha um toque de recolher de Cinderela em casa: *Meia-noite e nem um minuto a mais.* Desde que eu começara a namorar o Dax, tínhamos o que eu chamava de Cúpula Mensal do Sexo Seguro, em que ela perguntava se eu tinha alguma dúvida, frisava a importância de dar e receber consentimento e se oferecia para me levar a uma ginecologista para conversar sobre métodos anticoncepcionais. Passei a mão pelo cabelo emaranhado.

— Mãe, você me mandou para a Grécia com instruções explícitas de não falar com nenhum garoto.

— Mas esse o seu pai conhece muito bem — explicou ela calmamente. — Você se sente segura com o Theo?

— Bem...

Ela me pegou nessa, porque a verdade era que eu me sentia, sim, segura com o Theo. Ele passava a impressão de ser alguém... digno de confiança.

— Sim — admiti.

— Ótimo — disse ela, como se aquilo resolvesse as coisas, e baixou um pouco a voz. — Você deve confiar em seus instintos. Ele é bonito?

Em descrença, ergui a mão que não estava com o celular. Quem *era* aquela pessoa?

— Não *importa* se ele é bonito.

Ela nem tentou disfarçar o sorriso na voz.

— Vou tomar isso como um sim. Pode ser divertido passar algum tempo com outro adolescente. Ele pode te mostrar a cidade. Apresentá-la à cena local.

— Cena local? Mããããe.

Aquilo com certeza tinha a ver com o Dax. Ela queria que eu conhecesse outros garotos na esperança de que esquecesse o que eu tinha em Seattle. Já ia brigar com ela por toda aquela campanha anti-Dax... quando notei um envelope preso à porta do quarto, com a palavra KALAMATA escrita em letras maiúsculas.

— Mãe, eu ligo para você mais tarde.

— Hoje à noite. Você vai me ligar hoje à noite — disse ela, tranquila. — Agora vai curtir a ilha. E lembre-se de *passar protetor solar*.

Sinceramente, era impossível lidar com aquilo.

Dentro do envelope havia um papel. Depois que o desdobrei, demorei alguns instantes para entender o que era.

OLIVE VARANAKIS

Produções Dubois apresenta:

ENCONTRANDO ATLÂNTIDA,

um documentário da National Geographic

LOCAL DE FILMAGEM:	HORÁRIO DE
Dia 1 (de 5)	**CHEGADA:**
Ilha Nea Kameni, Santorini,	**8h***
84700, Grécia	Filmagem (no local): 10h
28º C / 23º C	Almoço: 12h30
Nascer do sol: 6h04	Término previsto: 17h
Pôr do sol: 20h42	

* Encontro na Livraria Perdida de Atlântida para reunião de orientação e transporte para o local.
(Rua Nomikos, Oia, 847 02)

NOTAS DE FILMAGEM:	OBSERVAÇÕES:
História da erupção	Roupa adequada
vulcânica	para mar/vulcão

*** TODA A EQUIPE DEVE SE ENCONTRAR NA HORA CERTA, **SEM EXCEÇÕES** ***

Não acreditei.

Era uma *ficha de produção*. Eu sabia disso porque via variações daquilo espalhadas pela casa do Dax sempre que a produtora do pai dele estava trabalhando em um filme novo. Dax tinha me explicado que eram as programações diárias usadas para informar à equipe para onde precisavam ir e o que tinham de fazer em cada dia de filmagem.

A gente ia fazer um filme? Quer dizer, não um filme. Um *documentário*. Para... Percorri o papel com o olhar e quase caí para trás. *National Geographic*? Aquilo era verdade?

Encarei a ficha durante uns bons trinta segundos. *Parecia* de verdade. Era exatamente igual às na casa do Dax.

Meu coração retumbava no peito enquanto eu relia o papel outra vez. *Produções Dubois*. A logo era um círculo simples com um rolo de filme dentro. Sim, o documentário era sobre Atlântida. Mas parecia legítimo. Além disso, meu nome estava no topo da ficha. Então eu participaria da filmagem?

Senti meu estômago se agitar com a animação. Quer dizer, é verdade que o filme era sobre o assunto de que eu menos gostava, mas era um *filme*. Experiência em um set de filmagem contaria muito nas minhas inscrições para a faculdade. Eu tinha lido na internet que a RISD preferia que os candidatos tivessem experiência em vários campos artísticos...

Tá. Eu estava me precipitando.

Dei uma olhada nas observações. O horário da reunião de equipe era às oito da manhã, e eu precisava estar vestida para... mar/vulcão? Como assim? Dei uma olhada no celular: 7h57.

Três minutos?

Entrei em ação depressa, mas o trinco da porta estava fechado e, apesar de Theo ter feito parecer simples de usar quando o fechara na noite anterior, demorei até conseguir abrir, provavelmente porque minhas mãos estavam tremendo. Primeiro era preciso segurar firme a alça, depois deslizar uma alavanca, que agarrava um pouco, e empurrar enquanto se inclinava sobre a abertura, mas então meus braços escorregaram e...

Gravidade.

Enquanto eu despencava rumo ao chão, algumas coisas ficaram imediatamente óbvias:

1. A Livraria Perdida de Atlântida não era o refúgio de tranquilidade matinal que eu imaginara. Na verdade, era um negócio próspero.
2. O quartinho devia ter um ótimo isolamento acústico.
3. Aquilo ia doer.

O som do meu corpo colidindo com o chão ricocheteou pelo cômodo, atraindo os olhares de todos os clientes. Aterrissei perto de um trio de turistas japonesas que, a julgar pelos gritos, não esperavam que uma americana de pijama caísse ali no meio.

Felizmente, eu tinha ultrapassado o limite da vergonha e chegado ao estágio de nem sentir dor, então, em vez de ficar caída no chão e verificar se tinha fraturado algum osso, me levantei num pulo e fingi que estava endireitando os livros.

— Me desculpa. Minha cama fica lá em cima e ainda não estou acostumada.

— Hãããã? — disse a mulher mais próxima de mim, segurando a alça de seu vestido colorido.

— Cama.

Cruzei os braços por cima da blusa do pijama. Qual seria o estado do meu cabelo naquele momento?

— Por favor, me desculpem — repeti. — Fiquem à vontade.

A turista me lançou um olhar de pena. Então ela e as amigas saíram depressa, lançando olhares por cima do ombro.

— Olive Varanakis, ao vivo e em cores — ecoou uma voz grave e ruidosa.

Eu me virei, ficando cara a cara com um garoto de ascendência indiana de vinte e poucos anos. Ele era alto e magro, com longos cílios, uma postura horrível e uma trágica barbicha desgrenhada . Sua camisa dizia MARCADORES DE LIVRO SÃO PARA OS FRACOS, e ele usava um crachá vermelho em que se lia GEOFFREY, O CANADENSE, o que, apesar de curiosamente informativo, só me deixou mais confusa.

— Você trabalha aqui? — perguntei, lembrando de repente que estava sem sutiã.

A que horas eu teria que acordar ali? Seis da manhã? Sete?

— Isso. Sou o Geoffrey do Canadá — respondeu, dando um tapinha no crachá. — Antes havia um Geoffrey do País de Gales. Ele só trabalhou aqui por alguns meses, mas as coisas ficaram muito confusas. Theo que fez o crachá pra mim. Aquele lá adora uma brincadeira.

— Ah — consegui responder.

Os clientes ainda me encaravam, e tentei ajeitar um pouco o cabelo com a mão. A julgar pelos olhares, não estava apenas com o bagunçado normal de quem acaba de sair da cama, e sim mais para uma mistura de túnel de vento com terapia de choque.

— Bem, é melhor eu…

Avancei em direção à caverna, mas Geoffrey pegou minha mão e bateu com entusiasmo em meu braço.

— Me desculpa por ter perdido sua festa. Mathilde, minha namorada, se apresentou em Atenas ontem à noite, e só cheguei hoje de manhã. Ela é a primeira bailarina da Ópera Nacional Grega. Fazem elas trabalharem como um cão por lá. Ou melhor, como *formiga*.

Era para ser uma piada?

— Ah, a cigarra e a formiga — falei, e ele piscou.

Mudança de planos. Quem sabe ele devolveria a minha mão se eu o deixasse falar?

— Sua namorada é bailarina? Que interessante.

Avancei, descalça, em direção à porta.

O braço do Geoffrey parou de se mexer, mas ele continuou segurando minha mão com firmeza.

— Olive, você já *se apaixonou*?

Sua voz tinha ficado séria e melancólica, e eu congelei antes de me virar lentamente para olhá-lo. Ele estava brincando? Não parecia. Quem faz uma pergunta daquelas a alguém que acabou de conhecer? Além disso, por que a mão dele estava tão úmida?

— Ei, Geoffrey, na verdade prefiro que me chamem de Liv. E tenho namorado...

— Mathilde é a metade da minha laranja — interrompeu, piscando os cílios enormes. — O leite do meu café. A fibra de coração de dragão da minha varinha de nogueira.

O *quê* de nogueira?

— Hum! — exclamei.

Como se alertada pelo meu pânico, Ana apareceu milagrosamente ao meu lado e me levou embora.

— "Varinha de nogueira" é uma referência de Harry Potter — sussurrou ela. — Geoffrey é nosso gerente-assistente. Ele é ótimo com livros, péssimo em interações sociais. Com o tempo, você vai gostar dele.

Ana usava um vestido preto simples e solto que em qualquer outra pessoa pareceria um saco de lixo, mas que a deixava com um ar chique e casual. Brincos compridos e curiosamente parecidos com anzóis pendiam de suas orelhas, e ela usava um novo tom de batom vermelho, mais escuro, mas vibrante como o da noite anterior.

— Você está ainda mais bonita hoje do que ontem — disse Ana, ecoando meus pensamentos sobre ela.

Ela despenteou minha franja.

— Tão chique! — acrescentou. — Você foi feita para esse visual bagunçado.

Ela provavelmente só estava sendo muito gentil, mas senti meu constrangimento desaparecer mesmo assim.

— Eu não esperava que a livraria estivesse tão cheia a essa hora. Ou até aberta.

— Abrimos cedo durante a temporada de cruzeiros. Eu devia ter avisado. Fora a queda, como foi sua primeira noite?

— Ótima.

Balancei a cabeça, ainda sem acreditar em como me sentia descansada. Era tão inédito. Então, me lembrei da ficha de produção na minha mão e a estendi.

— Isso é de verdade? — perguntei.

Ela pegou o papel e suspirou.

— Ah, Theo. Vejo que ele oficialmente estragou a surpresa.

Senti uma agitação no peito impossível de controlar.

— Então esse é o projeto misterioso? Vamos fazer um filme?

— Um documentário. — Ela olhou para o relógio escolar amarelo retrô acima da porta. — Acho que seu pai planejou um café da manhã especial para a equipe e vai aproveitar para lhe contar tudo. Theo está esperando no terraço, mas não precisa se apressar. Estamos no horário de Santorini, então *aproveita*.

Ela deu uma piscadela para mim, um movimento para o qual claramente tinha nascido, depois voltou a atender os clientes. Provavelmente era desleal da minha parte pensar aquilo, mas, se meu pai não tivesse pelo menos tentado dar em cima dela, ele era um idiota.

Adorei a ideia de um café da manhã para a equipe. Apesar de não ter ideia do que ela queria dizer com "horário de Santorini", a última coisa que eu queria era deixar uma equipe inteira à minha espera. Quantas pessoas eram necessárias para fazer um documentário? Meu pai queria mesmo que eu ajudasse? Corri para

AMOR & AZEITONAS

a caverna, onde minha mala ocupava o espaço apertado como a monstruosidade exagerada que realmente era. Eu tinha mesmo achado que precisaria de tudo aquilo? Era uma ilha mediterrânea, não uma expedição ártica. Incrível o que vinte e quatro horas podiam fazer em termos de perspectiva.

Joguei uma água no rosto, fiz minha melhor maquiagem rápida, escovei os dentes e tentei ajeitar a franja pra ficar com um ar menos selvagem. Agora, o que vestir?

Ir até um vulcão não era o tipo de atividade que meu guarda-roupa básico cobria, mas, depois de revirar a mala por um tempo, finalmente escolhi dois dos meus itens preferidos. Um short desfiado embaixo, surrado na medida certa, e minha camiseta listrada preferida — duas peças que eu usava sempre que possível. No último minuto, acrescentei um par de brincos dourados e o cordão que eu tinha feito num curso de férias de produção de joias com minha inicial. *L.* Assim me sentia mais eu mesma.

Pensei em ir sem mochila, mas aquilo estava além da minha capacidade como ser humano, então subi no quartinho e peguei só o necessário: alguns lápis, meu caderno de desenho, celular (ainda nada do Dax) e protetor solar. Por fim, fechei o quarto com cuidado e saí depressa para a rua.

Oia estava calma e relativamente vazia naquela manhã, uma versão atenuada do que eu vira na noite anterior. Havia alguns poucos turistas nas ruas e a luz brilhava nas superfícies brancas, fazendo o chão de mármore cintilar. O dia ia ser quente, mas por enquanto o sol avançava devagar e a brisa do oceano mantinha o ar agradável.

Ao admirar o vilarejo branco e angular, fui atingida por uma onda de melancolia. É aqui que meu pai tem vivido. Em todo o tempo que passamos separados, eu nunca consegui imaginar onde ele estava ou como seria sua vida sem a gente. Naquele momento, eu sabia. É óbvio que ele era de um vilarejo eclético à beira-mar — por que não deixaria nosso minúsculo apartamento nos Estados Unidos em troca daquilo? Mas e quanto a nós duas? Não valíamos mais que um vilarejo?

Antes que eu pudesse ser arrebatada pelos sentimentos, ajustei a mochila e subi os degraus para o terraço, tentando me acalmar. Podia haver outros membros da equipe lá em cima.

O que restara da minha festa de aniversário já tinha sido retirado, transformando o espaço de novo em uma livraria a céu aberto, sem nenhum vestígio do que me causara tanta ansiedade na noite anterior. Os murais coloridos de livros na parede refletiam a luz do sol, e os clientes mexiam nas prateleiras ou liam sentados nos nichos. Levei um instante para encontrar o Theo, e, quando o vi, meu nível de estresse disparou. Ele claramente não tinha medo de altura, porque estava sentado na beira do telhado, as pernas balançando sobre o penhasco, o laptop no colo, fones enormes nos ouvidos, completamente envolvido com o que quer que estivesse vendo.

Em geral, tento não levar as pessoas a uma morte prematura, então me aproximei com cuidado, tocando seu ombro de leve e falando em voz baixa.

— Theo, vi a ficha de produção.

— Kalamata! Finalmente!

Ele girou as pernas, virando-se para me encarar. Estava vestido de maneira quase idêntica ao dia anterior — tênis, camiseta e calça jeans pretos —, além de um boné. A câmera estava a seus pés.

Sua *câmera*. É claro que estava com ele. Então percebi a palavra gravada em sua camisa: EQUIPE.

Segurei sua mão e o puxei, para ele se levantar.

— Nós vamos mesmo fazer um filme?

Ele abriu um sorriso.

— Ah, então você se anima com *alguma coisa*, Kalamata.

Mordi o lábio, fazendo de tudo para não sorrir. Não queria dar aquela satisfação a ele.

— Estou atrasada. Perdemos a hora da reunião?

Theo fez que não.

— Mudamos o horário para você dormir um pouco mais. Seu pai achou que você precisava. Ainda mais depois que contei a ele que você estava roncando como um gnu.

Meu rosto ficou vermelho que nem um tomate.

— Eu não *ronco*.

Será que roncava? Eu me esforçava tanto para que ninguém me visse dormindo que não tinha ideia se era verdade ou não. Teria que confirmar com minha mãe.

Ele pousou a mão de maneira reconfortante em meu ombro.

— Ronca, Kalamata. E como. Você já conheceu Geoffrey, o Canadense?

Gostei do peso da mão dele em meu ombro talvez um pouco demais, então me afastei rapidamente, me concentrando na água.

— Conheci. Na verdade, meio que despenquei do quartinho. Derrubei uma pilha de livros na descida e traumatizei os clientes.

O oceano cintilava em tom de turquesa, e os reflexos de luz doíam em meus olhos. Eu tinha que acrescentar óculos escuros à mochila. Aquela luz toda ia ficar linda na gravação.

— *Muito* bem — disse Theo, me encarando com respeito. — E Geoffrey contou sobre a namorada de mentira dele?

— De mentira? Não, ele me contou sobre a namorada que é bailarina. Ela se chama…

— Mathilde? — Theo suspirou pesadamente. — Mas é claro. Ela não existe. De vez em quando ele sai para visitá-la em turnê, mas ninguém tem ideia do que está indo fazer de verdade. Meu palpite é que tem muita maconha envolvida.

Fiquei esperando para ver se era brincadeira, mas o rosto de Theo estava completamente sério.

— Ele tem uma namorada de mentira? Por quê?

Theo virou a aba do boné para trás e soltou um suspiro exasperado.

— Se descobrir, me fala?

— Mas... — comecei, olhando para a livraria lá embaixo. Aquele lugar ficava cada vez mais estranho.

Quando me virei de volta para ele, Theo estava avaliando minha roupa.

— Você vai assim?

Dei um passo para trás, gesticulando para meu short e calçado, nervosa.

— Hã, sim. Com o que estou usando agora. Por quê?

Ele balançou a cabeça de maneira tão decidida que as pontas enroladas de seu cabelo esvoaçaram.

— Você está linda, mas não sei se essas sandálias são boas para escalar um vulcão.

— Vamos *escalar* um vulcão? — perguntei, meu olhar apreensivo correndo em direção à água.

Ele estalou os dedos.

— Esqueci! Tenho um presente para você. — Ele abriu a mochila e me atirou uma camiseta enrolada que nem um burrito. — Me desculpa se ficar muito grande. Não sabia qual era o seu tamanho.

Estendi a camiseta, segurando-a na minha frente, e senti o tecido com os dedos. EQUIPE. Era grande demais, mas dava para usar.

— A equipe toda usa isso? — perguntei.

A animação crescia em meu peito. Theo deu de ombros alegremente.

— Todos nós dois. Seu pai usa as roupas dele de sempre. Quando vai aparecer na filmagem, ele tenta se vestir melhor.

— Quê?

Senti o desânimo tomar conta de mim, todas as ilusões de grandeza escapando das minhas mãos como um balão errante. Se havia apenas nós dois, então não era um filme de verdade. Era...

sei lá. Um vídeo de YouTube? Um filme caseiro? Seja lá o que fosse, era amador.

— Nós dois? — repeti, sem me preocupar em disfarçar a decepção. — Então não tem uma equipe.

— Como assim? Nós *somos* a equipe — disse Theo, colocando a mão de volta no meu ombro. — Eu cuido da câmera e da maior parte da edição. Seu pai tem feito os roteiros e a apresentação na frente da câmera. Quando ele falou que precisava de ajuda, não estava brincando.

Eu mostrei, desanimada, a ficha de produção, sem querer desistir do sonho.

— Deixa eu adivinhar. Foi você que se deu ao trabalho de digitar tudo isso pra mim?

— É uma das minhas funções — disse ele. — Sou madrugador e gosto de imprimi-las na livraria logo cedo. Assim a gente se mantém focado no trabalho do dia.

— E a Produções Dubois...?

Ele sorriu.

— Sou eu. Theo Dubois.

Era a gota d'água. O último fio de esperança escapou por entre meus dedos. Meu pai não tinha conquistado credibilidade repentina. Seus planos continuavam tão precários e inatingíveis como sempre. Senti o estômago revirar. Era por isso que as pessoas riam dele. Por que Theo dava força? Ele parecia gostar do meu pai. Será que não percebia que Nico só ia se machucar?

Engoli em seco.

— Acho que eu esperava que fosse um pouco mais... legítimo.

Ele se virou para mim, as sobrancelhas arqueadas em dúvida.

— Mais legítimo?

— É, eu...

Achei que mais pessoas acreditassem nele. Achei que não me sentiria tão idiota por ter acreditado também. Aquela era a questão. Senti um calafrio. Eu não ia mexer naquele vespeiro na frente do Theo em hipótese alguma.

— Deixa pra lá. Vamos falar com meu pai. Tenho certeza de que ele vai explicar tudo.

Mas, mesmo conhecendo Theo há menos de vinte e quatro horas, eu já sabia que ele não deixava nada pra lá. Como eu imaginava, ele continuou parado e colocou as duas mãos em meus ombros, o olhar encontrando o meu.

— Kalamata, é a *National Geographic*. O que é mais legítimo do que isso? Além disso, a tecnologia é tão boa hoje em dia que não é necessário uma equipe enorme para produzir algo que valha a pena. Só precisamos da minha câmera, um drone, uma Go-Pro e um programa para editar. Estamos *mais* do que equipados.

Arrisquei olhar nos olhos de Theo. O maxilar estava firme, o olhar, intenso. Concentrado. Ele falava sério. Apesar de sua crença inabalável no meu pai, Theo não parecia delirante. Parecia inteligente. Comprometido. Talvez até talentoso. Mesmo assim, eu não ia pular a bordo daquele projeto sem razões sólidas.

— Você disse que o documentário é para a National Geographic — falei, cautelosamente. — O que isso significa? Contrataram meu pai? Ele está na expectativa de que o contratem?

Theo baixou as mãos e ajeitou o boné. O dia já começava a esquentar, e uma fina camada de suor no seu lábio superior brilhava de maneira surpreendentemente agradável.

— Estão fazendo uma série sobre exploradores e querem um miniepisódio sobre Atlântida. Seu pai e eu andamos publicando conteúdo desde o início do outono, e encontraram o canal de YouTube dele.

Sim, meu pai tinha um canal no YouTube. Sim, desde que fora ao ar, alguns anos antes, eu vivia sob o medo constante de que alguém da escola descobrisse. Mas a National Geographic tinha entrado em contato com ele? Absorvi aquela informação por um minuto, deixando as novidades se assentarem em meu peito. Theo tinha razão. Independentemente do tamanho da nossa equipe, a National Geographic era a National Geographic. Era um dos nomes mais conhecidos nos ramos da ciência e da exploração. Se o documentário fosse bem-sucedido, provaria para todo mundo, inclusive para mim, que meu pai não era tão delirante quanto pensávamos. E a sensação daquilo era...

Bem, era como estar numa ilha grega numa manhã quente de verão com uma oportunidade de validação se desenrolando no ar marinho. Era liberdade. Era alívio. Era uma justificativa para tudo o que minha mãe e eu passamos.

Resumindo, era uma sensação *boa*. Muito, muito boa.

Porém, eu tinha mais uma pergunta.

— E quanto ao dinheiro? É um trabalho voluntário ou ele está sendo pago?

Theo piscou, incerto, e percebi que eu devia estar parecendo uma mercenária. Ergui uma das mãos.

— Quero saber se a National Geographic está disposta a arriscar a própria pele.

Arriscar a própria pele era uma expressão que eu ouvira o James falar a respeito de algumas de suas contas corporativas, e me perguntei se teria que explicar ao Theo o que significava, mas ele assentiu, o rosto ainda com ar de dúvida.

— Acho que sim? Quer dizer, não é uma quantia enorme, mas o suficiente para fazer o documentário, e ainda sobrou um pouco para mandar trazer *alguém* de avião a Santorini.

Meu coração deu um salto. Dinheiro era um bom sinal.

— Então... é verdade.

— É verdade, Kalamata. — Ele ainda me observava. — Por acaso precisava de dinheiro e um financiador para ser verdade?

— Não — respondi, mas fiz que sim com a cabeça, então foi bem confuso.

— Kalamata...

— Esquece. Como posso ajudar? — interrompi.

Não havia tempo para analisar meus motivos. Tínhamos um *filme* para fazer. Theo hesitou por um instante; então um sorriso tomou conta de seu rosto.

— Kalamata, quero que você seja minha diretora de fotografia. Quero que deixe as tomadas bonitas. Seu pai achou que sua experiência com arte faria de você uma boa candidata e, depois de ver seu trabalho on-line, concordei com ele. Você sabe mesmo como combinar as coisas.

— Você está falando das minhas colagens?

Não era nem de longe a mesma coisa. Além do mais, eu já tinha ouvido o termo "diretor de fotografia", mas não tinha a menor ideia do que *significava*.

— E das suas pinturas — acrescentou Theo. — São muito boas.

— Obrigada, mas...

Senti um embrulho no estômago. Talvez eles estivessem superestimando minhas habilidades. E se eu não estivesse à altura do projeto?

— Não sei se sou a pessoa certa para isso — falei. — Meu pai não devia contratar alguém com experiência no cargo?

— Você é a pessoa certa. Seu pai tem certeza disso, e eu também — rebateu Theo com confiança. — Além do mais, você sabia que a oliveira frutífera mais antiga do mundo fica em Creta? Tem quatrocentos anos e ainda produz azeitonas. Você já parou para pensar em todas as diferentes funções que as azeitonas cumprem? Dá para usar o óleo delas, colocá-las na massa do pão, em cima da pizza... São tão versáteis. E tornam tudo melhor.

— Theo! — resmunguei, mas estava sorrindo de novo.

Ele apontou para a camiseta.

— Depois que você se trocar, vamos ao escritório do seu pai. Tudo bem?

Na mesma hora, tentei imaginar meu pai de terno e gravata, carregando uma pasta que nem o James, mas minha mente se recusava a produzir *qualquer* imagem.

— Meu pai tem um escritório?

Theo sorriu, virando a aba do boné para a frente de novo.

— Digamos que tem muita coisa que você não sabe sobre ele, Kalamata.

— E ele sobre mim.

Capítulo 9

#9. EXEMPLAR GASTO DE TIMEU E CRÍTIAS, DE PLATÃO, COM ANOTAÇÕES A LÁPIS DO MEU PAI NAS MARGENS

A maioria das crianças não teria ideia de que livro é esse, mas a maioria das crianças não é filha do meu pai. É um dos diálogos de Platão, basicamente a versão escrita de uma conversa, e a principal fonte de tudo o que sabemos sobre a cidade de Atlântida.

Minha mãe costumava trabalhar até tarde em restaurantes, então, durante muito tempo, meu pai e eu ficávamos sozinhos à noite. Ele preparava nossos jantares preferidos — macarrão na manteiga para mim, legumes com salsicha para ele — e líamos Platão, deixando um dicionário à mão para consultar as palavras que não conhecíamos. Quando minha mãe chegava em casa, era hora de meu pai sair para qualquer que fosse o emprego que o ocupasse noite adentro na época.

Para meu show de talentos do segundo ano, fiz uma lei-tura dramática da minha fala preferida de Timeu e Crítias: "E em um só dia e em uma só noite de infortúnio, tudo foi engolido pela terra, e a ilha de Atlântida desapareceu nas profundezas do mar."

O garoto que se apresentou depois de mim tocou "Bri-lha, brilha, estrelinha" no violino, e a criança seguinte exe-cutou uma rotina de saltos de ginástica. Por que será que eu não me encaixava?

EU HAVIA PREVISTO OUTRA CORRIDA E ACERTEI. ENQUANTO o restante da aldeia começava a manhã devagar, tomando café e terminando as palavras-cruzadas, ou seja lá o que os gregos fa-ziam ao acordar, Theo disparou em um ritmo só um pouco mais lento do que desembestado, descendo a sinuosa rua principal co-migo a reboque. Ele parou duas vezes: uma para acariciar um ca-chorro que mais parecia um montinho peludo, e depois para fil-mar o sino de uma igreja a badalar. Por fim, ele freou derrapando em frente a um prédio pequeno de dois andares com uma vitrine de doces vazia. Na porta, um letreiro dourado dizia MARIA's, e um delicioso cheiro amanteigado saía pelas frestas.

— Onde fica o escritório dele? — perguntei, conferindo meu reflexo no vidro.

Eu tinha trocado a sandália de antes por uma sem salto e dado um nó na lateral da camiseta de EQUIPE para não parecer que estava usando um vestido solto e gigantesco, mas não dera muito certo. Meu novo visual não era nem um pouco Liv, e também não parecia a roupa de alguém trabalhando em um documentário sério, mas era difícil ignorar a esperança que inflava meu peito. National Geographic. Era exatamente o tipo de coisa com que sonháramos. *Isso está mesmo acontecendo?*

Theo bateu na porta.

— Bem aqui. Das cinco às oito da manhã, todo o andar de cima é dele.

O balão esvaziou um pouco, mas persistiu.

— Então não é um escritório de *verdade* — argumentei, mas Theo me ignorou e bateu no vidro.

Em questão de segundos, uma mulher de cabelos grisalhos, bochechas enrugadas e olhos escuros e brilhantes usando um vestido azul de bolinhas apareceu à porta, deixando escapar uma lufada de ar quente e açucarado que animou meu lado formiga.

— Conheça Maria — disse Theo.

— O-live! — cantarolou ela.

Eu já estava desistindo de ser chamada de Liv ali.

— *Kaliméra* — cumprimentei.

Falar uma palavra grega foi um pouco menos estranho do que na noite anterior, mas ainda me senti constrangida na frente do Theo. Olhei disfarçadamente para ele. Meu sotaque devia ser péssimo.

Felizmente ali não havia grandes expectativas quanto a isso. Maria aplaudiu minha tentativa, depois disparou a falar em grego e deu vários tapinhas no meu rosto antes de nos levar para dentro.

A iluminação na loja era fraca, e havia cadeiras empilhadas em cima de várias mesas de madeira. As venezianas ainda estavam fechadas, e um esfregão secava em um dos cantos. Maria apontou para o teto e sorriu para mim.

— Seu pai — começou a senhora. — Seu pai, ele é…

Ela olhou para o Theo, então falou uma palavra que não entendi.

— Especial — traduziu Theo.

Ah. Era uma forma de ver as coisas.

— Obrigada, Maria.

Fui tomada pela expectativa. Eu estava prestes a ver meu pai. De novo.

— Lá em cima? — perguntei.

— Sim! — chilreou Maria.

Enquanto nos dirigíamos para a escada íngreme de madeira, a decepção turvou meu humor.

— O escritório dele é uma padaria fechada? — perguntei ao Theo.

Não que um escritório de verdade fosse restaurar magicamente minha confiança no meu pai, mas talvez ajudasse.

— Maria tem uma geladeira e dois fogões que deveria ter substituído há uns dez anos. Ele vive trazendo os eletrodomésticos de volta à vida. Em troca, ela o deixa trabalhar aqui.

Aquilo tudo era muito familiar.

— Como Yiannis, o taxista. Ele disse que devia um favor ao meu pai.

Theo olhou para mim, uma das mãos no corrimão.

— Você sabe como é o seu pai. Todo mundo lhe deve um favor porque ele está sempre ajudando os outros. Algumas pessoas brincam que ele é o prefeito de Oia. Ele que faz as coisas funcionarem por aqui. Quando alguém tem um problema, vai direto ao seu pai.

Bem, aquilo não era novidade. Toda vez que nossa família se mudara para um novo apartamento ou uma nova vizinhança, nunca demorou dez minutos até ele examinar o triturador de lixo de alguém ou consertar a bicicleta de uma criança, o que invariavelmente nos rendia convites para jantar por uma semana inteira. Ele também tinha a habilidade especial de fazer parecer que era *você* que lhe prestava um favor, o que deixava as pessoas ainda mais encantadas. Ele obtinha devotos leais por onde passava. Por que eu havia achado que as coisas seriam diferentes em Santorini?

Enquanto subíamos a escada, senti minhas mãos trêmulas de repente.

Pai.

Era nosso segundo encontro. Será que eu estava pronta?

Não.

Mas meus pés seguiram em frente mesmo assim.

A escuridão dava lugar à luz do sol enquanto eu ficava mais nervosa. O andar de cima da padaria era um terraço ao ar livre com várias mesinhas de madeira e uma vista deslumbrante da caldeira. Uma brisa leve agitou as cortinas de lona presas às grades do telhado, e o ar era fresco e salgado.

— Bem-vindos! — cumprimentou meu pai.

Ao me virar, encontrei-o em pé junto a uma mesa. Meu coração deu um salto, assim como no dia anterior. Ver meu pai era tão *desorientador*. Naquela manhã, ele usava uma camisa de manga comprida desbotada, bermuda e um chapéu de aba larga que o fazia parecer uma versão grega do Indiana Jones; era extremamente constrangedor, mas combinava com ele. Ele tinha juntado duas mesas e estava cercado por uma quantidade absurda de equipamentos velhos, incluindo uma caixa de ferramentas amassada, uma mochila gigantesca, um cooler, um emaranhado de extensões, além de uma pilha de cadernos e vários mapas enormes. Os mapas... Fui inundada por um maremoto de dor, e tive que desviar o olhar.

— Bom dia.

Fiquei surpresa ao constatar que minha voz saiu normal.

— Bom dia, Liv.

Ele pronunciou "Liv" com precisão e cuidado, como se tivesse passado a noite anterior ensaiando. Ouvi-lo me chamar pelo meu novo nome não melhorou em nada a sensação estranha em meu estômago.

— Dormiu bem? — perguntou meu pai.

— Como eu disse, ela roncou feito um gnu — respondeu Theo. — Só não é pior que você.

— Eu não ronco — protestei, me virando para Theo.

Sei lá como, ele tinha conseguido pegar sua câmera sem que eu percebesse e estava me filmando. *De novo*. Empurrei a câmera, mas ele só recuou alguns passos, um sorriso aparecendo sob o visor.

— Ronca, sim. Igual ao seu pai — insistiu Theo. — Tive que aumentar o volume da música.

— Você não tem provas de que eu ronco — disse meu pai.

— E, até eu mesmo ouvir, me recuso a acreditar que a Liv ronca também.

"Liv" soou um pouco mais natural da segunda vez. E foi legal da parte dele me apoiar com o lance do ronco, mas não tinha viajado meio mundo para conversar sobre a qualidade do meu sono. Era hora de ir ao que interessava.

Estendi a ficha de produção.

— Parabéns pelo documentário, pai. Parece bastante… — Respirei fundo, procurando um adjetivo. — Promissor.

Promissor? Não era bem a palavra certa.

Meu pai se alegrou assim mesmo, o sorriso tão brilhante que eu mal aguentava olhar. Percebi a energia correndo pelo seu corpo e entendi que ele queria me abraçar. Em vez disso, ele bateu os dedos na beirada da cadeira.

— Obrigado, Liv. E o que eu escrevi no cartão-postal é verdade. Preciso da sua ajuda. Nosso prazo é curto, e seria bom ter mais alguém cuidando do visual do projeto.

— Não sei se consigo ajudar com isso, mas vou tentar. — Hesitei, mas fui vencida pela curiosidade. — Sobre o que exatamente é o documentário? A teoria de Santorini?

Dizer aquilo em voz alta me deixou zonza. Quando meu pai foi embora, descobrir que a maioria das pessoas achava que

Atlântida era uma farsa tinha sido como desmantelar a gravidade — doloroso e desorientador. Mas, anos depois, ali estava eu, discutindo o assunto como se merecesse consideração.

O rosto dele ficou sério.

— Em parte. Tenho algumas teorias e provas novas para acrescentar, e quero explicar tudo a você, do início ao fim.

Provas. Aquela palavra outra vez. Meu coração parecia galopar. Por que todo aquele suspense?

— Está bem...

Ele apontou para a cadeira.

— Por que não se senta? Como disse o grande filósofo Platão: "Nenhum empreendimento importante deve ser iniciado sem café."

Não contive a risada.

— Platão *não* disse isso.

Meu pai abriu seu sorriso torto, e aquela imagem conhecida aqueceu meu coração.

— Você tem razão. *Eu* disse isso. Mas é verdade, não é? E suspeito que você passou de roubar goles de café dos adultos para uma xícara só sua.

Era verdade. Além do mais, até que a teoria de Theo fazia sentido.

— Vou chamar a Maria — disse Theo.

De alguma forma, ele tinha conseguido me fazer esquecer da sua presença e, quando me virei, a câmera continuava apontada para nós.

— Você não precisa de um termo de autorização ou coisa assim? — perguntei. — Porque eu *não* dei permissão.

Theo sorriu e correu para a escada, levando a câmera junto.

E então... ficamos só nós dois. Pela primeira vez em quase nove anos. Um silêncio pesado e desconfortável tomou conta do escritório improvisado do meu pai. Tentei disfarçar, mexendo na camisa e fingindo admirar a vista, mas quem eu queria enganar? A situação não poderia ser mais estranha. Meu pai também parecia não saber o que dizer. Por fim, apontou para a minha camiseta.

— Vejo que Theo deu o uniforme para você.

Fiz que sim com um movimento exagerado.

— Deu. E imprimiu uma ficha de produção. Ele é sempre assim tão...?

— Intenso? — Meu pai sorriu. — Os melhores sempre são. Ele se importa muito com este projeto.

— E com você — disparei, declarando o óbvio.

— É.

Outro longo silêncio desconfortável.

— Então... o que é tudo isso?

Eu me sentei na cadeira e olhei para o mapa, mas me arrependi no mesmo instante. Era uma réplica quase idêntica do que eu tinha guardado no fundo da mala. Podia estar nove anos mais velha e num país completamente diferente, mas ver as pontas desgastadas do mapa me levou de volta à mesa da nossa cozinha todos aqueles anos antes. Não era de espantar que ele não tivesse levado o mapa embora. Não precisava.

— Ah — sussurrei.

Meu coração havia subido para a garganta.

Meu pai tentou olhar em meus olhos.

— Reconhece?

Dã, quis responder. Mesmo contra a minha vontade, era como se a imagem do mapa estivesse gravada nas minhas retinas.

Por sorte, Theo e Maria reapareceram, trazendo café.

— Maria! *S'efcharistó!* — exclamou meu pai, se levantando na mesma hora para ajudá-la.

Maria sorriu alegremente, me passando uma xícara minúscula que quase me fez gargalhar. *Aquele* era o café que Platão prescrevera? Eu deveria virar tudo de uma vez? Ou dar alguns poucos golinhos? Olhei para Theo e para meu pai em busca de instruções. Os dois pareciam estar vivenciando uma experiência transcendental, bebendo devagar e com reverência. Então, sob o olhar atento de Maria, tomei um gole generoso.

Péssima decisão. Tossi alto, e Theo teve que dar alguns tapas nas minhas costas.

— Kalamata, respira!

O café tinha gosto de cedro derretido e era a coisa mais amarga que eu já provara. Se meu pai estava acostumado àquilo, não era de admirar que chamasse o café americano de "chafé".

— Me desculpa — consegui dizer. — Desceu pelo lugar errado.

Maria olhava para mim, preocupada.

— Muito bom, sim?

— Delícia — respondi.

Levei a xícara aos lábios, mas, assim que ela se afastou, larguei o café na mesa e me inclinei em direção ao Theo.

— Por favor, me diga que nem todo café da Grécia é assim — sussurrei.

Seu queixo caiu.

— Claro que é. Fervido e não filtrado, como deve ser — disse ele, sem se dar ao trabalho de sussurrar. — E não se atreva a ofender Maria... Ela tem ligações com a máfia grega. Se aborrecê-la, você vai dormir com os peixes.

Ele ergueu dois dedos e os apontou de seus olhos para os meus.

— Ótima citação de *O poderoso chefão* — falei, lançando um olhar para Maria.

Eu tinha noventa e três por cento de certeza de que ele estava brincando. Ainda assim, levei a xícara à boca outra vez. O segundo gole foi tão ruim quanto o primeiro, e não pude conter a careta. Felizmente, Maria e meu pai estavam envolvidos em uma conversa tão animada que não pareceram notar.

— Está bem. Agora trabalhem! — disse Maria.

AMOR & AZEITONAS

De repente, ela se virou para mim e apertou meu ombro uma última vez antes de deixar nós três — a *equipe* — sozinhos.

Meu olhar se voltou imediatamente para o mapa. Não consegui evitar. De perto, ficava nítido que aquela era uma versão aprimorada, ou a irmã mais velha e mais inteligente, do primeiro mapa. A ilha tinha sido desenhada com muito mais detalhes e, em vez das anotações dispersas, as margens tinham sido divididas e preenchidas com caracteres gregos organizados. Não havia nenhum desenho engraçadinho de serpente. As teorias dele obviamente tinham evoluído. E eu não tinha sido parte daquilo.

Foi como se uma porta grande e pesada batesse na minha cara. Rejeição. Passado todo aquele tempo, não devia doer tanto, mas doía. Muito, muito mesmo. Senti uma saudade repentina e confusa do nosso mapa original. Além disso, àquela altura, a espera estava me matando. Será que a teoria dele tinha mesmo evoluído? Se sim, como?

Lutei com a curiosidade por alguns instantes antes de perder, como sempre.

— Então, o que temos aqui? — perguntei, apontando para o mapa.

Meu pai pousou a xícara, seu olhar suave.

— Vamos começar do começo. Liv, como ficamos sabendo de Atlântida, para início de conversa?

Liv novamente. Cada vez que ele usava meu novo nome, eu precisava recuperar o equilíbrio. Forcei-me a olhar em seus olhos.

— Por causa de Platão.

Ele deslizou um caderno para o centro da mesa e rapidamente desenhou uma versão cartunesca de Platão, com barba, toga e um livro grande, então olhou para mim com ar sério.

Contive o riso. As teorias dele podiam ter melhorado, mas os desenhos não. Continuavam exatamente iguais, com olhões bobos que nem bolas de pingue-pongue e narizinhos. Eu tinha sentido falta de suas interpretações do mundo.

— Correto. E de quem Platão ouviu isso?

Um teste. Felizmente — ou infelizmente —, eu sabia todas as respostas. Gostaria de fingir que não pensava naquilo havia anos, mas a verdade é que pensava o tempo todo.

— Platão ouviu de Sólon, um famoso político e poeta grego.

— Não exatamente — corrigiu Theo. — Sólon viveu duzentos anos antes de Platão, então nunca falou com ele pessoalmente. Platão conhecia a história porque tinha sido transmitida oralmente por Sólon, que viajara ao Egito e a ouvira dos sacerdotes egípcios.

— Certo — concordei, mal contendo um suspiro.

Eles deviam perceber como aquilo era ridículo. Parecia uma brincadeira complicada de telefone sem fio.

Meu pai, é claro, continuou.

— E como nós, pessoas do século XXI, conhecemos a história?

— Por meio dos diálogos de Platão — falei, antes que Theo respondesse. Então, antes que meu pai pudesse perguntar, acrescentei: — Os diálogos de Platão são conversas fictícias usadas para discutir tópicos filosóficos.

Timeu e Crítias viva na minha mesinha de cabeceira, da mesma forma que *A teia de Charlotte* ou *James e o pêssego gigante* viviam na de outras crianças. Pois é, eu tive uma infância bem estranha.

— Excelente. Quase tudo o que sabemos sobre Atlântida veio de Platão. E quem foi Platão? — perguntou meu pai.

Ele tampou a caneta e olhou para mim com expectativa.

Quem foi Platão? Era uma pegadinha? Os dois me encaravam. No ano anterior, minha turma de história tinha estudado Platão, e, toda vez que a professora dizia o nome dele, era como se fizesse referência a um velho amigo da minha família. Eu levara quase um mês para parar de me encolher a cada menção. Tirei 9,9 no trabalho final, com a seguinte observação da professora: *Excelente compreensão aprofundada do tema*. Na verdade, eu tinha escrito menos do que sabia.

Baixei os olhos para o desenho.

— Ele foi um filósofo grego que viveu em Atenas e fundou a primeira universidade do mundo. Muitos o consideram o filósofo mais influente de todos os tempos.

Senti, mais do que vi, Theo e meu pai trocarem um olhar. Será que eu passara no teste ou fracassara? Não dava para saber.

Meu pai acrescentou um pergaminho à mão direita de Platão e alguns rabiscos à barba.

Hesitei, e Theo entrou na conversa:

— Ele descobriu diversas verdades científicas sobre a Terra. Foi um dos primeiros a dizer que a Terra não é plana e que os planetas orbitam o Sol, e não o contrário.

A Terra não é plana. Os planetas orbitam o sol. Filósofo mais influente. Meu pai anotou essas observações no topo da página. Então olhou para nós dois.

— Platão aprendeu com Sócrates e depois ensinou a Aristóteles. Além disso, fundou a primeira instituição de ensino superior na civilização ocidental. Foi um dos filósofos mais conhecidos de seu tempo, e suas teorias ainda são ensinadas no mundo inteiro. Tudo isso é impressionante. Mas só uma coisa realmente importa. — O olhar dele encontrou o meu. — Você acha que pode confiar nele?

A pergunta me pegou de surpresa. Eu me encolhi, então olhei para o Theo. Ele me perguntara a mesma coisa em relação ao meu pai na noite anterior. *Você acha que pode confiar no seu pai?* Mas é *claro* que Theo tinha contado para o meu pai sobre a nossa conversa.

— Bem... — hesitei.

Os olhos escuros do meu pai ainda encaravam os meus, e, por um instante, imaginei como seria dizer o que eu realmente pensava daquilo tudo. *Atlântida é uma história inventada por um antigo filósofo para impedir que as pessoas se tornassem um bando de ricos idiotas. Era uma parábola para alertar o povo de Atenas contra a ganância com relação a dinheiro, conhecimento ou tecnologia. Nunca deveria ter sido tomada como verdade. Ninguém deveria tentar encontrá-la. Ninguém deveria largar tudo e dedicar a* vida *a isso.* Mas os olhos dele brilhavam tanto. Eu tinha esquecido como brilhavam quando falávamos sobre Atlântida. Então, assim que abri a boca... bem...

— Não tenho certeza — murmurei.

Pois é. Patético. Deveria ser quase geneticamente impossível eu ser filha de uma advogada, quem dirá uma das boas.

Meu pai desviou o olhar e piscou. Uma, duas vezes.

— Não tem problema. Na verdade, isso é bom, porque é uma das coisas que estou tentando estabelecer no documentário.

— Pensa comigo — disse Theo, apoiando os cotovelos na mesa e se inclinando em minha direção. — Na época de Platão, Sólon era uma das pessoas mais famosas e respeitadas da história. Todos sabiam quem ele era, então Platão teria que tomar muito cuidado ao contar sua história. Além disso, Platão disse várias coisas sobre a história de Atlântida que deixam claro que ele a considerava fantasiosa... como era grande, os elefantes e tudo mais. Por que ele expressaria dúvida sobre a própria história que inventou?

Eu não queria admitir, mas era um argumento interessante. Felizmente, pensei logo numa réplica.

— Mas Platão alguma vez disse que era verdade?

Os olhos do Theo se iluminaram.

— Temos vinte e dois momentos documentados em que Platão diz ao público, categoricamente, que a história não é uma fábula, e sim *verdade*.

Vinte e dois? Parecia esforço demais para algo que ele acreditasse ser mentira. Fora isso, o Theo arrasaria na equipe de debate da minha escola. Ficara tão entusiasmado que, se eu não o detivesse, talvez acabasse presa àquela mesa o dia inteiro. Estava na hora de colocar um fim naquela discussão.

Levantei a mão.

— Beleza. E se Platão estivesse dizendo a verdade? E daí?

Um sorriso se abriu no rosto do meu pai.

— Então temos que falar sobre Santorini. — Ele virou para uma página em branco do caderno e rapidamente desenhou a ilha de Santorini. — Theo, o que especificamente Platão disse sobre Atlântida?

Theo se endireitou na cadeira, exibindo um sorriso igual ao do meu pai.

— Ele disse que uma ilha com uma civilização avançada foi destruída em poucos dias. A ilha era oblonga, com rochas de três cores diferentes: brancas, vermelhas e pretas. Durante a destruição, houve inundações e terremotos, e, depois disso, o mar ficou impenetrável.

Meu pai apontou para o desenho da ilha, abrindo um sorriso gentil para mim.

— Que forma é essa?

— Oblonga — admiti.

Mas o formato de Santorini não provava nada. Devia haver centenas de ilhas oblongas no planeta. Quais eram as chances de meu pai ter nascido na certa?

Em seguida, ele marcou três locais na parte de baixo da ilha e escreveu o nome de cada um. *Praia Vermelha, Praia Preta, Praia Branca.*

— Espera — falei. — Esses lugares existem mesmo?

Ele ergueu o olhar, a caneta ainda na mão.

— Mas é claro.

— Além disso, Atlântida tinha uma fonte quente e outra fria — acrescentou Theo, que tinha pegado a câmera de novo e mexia num botão. — Isso também está nos diálogos.

— E o mais importante: a cidade de Acrotíri — completou meu pai, e marcou um ponto na seção inferior da ilha. — Os minoicos eram uma civilização muito avançada que viveu em Santorini há mais de três mil anos. Infelizmente, a civilização foi dizimada quando o vulcão de Santorini entrou em erupção.

Meu coração acelerou… mas só um pouco. Sim, as evidências estavam se acumulando, mas eu já tinha embarcado no trem da ilusão antes. Então me obriguei a manter a calma.

— Avançada em que sentido? — perguntei, sem esconder o ceticismo na voz.

Meu pai voltou a desenhar e, quando estiquei o pescoço para ver o que era, não pude deixar de rir. Era um vaso sanitário. Com olhos.

— Eles eram avançados porque tinham vasos?

Ele sorriu de volta.

— Não qualquer vaso. O primeiro vaso sanitário do mundo. Literalmente mil anos antes que se tentasse uma invenção parecida de novo. Eles ficavam no segundo e no terceiro andar de suas residências de vários andares. As casas tinham até tecnologia à prova de terremotos.

— Pelo menos até a erupção de um enorme vulcão acompanhada de inundações destruir sua ilha oblonga — disse Theo, arregalando seus olhos para ficarem grandes e assustadores.

Interessante.

Eu nunca soube a parte dos minoicos. Ou a parte da tecnologia, ou…

Não, Liv. Para.

— Então você acha que os minoicos eram os atlantes da vida real?

Minha intenção era que a pergunta fosse sarcástica, mas a curiosidade me venceu, quente como o sol. Tinha esquecido como era estar presa na teia do meu pai. Ele sabia exatamente o que dizer para eliminar aos poucos o ceticismo rondando meu cérebro. Eu não consegui resistir. Ele estava me enredando. Jogando sua isca.

— Sim — respondeu meu pai com firmeza.

— Mas, pai... — hesitei. — Existem, tipo, dezenas de outras teorias sobre a localização da cidade.

— Centenas, na verdade — disse Theo. — Marrocos, Malta, Espanha...

— Isso. E tenho certeza de que todos esses lugares se enquadram nas descrições de Platão. Então como você tem tanta certeza de que é Santorini? Quer dizer, além das razões que você já me deu.

Parecia conveniente demais meu pai ter nascido bem no local que acreditava ser a cidade "correta". E também levemente tendencioso.

Meu pai assentiu.

— Bem, a localização, para início de conversa. Platão disse que Atlântida ficava além das Colunas de Hércules, que a maioria dos historiadores interpreta como sendo o estreito de Gibraltar. Só isso anula a maioria das outras teorias. — Ele folheou alguns papéis até achar um mapa da Europa e apontou para o ponto entre a Espanha e a África. — Aqui é onde o Atlântico encontra o mar Mediterrâneo. Na época de Platão, as Colunas de Hércules representavam a fronteira entre o mundo conhecido e desconhecido.

— Sei... — falei, fazendo questão de deixar claro que eu não estava comprando a ideia.

— Nico, conta para ela — insistiu Theo.

A energia que emanava dele me atingiu com força total, e me virei rapidamente em sua direção.

— Contar o quê? — quis saber.

Silêncio. Meu coração começou a bater mais forte, e olhei para o outro lado da mesa.

— Pai, contar o quê?

Ele hesitou, mas, quando ergueu os olhos, percebi que estava calmo. Concentrado.

— Acho que sei onde fica o centro de Atlântida.

Houve uma longa pausa, e esperei o resto da explicação, mas ninguém disse nada. Porque... ele acreditava naquilo. Meu pai me encarava com um olhar ansioso e entusiasmado. Como se tivesse dito algo bombástico. Ou pelo menos algo que ele *acreditasse* ser bombástico.

Não. Eu não ia cair nessa. Já tinha passado por aquilo antes, muitas vezes.

— Certo... — comecei, desviando o olhar. — Deixa eu adivinhar: no centro de Santorini?

Theo balançou a cabeça, impaciente.

— Não, ele está falando das ruínas subaquáticas de verdade.

Mas é claro. Quase revirei os olhos.

Desviei o olhar, sem conseguir encarar a expressão esperançosa no rosto do meu pai. Eu estava com muita vergonha alheia. Por ele, por seu entusiasmo e por saber que ele acreditava cem por cento que estava certo.

— Você sabe o local *exato*?

— Reduzi para um raio de oitocentos metros. — Ele hesitou antes de se recostar na cadeira que rangia. — Nos últimos anos, tenho trabalhado com uma egiptóloga britânica da Universidade de Oxford para cruzar informações do *Livro dos mortos* egípcio aos diálogos de Platão. O nome dela é dra. Bilder.

Havia caçadores de Atlântida em Oxford? Meu rosto estava pegando fogo.

— Então onde fica?

— Lá.

Meu pai ergueu o braço, e demorei um segundo para entender o que estava fazendo. Ele estava *apontando*. Segui seu dedo com o olhar em direção ao extremo sul da caldeira.

— Perto daquela ilhazinha — explicou. — Aspronisi. Achamos que o templo fica a um raio de oitocentos metros de lá.

Estreitei os olhos para a caldeira, mas estava claro demais e eu não tinha certeza se estava olhando para o lugar certo. Aquilo não fazia o menor sentido, até para as loucuras do meu pai.

— Mas, pai... — Protegi os olhos com as mãos, esperando que se acostumassem à sombra. — Se as ruínas estão logo ali, por que ninguém as encontrou ainda?

— Falta de recursos — respondeu Theo. — Ninguém quer gastar dinheiro para procurar Atlântida. É por isso que estamos vendendo nossa teoria para a National Geographic por meio do documentário. Se conseguirmos gerar entusiasmo suficiente em torno do assunto, talvez o governo invista em uma escavação subaquática.

— Mas... — Segurei a borda da mesa, desejando de coração que tudo aquilo acabasse. — Pai, você chegou a ver alguma coisa de fato? Qualquer coisa?

Uma breve pausa, então seu olhar correu da caldeira para mim.

— Vi o que poderiam ser formações subaquáticas, mas é difícil dizer se são naturais ou não. O problema, claro, é que o vulcão entrou em erupção no século XVI a.C., o que torna difícil ver evidências subaquáticas sem o equipamento adequado.

Sua voz era firme e segura. As implicações daquilo me faziam querer pular em um vulcão gigante. Um vulcão gigante e *ativo*. Como ele não percebia que tudo aquilo soava ridículo?

Deslizei um pouco mais para baixo na cadeira, a cabeça a mil, enquanto tentava processar o que acabara de ouvir.

— Então... estamos procurando por Atlântida de verdade.

Meu pai não havia mudado nem um pouco.

— Não estamos... fazendo um documentário informativo sobre Atlântida? — perguntei, apontando para os documentos: os mapas, as anotações, os cadernos, o desenho. — Vamos literalmente sair à procura de Atlântida?

Meu pai, o intrépido caçador de tesouros, continuava ali, em toda a sua glória maltrapilha.

— Vamos procurar provas da existência de Atlântida — corrigiu meu pai. — Já encontramos Atlântida... É Santorini.

Minha nossa. Ele tinha certeza absoluta de que já encontrara a cidade perdida. *Encontrara.* Por um segundo, imaginei Dax e meus amigos ouvindo toda a conversa, vendo as pilhas de cadernos, as imagens presas à parede, a declaração da descoberta de Atlântida. Eu já imaginava suas risadas, o revirar de olhos. Assim como eu, pensariam que meu pai estava delirando.

— Mas, se eu encontrar evidências do Templo de Poseidon — continuou ele —, todas as outras teorias serão abandonadas.

— Ambicioso — consegui dizer, e Theo me lançou um olhar preocupado.

— Não poderia deixar de ser — replicou meu pai, piscando para mim.

Eu me acomodei na cadeira, deixando meu olhar correr pela água azul-turquesa, cheia de profundidade e mistério. Pior que não era difícil imaginar que Atlântida estava bem ali. Eu só precisava fingir que tinha oito anos de novo. Já conseguia até ver: o Templo de Poseidon, meu pai o encontrando, encontrando tudo. Deixei minha mente vagar, refletindo sobre os argumentos do Theo. Platão tinha mesmo afirmado vinte e duas vezes que Atlântida era real? Se sim, quem poderia afirmar que a prova não estaria lá embaixo? Se uma egiptóloga de Oxford tinha embarcado naquela teoria, então talvez...

Meu Deus do céu!

Não perca a cabeça, Liv. Precisava acabar logo com aquele devaneio ridículo. As pessoas nunca encontraram provas da existência de Atlântida pelo mesmo motivo que nunca encontraram provas da existência da oficina do Papai Noel ou da fada dos dentes. Atlântida não *existia*.

Foi então que eu o vi: meu último fragmento cintilante de esperança. Apesar de todas as situações dolorosas pelas quais eu havia passado, uma parte teimosa e constrangedora de mim ainda *queria* acreditar. Ela penetrara na minha pele como um minúsculo caco de vidro, tão sutil e transparente que nem eu mesma havia percebido sua presença. Então o arranquei de vez, estendi meu braço para trás e o lancei nas profundezas azuis e tranquilas da caldeira.

Metaforicamente, é claro. Ainda estávamos tomando café da manhã.

Capítulo 10

#10. UM LÁPIS PALOMINO BLACKWING

Meu pai sempre dizia que, quando se vive modestamente, é preciso ter alguns luxos para se manter rico de espírito. Os luxos da minha mãe eram idas mensais à confeitaria mais chique do nosso bairro e sua echarpe de caxemira preferida. Os luxos do meu pai eram ser sócio do Instituto de Artes de Chicago e seus lápis favoritos. Para ser exata, lápis Palomino com grafite tão liso e escuro que pareciam de chocolate. Começaram a ser produzidos na década de 1930, e escritores como Steinbeck e E. B. White eram grandes fãs. Além disso, foram usados pelo criador do Looney Tunes em alguns dos primeiros esboços do Pernalonga.

Não eram baratos, mas meu pai nunca foi mesquinho com eles. Eu sempre tinha um na mochila e outro na nossa mesinha de desenho, e não me lembro de ele ter me dito alguma vez para fazê-los durar ou tomar cuidado para não *perdê-los. Meu pai dizia que existiam duas categorias de pessoas: aquelas que entendiam por que alguém gastaria 25 dólares em uma caixa de lápis de luxo e aquelas para quem não adiantava explicar. Não precisei perguntar em qual categoria eu me encaixava, porque já sabia que era na dele. Como sempre.*

MEU PAI E THEO AINDA ME ENCARAVAM. MINHA XÍCARA DE café tinha esfriado, e eu me sentia um pouco enjoada, como se já estivéssemos no mar, e não admirando sua vista de uma distância segura. Não sabia se eles dois tinham acompanhado toda a montanha-russa emocional pela qual eu passara nos últimos minutos, mas precisava que parassem de me encarar. Imediatamente.

— O que me diz, Liv? — perguntou meu pai, por fim. — Precisamos mesmo de ajuda para deixar o vídeo mais profissional. E você tem um bom olho para essas coisas. Já vi seu trabalho.

Senti um pequeno aperto no peito. Eu tinha que parar de pensar no meu pai xeretando minhas redes sociais. Era como dois mundos colidindo.

— Não são a mesma coisa. Não tenho nenhuma experiência trabalhando em filmes — falei.

Theo colocou uma das mãos em meu ombro.

— É claro que não. Você tem dezessete anos. Mas como acha que as pessoas adquirem experiência? Elas fingem que sabem o que estão fazendo. É o que eu tenho feito com a filmagem.

— E está se saindo maravilhosamente bem — elogiou meu pai. — Liv, não estou pedindo para você fazer nada que esteja além das suas capacidades. Sei que você tem um olho bom para o que é belo. Sempre teve.

Um olho bom para o que é belo. Era o tipo de coisa que só o meu pai diria. Para ser sincera, ele tinha razão. Quando eu olhava para algo — pinturas, fotos, roupas ou até mesmo cômodos inteiros —, era como se conseguisse enxergar o que precisava ser alterado para que o todo se alinhasse. Para que ficasse harmonioso. Era o motivo de eu gostar tanto de colagem. Eu percebia o que ficaria melhor junto, mesmo quando ninguém mais percebia.

— Sem falar que você sabe muito sobre Atlântida — acrescentou Theo. — Seu pai contou que você recitava partes dos diálogos de Platão nas festas. Podíamos até filmar isso…

— Não! — exclamei, esfregando a testa.

Ainda bem que Liv tinha arrumado *novos* assuntos para as festas, porque citar filósofos não teria dado muito certo no ensino médio.

— Só se você quiser. Caso contrário, não precisa — garantiu meu pai rapidamente.

Suspirei, tentei disfarçar, mas então suspirei de novo.

— Onde vai ser transmitido?

Theo tomou minha pergunta como um sinal de que estava empolgada.

— Na internet e talvez na TV. É parte de uma série sobre exploradores, e seu pai está escalado para o episódio quatro, logo após o de El Dorado. Embora, para ser sincero, não acho que a equipe do El Dorado tenha muita coisa para mostrar. Um reino perdido feito de ouro? *Até parece.*

Deixei escapar uma risada. Como Theo conseguia me fazer rir com tanta facilidade?

Meu pai também estava sorrindo. Então disse:

— O mundo é feito de pessoas que se arriscam e de pessoas que ficam às margens, assistindo. Todos os exploradores têm o meu apoio.

Até onde eu sabia, meu pai nunca dissera "não" a um desafio.

— Deus abençoe os exploradores — falei, repetindo o que Henrik havia dito no avião a respeito de seu namorado arqueólogo e do meu pai.

Em seguida, me acomodei na cadeira e respirei fundo algumas vezes, torcendo para a brisa do mar acalmar minha mente. Funcionou mais ou menos.

— E se não encontrarmos nada? — perguntei ao meu pai. — Vão transmitir o programa mesmo assim?

Pergunta implícita: *Quando sua teoria não der em nada e você ficar com cara de idiota, todo mundo vai ver?*

Ele negou com a cabeça.

— Não acho que estejam esperando provas concretas, só uma narrativa boa e firme. Querem dar aos espectadores um gostinho de como seria sair à procura da cidade. Lá no fundo, todo mundo é um explorador, não é mesmo?

— Nem todo mundo — respondi sem pensar, mas o alívio tomou conta de mim.

A National Geographic não transmitiria algo que deixasse meu pai com cara de maluco, certo? Quer dizer, ele com certeza pareceria excêntrico, mas isso era inevitável. Talvez aquela não fosse a pior maneira de Dax e meus amigos descobrirem quem era o meu pai. Além do mais, estando na equipe, como diretora de fotografia ou seja lá o que fosse, talvez conseguisse impedir que o documentário ficasse vergonhoso *demais*.

De repente, percebi que estava fazendo que sim com a cabeça, meu corpo concordando antes mesmo da minha mente. Eu finalmente mordera a isca. Quer dizer, mais ou menos. O que mais havia para eu fazer durante aqueles dias na Grécia?

— E aí? — perguntou Theo, arqueando as sobrancelhas perfeitas.

Se não fossem tão bonitas, eu estaria de saco cheio delas.

Soltei o ar.

— Tá bem.

— Tá bem? — perguntou meu pai, seu olhar procurando cuidadosamente o meu.

Dei de ombros com indiferença para disfarçar o coração acelerado.

— Eu topo ajudar. Mas não esperem muito de mim.

— Maravilha! — exclamou meu pai.

Dava para ver que ele queria correr em volta da mesa e vir me abraçar, mas se conteve. *Ainda bem*. Era cedo demais para aquilo.

— Que boa notícia, Kalamata — disse Theo, batendo nas minhas costas de novo. — Porque agora vem o problema. Temos pouco mais de uma semana para terminar a filmagem e fazer toda a edição. Incluindo o mergulho.

Mergulho? *Coração-prestes-a-explodir.*

— Espera. Vamos mergulhar?

Olhei para a água, o que se provou uma péssima ideia. Senti o pânico tomar conta.

— Mas você disse que precisaria de financiamento do governo para encontrar ruínas debaixo d'água.

Meu pai assentiu.

— Só precisamos filmar alguma coisa. Pode ser simples. Ainda estou determinando o melhor local com a dra. Bilder, mas só quero umas imagens interessantes. Posso pagar apenas um dia de mergulho.

— Melhor assim — disse Theo. — Minha mãe teria um chilique se você pensasse em fazer um mergulho sério.

O sorriso do meu pai desapareceu de imediato, como se por ordem dos deuses. O que estava por trás daquilo?

— Por que é muito caro? — perguntei.

— Não, porque é arriscado — explicou Theo.

Meu pai o encarou com ar sério, então perguntei:

— Mas, pai… você é um mergulhador quase profissional, não é?

Daquilo eu tinha certeza. Meu pai crescera mergulhando — dizia que era coisa de quem vive em uma ilha —, e um de seus muitos empregos tinha sido em um centro de mergulho, onde ele dera aulas de certificação. O fato de que meu pai ausente poderia ter me ensinado a mergulhar havia sido apenas um dos muitos pensamentos dolorosos que eu enfrentara durante minhas aulas de certificação.

Seu sorriso reapareceu, levando embora a preocupação.

— Ela fica preocupada. Não posso mais mergulhar muito. Complicações da asma.

Asma? Armazenei aquela informação. Outra coisa que eu não sabia sobre ele.

— Desde quando você tem asma? — perguntei.

— Desde que decidi fumar por vinte anos — disse ele, dando de ombros.

Theo se inclinou para a frente.

— Não é nada muito sério. O médico disse que tudo bem se ele fosse cuidadoso e não ultrapassasse os limites recreativos. Minha mãe é excessivamente protetora.

— E teimosa — acrescentou meu pai.

— Que nem a Kalamata — disse Theo.

— Kalamata?

Meu pai olhou para mim, e senti meu rosto ficar quente.

— O tipo de azeitona, sabe? — disparei — Já que Olive significa azeitona.

— Eu já disse que não tem nada a ver com isso — corrigiu Theo. — Você só tem *cara* de Kalamata.

— Ninguém tem cara de Kalamata, fora um pequeno fruto curado em salmoura — falei.

Os olhos dele se iluminaram.

— Azeitonas são frutos? Que fato interessante.

Um pequeno sorriso surgiu no rosto do meu pai, e rapidamente desviei o olhar.

— Vocês estavam falando sério quando disseram que só temos uma semana para filmar e editar? Acham que é possível?

— É um tiro no escuro — disse meu pai. — Mas vamos tentar.

Ele não tinha mudado em nada. Nem um pouquinho. *Salve o Rei do Tiro no Escuro.*

Theo se inclinou para perto, e seu braço nu encostou no meu. Ele ergueu a xícara de café em direção ao meu pai.

— Kalamata? Pronta para começar a filmar?

— Pronta.

Quão pronta? *Nem um pouco.* Na verdade, eu nem sequer conseguia imaginar um contexto em que estaria pronta para aquilo, mas não importava, porque eu estava na Grécia e havia sido sugada para um projeto que não tinha nada a ver comigo.

Além disso, seria mais fácil se Theo parasse de encostar em mim. Como colegas de equipe, eu considerava aquilo nada profissional. E também me distraía mais do que devia.

Pouco mais de uma semana é bastante tempo para, digamos, ficar preso em uma ilha deserta sem água potável ou sentado no sofá assistindo a uma maratona de filmes de Natal usando um moletom surrado. Não é tanto tempo para filmar um documentário em várias locações, mesmo com a curta duração de mais ou menos vinte e cinco minutos. Até eu sabia daquilo, e olha que não sabia praticamente nada sobre filmagem.

Claro que Theo estava preparado. Mais do que preparado. Quando meu pai saiu para tentar convencer Maria a deixá-lo pagar pelo café (de acordo com Theo, eles já tinham aquela discussão havia mais de um ano), ele entrou em ação.

— Bem-vinda a bordo — disse Theo, colocando um fichário vermelho brilhante na mesa e empurrando-o para mim.

Meu nome — OLIVE VARANAKIS — estava escrito com marcador preto na frente do fichário, mas ele tinha riscado Olive e trocado por KALAMATA.

— Isso é de antes de eu descobrir que você tem aversão ao seu nome de batismo — disse Theo.

Lancei a ele meu melhor olhar fulminante e, depois, abri na primeira página.

LISTA DE TOMADAS

NEA KAMENI / VULCÃO

OIA / FIRA

TOMADAS AÉREAS DA CALDEIRA + SISTEMA DE ILHAS

PRAIAS — PRAIA VERMELHA, PRAIA BRANCA, PRAIA PRETA

FONTES TERMAIS VULCÂNICAS

ACROTÍRI — CIVILIZAÇÃO MINOICA

ASPRONISI / ILHA BRANCA

TOMADA SUBAQUÁTICA: LOCAL DO TEMPLO DE POSEIDON!!!

Mesmo sem conhecer todos aqueles lugares, dava para perceber que tínhamos muito trabalho pela frente. Além do mais, o fato daquele último item ter entrado na lista me fazia querer me encolher em posição fetal até alguém me prometer que ia dar tudo certo. Eu me conformei com um suspiro profundo, afundando ainda mais na cadeira.

— Tudo bem? — perguntou Theo, olhando para mim com ar preocupado. — Porque seria bem melhor para o filme se você estivesse bem.

Eu não sabia se ele estava brincando. Apontei para o papel com o texto escrito à mão.

— Você sempre escreve com letras maiúsculas?

— Sempre. É para mostrar que realmente estou falando sério.

Tirei o celular do bolso. Nada. Ainda nada. Estar no mundo do meu pai era como estar em Oz: nada fazia sentido. Eu precisava desesperadamente de um contato em casa para me manter firme.

— Não é possível que ele ainda não tenha respondido — disse Theo.

Fiquei um pouco feliz com o tom de descrença na voz dele, mas aquilo também me deixou na defensiva. Olhei para ele.

— Ele está fazendo uma viagem de formatura. Meu namorado e seus novecentos melhores amigos estão viajando em três carros até a Califórnia. Ele está dirigindo, então não teve muito tempo pra ligar ou mandar mensagens.

— Agora está explicado — disse Theo.

Dava para ver que ele não estava sendo sincero. Desviei os olhos para o fichário, passando a mão pela prova concreta da empreitada da qual tinha aceitado participar.

— Theo, não tenho ideia do que fazer no filme — desabafei. — Você está ciente disso, certo?

— Kalamata, ninguém sabe o que está fazendo. Isso se chama *vida*.

Uma resposta filosófica que deixaria Platão orgulhoso, mas não era nem um pouco útil para mim. Entendido: eu estava por conta própria.

Enquanto Theo folheava seu fichário, pesquisei "direção de fotografia" no Google, o que tenho certeza de que já me desqualificava imediatamente para o cargo. De acordo com o primeiro artigo que apareceu no mecanismo de busca, eu ficaria responsável pelo enquadramento, pela iluminação, pela maquiagem, pelo figurino e pela correção de cor. Comecei a pesquisar essas coisas, mas todas as descrições me deixavam zonza, então respirei profundamente, como tinha aprendido nas aulas de ioga da escola, e fiquei observando o Theo fazer anotações.

Eu estava sozinha. As palavras do meu pai vieram à minha mente. *Pula que uma rede cresce.* Talvez ele tivesse razão. Uma ideia me ocorreu quase imediatamente. Depois de perder a guerra pelo pagamento do café, falei para meu pai voltar depressa ao apartamento e procurar uma camisa que se encaixasse nas minhas especificações: cor sólida ou estampa simples, de preferência da década atual. Enquanto isso, Theo e eu corremos de volta para a livraria, daquela vez em um ritmo mais razoável, porque, nos trinta minutos que passáramos na padaria, Oia voltara a ficar caoticamente cheia. As ruas estavam inundadas de turistas, alguns deles arrastando malas volumosas e quase todos parecendo perdidos e felizes.

A maior parte do comércio estava aberta, e os donos das lojas gritavam uns para os outros na rua principal em vozes que pareciam irritadas, mas vinham acompanhadas de sorrisos. Até os cães estavam acordados e trotando alegremente. Toda a cena parecia quente e agitada... como uma dor de cabeça se formando.

— É sempre assim tão cheio? — perguntei, passando por um grupo particularmente teimoso de pessoas lentas.

Theo estava visivelmente acostumado a conviver com os turistas e abria caminho sem qualquer hesitação.

— Oia é como uma esponja. Durante o verão, os cruzeiros chegam, a aldeia incha até a capacidade máxima, então o sol se põe e todos voltam depressa para as suítes da embarcação. Bom para os negócios, ruim para todo o resto. Espere até ver a livraria. Já deve estar lotada.

— Bela metáfora.

— Eu gostei — disse ele, combatendo meu sarcasmo com um sorriso radiante.

Quando viramos a esquina da livraria, mandei uma mensagem para minha mãe. Papai me contou. Ele quer que eu seja algo chamado diretora de fotografia. Nem sei o que é isso.

Ela devia estar tão de olho no celular quanto eu, porque respondeu na hora. É alguém que faz com que tudo fique bonito. É o trabalho perfeito para você. Confie nos seus instintos. O mundo é governado por pessoas que não têm ideia do que estão fazendo.

Eu: Theo disse a mesma coisa.

Mãe: Ele é inteligente.

Em seguida, ela me enviou um monte de links para artigos com títulos como "Elemento visual: Como a fotografia conta a história" e "Transformando seu filme de bom para ótimo", seguido por um meme terrivelmente brega de uma pessoa correndo atrás de um sonho de padaria com a legenda CORRA ATRÁS DO SEU SONHO, depois acrescentou: Pense em como este projeto vai ficar ótimo na sua inscrição pra RISD!!!

Ela era ao mesmo tempo a pior e a melhor. Numa reviravolta chocante, ela não era a favor de eu me inscrever para a mesma faculdade do Dax. Aproveitei para mandar uma mensagem rápida para ele. Como está a viagem? Sim, aquilo tornava nossa conversa desequilibrada ainda mais desequilibrada, mas eu me senti um tiquinho melhor ao estabelecer contato. Guardei o celular de volta no bolso.

Theo tinha razão sobre a livraria. A palavra "cheia" não fazia jus. O terraço estava completamente lotado, e lá dentro as pessoas se esbarravam. Geoffrey, o Canadense, estava no caixa, vendendo livros como se sua vida dependesse daquilo, e Ana corria pela loja, respondendo perguntas e empurrando romances para clientes desavisados. Bapou estava sentado na poltrona gasta e, quando me viu, apontou a bengala para mim e gritou:

— Bela! Bem-vinda a Santorini!

— Obrigada! — gritei de volta.

Quando me ouviu, Ana quase derrubou uma pilha de livros ao correr até nós.

— Ela disse sim? Liv, você disse sim?

Mostrei minha camiseta nova e meu fichário vermelho.

— Eu disse sim.

Seu rosto se iluminou de felicidade, e ela agarrou meus braços com tanta força que quase doeu.

— No momento em que foram aceitos na série, ele escreveu para você e sua mãe. Ele disse que nenhuma descoberta faria sentido sem você e que achava que você ia adorar. E ele vai precisar da sua ajuda. Vai mesmo.

Por um instante, o chão pareceu se abrir sob meus pés, e eu senti aquela velha dor no local de sempre. Eu entendia perfeitamente a expressão "nó na garganta", porque a minha foi tomada por um aperto que me deixou sem saber se conseguiria respirar. Ele tinha mesmo dito que nenhuma descoberta faria sentido sem mim? Se fosse verdade, então o que havia mudado de nove anos para lá?

Recuei alguns passos.

— Mas é o sonho *dele*.

O rosto dela se contraiu de preocupação.

— Bem, é claro, mas…

Por sorte, um cliente apareceu naquele momento, me dando a chance de escapar. Corri para o banheiro/caverna e tranquei a porta rapidamente, procurando me recompor.

Toda a situação com meu pai era tão confusa que provavelmente seria melhor se eu me concentrasse nas partes que faziam sentido. Nós íamos produzir um documentário, e era meu trabalho fazer com que ficasse bonito. Eu podia fazer aquilo.

Como a recém-designada diretora de fotografia do projeto, a única coisa que pude pensar em fazer foi verificar se na maquiagem que eu tinha levado havia algo que ajudaria meu pai a ficar bem diante da câmera. É claro que eu não queria algo exagerado, mas dar uma uniformizada no rosto poderia ser útil. Peguei algumas coisas e coloquei na mochila.

No terraço, Theo tentava enfiar uma quantidade assustadora de equipamentos na própria mochila: baterias para a câmera, microfones de lapela, um emaranhado de cabos e mais cadernos até do que eu. Papai tinha vestido uma camisa branca de botões e uma calça cáqui, e trocado o boné por um chapéu marrom de aba larga. Ele também estava carregado de equipamentos.

Quando me viu, apontou para o chapéu.

— Liv, o que você acha? Está exagerado?

Fiz que não.

— Deixa você com um ar meio Indiana Jones.

Provavelmente era aquilo o que a National Geographic queria. *Explorador imperfeito mas esperançoso, confiante de que os seus maiores sonhos estão ao alcance das mãos.* Bem, eles tinham encontrado.

Theo estendeu a mão para pegar a maior bolsa do meu pai.

— Deixa que eu levo, chefe. Você não deveria carregar tudo isso.

Meu pai tentou afastá-lo, mas Theo insistiu até pendurar a bolsa no ombro.

— Pronta, Liv? — perguntou meu pai.

Eu concordei. Então, ele e suas dez mil bolsas restantes se viraram e seguiram depressa para as escadas, porque nunca em um milhão de anos meu pai fizera algo devagar. Não era de admirar que ele e o Theo se dessem tão bem. No entanto, nem toda a energia do mundo facilitava a descida até a doca. Era uma provação e tanto.

Primeiro, tivemos que cruzar a cidade seguindo pela passarela de mármore, parecendo um desfile de andarilhos de camisetas combinando. Não só todos os turistas pelos quais passávamos paravam para olhar para a gente, mas parecia que todo morador que encontrávamos — vendedores anunciando seus produtos, donos de lojas, velhinhas com sacolas de supermercado — não só conhecia meu pai, mas tinha algo importante a lhe dizer. Três homens diferentes correram para falar com ele, todos pedindo conselhos mecânicos, e duas mulheres o pararam para me admirar e dar tapinhas nas minhas bochechas como Maria havia feito. Quando chegamos ao limite da cidade, minhas costas já estavam encharcadas de suor e eu estava prestes a desmaiar. Até correr com o Dax era melhor que aquilo.

A rua principal terminava em uma estrutura parcialmente desmoronada, feita de rocha escura e coberta de musgo, que se destacava entre todo aquele branco como uma mosca num bolo de casamento. O telhado, se é que algum dia existira, já não estava ali, e a construção se estendia até a beira do penhasco. Seja lá o que fosse, aquele lugar tinha o que devia ser a melhor vista de Oia.

— O que é aquilo? — perguntei, diminuindo a velocidade para olhar.

— Torre de vigia de um castelo veneziano — disse meu pai. — Foi construída no século XV para proteger os moradores dos piratas. Grande parte dela desabou no terremoto de 1956.

— Século XV?

Fiquei na ponta dos pés para dar uma olhada. O castelo fazia o edifício mais antigo que eu tinha visto nos Estados Unidos parecer um bebê.

— Eu brincava aí dentro quando era criança. Agora é um ótimo lugar para assistir ao pôr do sol ou para noivas fazerem sessões de fotos.

Como se para provar o que ele dissera, uma noiva de véu e grinalda saiu de repente de trás da parede, seguida por um fotógrafo. Meu pai ergueu o queixo e sorriu.

— *Kaliméra!* — gritou.

Fiquei momentaneamente distraída, pensando em meu pai correndo pelas ruínas de um castelo quando criança, e levei um tempo para perceber que ele já conversava com outra pessoa.

Um homem de pele escura e barba densa pintava no centro da torre, e, quando nos notou, seu rosto se abriu em um largo sorriso.

— Nico! É hoje o dia especial? Você vai encontrar Atlântida?

O sotaque não era grego, mas eu não conseguia reconhecer. Espanhol? Português?

Meu pai estendeu a mão para cumprimentá-lo, seu rosto se iluminando.

— É possível, sempre é possível. Mas tenho uma pergunta ainda mais importante para você: é hoje que você termina essa pintura?

— Esta obra-prima? Você terá sorte se eu terminar antes do fim do verão! — gritou o artista.

— Liv!

Meu pai acenou para mim, e eu me aproximei, tentando desgrudar a camiseta das costas. Ainda não estava muito quente, mas o reflexo da luz do sol nas superfícies brancas fazia com que eu me sentisse um dos doces fritos que eu tinha visto na padaria. Theo ficou de olho nas bolsas, a câmera apoiada no ombro. Parecia que eu estava em um reality show.

— Liv, este é o Hugo. Ele está trabalhando na mesma pintura de pôr do sol há quase cinco meses. Hugo, esta é minha filha. Ela também é uma artista.

— Mais ou menos — falei, ansiosa para dar uma espiada na pintura.

Hugo me chamou com um gesto e corri para ver. Era uma tela grande e, até o momento, ele havia feito sua pintura de base, marcando os tons médios, escuros e claros, ainda sem detalhes. Não dava para ver muita coisa ainda, mas o equilíbrio parecia certo. Ao olhar a pintura tive aquela sensação ressoante que sempre tinha quando um dos meus trabalhos artísticos ia ficar bom. A sensação ressoante nunca se enganara; quando não a sinto, abandono imediatamente o projeto em vez de me obrigar a sofrer com aquilo. Minha professora de artes toda hora falava que aquela coisa de ficar prevendo se uma obra daria certo ou não me impediria de evoluir, mas eu discordava. Por que perder tempo com algo que no fim só me decepcionaria?

— Que tal? — indagou Hugo.

Procurei me concentrar novamente.

— Você está pintando a vista? — perguntei, inclinando-me para ver o penhasco lá embaixo.

Havia uma grande rocha a uma distância da costa que daria para atravessar a nado, e de onde estávamos eu via a cúpula azul de uma capelinha minúscula aninhada no topo mais plano da rocha.

Hugo estreitou os olhos para a pintura.

— Estou tentando. Mas ando cada vez mais infeliz com o resultado.

Balancei a cabeça.

— Não se preocupe. Está na fase feia, mas tudo vai se encaixar.

Meu pai pigarreou discretamente, e Hugo ergueu as sobrancelhas, achando graça.

— Você está chamando meu trabalho de feio?

— Não.

Apoiei meu peso em um dos pés. A rocha estava tão quente que dava para sentir através das sandálias.

— Todas as pinturas têm uma fase feia — expliquei. — Depois que der a forma e as cores, tudo vai se acertar. Dá para ver que você tem algo muito bom aqui.

Hugo olhou para mim e, por um instante, fiquei com medo de ter ultrapassado os limites, mas então ele abriu um sorriso tão grande que vi todos os seus dentes.

— Nico, você me disse que sua filha americana era bonita e talentosa, mas não me contou que dava excelentes conselhos!

— Não fiz jus a tudo que ela é — disse meu pai.

Ele estava radiante de orgulho e, embora eu não quisesse ficar feliz com aquilo, para ser sincera, meio que estava.

— Obrigado, Olive — disse Hugo.

— Liv — corrigiu meu pai rapidamente, e Hugo franziu o rosto sem entender. — Ela gosta de ser chamada de Liv.

De repente, percebi algo. Todos naquela ilha sabiam meu nome. Meu pai falava tanto de mim assim? E o mais importante: *por quê?*

— Liv — corrigiu-se Hugo, então bateu efusivamente nas costas do meu pai. — Esse aqui. Seu pai. Ele é um cara e tanto, não é?

Meu pai com certeza era um cara e tanto, mas eu não disse aquilo. Não tinha ideia de como responder e, para ser sincera, ficara um pouco abalada com o fato não só do me pai ter contado a todos sobre mim, mas também de ver que ele tinha seguido a vida sem a gente. Tinha voltado pra lá e se tornado uma celebridade local. Será que ele ao menos tinha sentido saudade?

O sol estava quente e forte contra o céu azul implacável, mas uma nuvem escura enevoara meu humor. É óbvio que ele seguira com a vida. Eu só queria que não doesse tanto saber daquilo.

— É um prazer conhecê-lo — respondi, finalmente.

— E você também. Agora preciso voltar à minha *fase feia*.

Hugo piscou para mim e se virou para o cavalete, e eu voltei para onde Theo estava com as bolsas. O papel dele naquela viagem ficava cada vez mais claro: suavizar o clima entre mim e meu pai.

— Pronta para a StairMaster nove mil? — me perguntou, apontando.

Era uma escada. Enorme. De repente, todo o equipamento que carregávamos pareceu duas vezes mais pesado.

— Tem elevador?

— Rá! — fez Theo alegremente. — Você poderia descer de burro, mas sou moralmente contra. Muitos deles são maltratados e, afinal, não foram feitos para carregar turistas e tralhas pra cima e pra baixo dessas colinas o dia todo. Precisamos chegar à praia.

— Vamos! — chamou meu pai, saindo em disparada em direção aos degraus.

Ele parecia um russell terrier — implacavelmente cheio de energia —, e Theo era igualzinho. Pelo menos aquilo me distraía do fato de que estávamos indo para — rufar de tambores — o oceano.

O oceano e eu... não éramos *grandes* amigos. Primeiro, por causa dos meus pesadelos. Em segundo lugar, de acordo com os programas do Discovery Channel que o Julius adorava, havia muitas coisas assustadoras à espreita nas profundezas das águas. Lulas com olhos de mais de vinte centímetros. Tubarões com vinte e cinco fileiras de dentes. Peixes com pele translúcida e sem rosto.

Então, não, uma ilha não era a melhor coisa para alguém que volta e meia sonhava que estava se afogando. Mas eu aguentava andar de barco, né?

É, *Liv.*

A escada parecia não acabar nunca, girando e girando em espirais até a praia. Os degraus eram íngremes, desiguais e estavam em péssimo estado, com ervas daninhas brotando nos espaços que haviam desmoronado. O corrimão também não parecia confiável, o que era complicado, já que o vento havia descoberto como subir pelos degraus e me acertar em cheio no rosto a intervalos aleatórios. Em uma questão de minutos, todos os músculos das minhas pernas tinham assumido a consistência de geleia e minha camisa, que antes só grudava nas costas, estava completamente encharcada. Fui a última a chegar ao fim da escada e, com minhas sandálias escorregadias e pernas bambas, não tinha sido nada gracioso.

Theo me esperava lá embaixo, preparado para filmar minha descida.

— Não caia — disse ele. — Doeria muito e, além disso, seria bem constrangedor, já que está sendo filmada.

Fiz a cara mais feia que pude para ele, recuperei o equilíbrio e parei por um instante para olhar em volta.

— Esta é a praia? — perguntei.

Nossa "praia" era linda, mas tão convencional quanto meu pai. Em vez de um trecho de areia que levava à água, havia um amontoado de rochas vulcânicas pretas, além de alguns deques tomados pela água. O mar perto da costa era de um tom claro de esmeralda e passava a um cobalto profundo à medida que se afastava da terra. Formavam-se pequenas piscinas entre as rochas e, se eu estivesse me sentindo mais corajosa, provavelmente iria querer explorá-las.

— Linda, não é? — disse meu pai, soltando o ar.

Eu me virei e vi meu pai imóvel de repente. Eu nunca o tinha visto tão calmo. Como ele tinha conseguido viver sem o oceano? Teria sido aquela uma das razões pelas quais ele fora embora? Ele já não conseguia mais aguentar a vida na cidade grande? Será que pais deixavam seus filhos por grandes massas de água?

Liv, para com isso, disse a mim mesma. *Você não está aqui para entendê-lo.* Só precisava sobreviver ao meu tempo ali e depois dar o fora. *Fique o tempo que precisa ficar, lide com as coisas superficialmente, e vai dar tudo certo.*

— Linda — declarei.

Até sorri. Viu? Não era tão complicado.

Segui Theo e meu pai, passando por vários restaurantes à beira-mar, um deles com polvos pendurados em uma corda como roupas no varal, até chegarmos a um cais com três pequenos barcos amarrados. Ninguém precisou me indicar qual era o nosso. Com certeza era o que parecia ter sido feito de esperanças, sonhos e um monte de fita impermeabilizante, bem no estilo MacGyver. Encarei ceticamente o barco, ignorando o pânico crescente no meu peito. Fita impermeabilizante era o material adequado para se usar em um barco?

— Esse troço…?

Então me virei e vi que estava sendo filmada novamente.

— Theo! — disparei.

— Tenho que filmar sua primeira interação com o SS *Atlântida*.

— Que criativo — comentei, sarcasticamente.

Theo manteve a câmera apontada para mim.

— Um de muitos. Cientistas e pesquisadores podem não levar Atlântida a sério, mas adoram dar seu nome a barcos e espaçonaves.

Fiz uma careta para a câmera, e Theo devolveu um joinha.

— É muito mais resistente do que parece. E também é rápido — disse meu pai, olhando para o barco com carinho.

Eu duvidava bastante daquela última parte. Mesmo assim, quando ele estendeu a mão, subi a bordo, trêmula, o barco instável sob os meus pés. Theo entrou logo depois, e só de o barco aguentar nós três já me parecia um milagre. Passado o susto inicial que me deixou paralisada, segui até a parte de trás e me joguei no banco de couro rachado, as bordas arranhando minhas pernas. Theo se sentou ao meu lado. Seus olhos, que normalmente tinham um tom profundo de castanho, pareciam cor de caramelo sob o sol forte. Eu não sabia dizer quem estava mais animado: ele ou meu pai.

— Este barco não é a cara do *Nico Varanakis*? — disse ele, erguendo as sobrancelhas para mim.

Aparentemente, nós dois tínhamos piadas internas. *Excelente*.

— Lembra meu carro — admiti. — Ninguém sai comigo porque as janelas traseiras não abrem e o estofado cheira a parmesão.

— *Adoro* parmesão — disse Theo, arregalando os olhos.

— Michalis! — gritou meu pai, acenando para um homem na doca.

O homem ergueu um polvo muito rosa e de aparência muito fresca, e meu estômago embrulhou, mais por causa do balanço do barco do que do polvo. Devia estar no meu DNA, mas eu adorava frutos do mar. James sempre brincava que não havia nada que o mar pudesse inventar que eu pelo menos não experimentasse. Era verdade. Antigamente, meu pai e eu comíamos peixe sempre que possível.

Mudando de assunto: meu pai conhecia *todo mundo* naquela ilha?

— Prontos? — perguntou meu pai ao volante, mas não esperou por uma resposta.

O motor ligou com um barulho terrível de engasgo, e agarrei a borda do banco enquanto nos afastávamos lentamente da marina.

— Por favor, não nos mate — murmurei sob o zumbido do motor.

— Hã? — disse ele, colocando a mão na orelha.

Balancei a cabeça, apertando o assento com força. *Assim* era a vida com meu pai. Num minuto, estava tomando café. No outro, saía em uma expedição. Rumo à imensidão azul e tudo mais.

Respira.

Por que me preocupar? Até parecia uma aquafóbica que carregava nove anos de bagagem emocional em um barco colado com fita adesiva.

Ah, espera aí.

Você consegue, Olive.

LIV! Meu nome era Liv.

Aquele lugar já estava me afetando.

Capítulo 11

#11. ESPÁTULA PRATEADA

Não lembro se isso aconteceu no apartamento de Albany Park ou no de Edgewater Glen, mas me lembro do papel de parede — amarelo e branco com flores vermelhas enormes que haviam desbotado para um tom de cor-de-rosa. Um dia, meu pai decidiu que não poderíamos mais viver com aquele papel de parede, então passou a noite toda acordado, tirando-o com um balde de removedor de cola e uma espátula. Ele disse que, assim que terminássemos, pintaríamos um enorme mural com tudo o que quiséssemos — arco-íris, sereias, dragões, qualquer coisa. Passei a noite desenhando minhas ideias no caderno.

Mas, quando minha mãe voltou do trabalho no hotel, ouvi os dois discutindo. Ela disse que ele não deveria ter feito aquilo sem consultar o proprietário. Eu não conseguia entender por que minha mãe estava chateada — ela não via que ele só estava deixando nossa casa melhor?

Não ficamos ali por tempo suficiente para ele terminar o projeto.

O BARCO DO MEU PAI NÃO SÓ TINHA A APARÊNCIA DE UM primo distante da sua moto, como também se movia igual. Meu pai aumentou a velocidade assim que saímos do porto, e logo estávamos cortando as ondas, o barco pulando, Theo e eu agarrados ao banco enquanto seguíamos a toda em direção à ilha central. Atrás de nós, Oia se estendia pelos penhascos vermelhos, parecendo cada vez mais insignificante à medida que nos afastávamos.

— Está nervosa? — perguntou Theo, perto do meu ouvido.

Estava assim tão óbvio? Discretamente, cravei as unhas um pouco mais, procurando me ancorar.

— Não. Por quê? — perguntei.

Ele me olhou e deu um sorrisinho.

— Porque está agarrando minha perna?

— Ah!

Olhei para baixo e percebi que, em vez de segurar a beirada do banco, eu agarrava, por acidente, a coxa musculosa de Theo, uma sensação agradável, mas que me deixou um tanto constrangida.

Afastei a mão com um movimento brusco.

— Me desculpa. Acho que talvez eu esteja um pouco nervosa?

Olhei para a água, que zunia ao passar por nós e me deixava tonta. Theo franziu a testa.

— *Nesta* embarcação firme? Kalamata, você não tem nada com que se preocupar.

Não pude conter o riso, e o peso no meu peito diminuiu.

— Nunca andei muito de barco.

Tradução: nunca mesmo. Eu sabia nadar, mas preferia estar na água clorada, com uns dois metros de profundidade e, se possível, relaxando em uma de nossas muitas boias infláveis, com uma lata de Coca Zero bem gelada na borda da piscina.

— Além disso, o oceano e eu não nos damos muito bem — completei.

Meu cabelo esvoaçava com o vento e, cada vez que eu falava, metade entrava na minha boca. Eu não sabia direito por que estava me abrindo tanto. Pressão social?

— Sério?

Dei de ombros, e Theo deixou o ar brincalhão de lado.

— Olha só ele — disse Theo, e apontou para o meu pai, que estava de costas para nós.

Ele tinha tirado os sapatos e balançava ligeiramente para a frente e para trás, ao som da música instrumental que tocava no aparelho de som de aparência milenar do barco.

— Seu pai consegue conduzir qualquer coisa com segurança na água. Acho que ele é parte tritão. Você está completamente segura.

— Verdade.

Meu pai parecia bem à vontade. Vê-lo em seu ambiente natural era um pouco confuso — por mais que eu não conhecesse aquele seu lado, ele obviamente fora aquela pessoa o tempo todo. Ele construíra uma livraria e conduzia barcos — o que mais era capaz de fazer que eu não sabia?

Theo deu um tapinha encorajador no meu braço.

— Me avisa se precisar agarrar minha perna de novo. Fico mais do que feliz em ajudar.

Dei um soco nele, então me virei para a água para disfarçar o sorriso. Theo era ótimo em me distrair das minhas preocupações. Era tipo um superpoder. Em seguida, recostei e tentei relaxar. Desde que não pensasse nas águas revoltas das profundezas, eu me sentia bem. Mais do que bem. Estava um dia lindo, a brisa abrandando o sol escaldante. Arregacei as mangas da camiseta e virei o rosto em direção à luz. Assim que atracássemos, eu obedeceria à regra número sete da minha mãe: *Usar protetor solar*. Por ora, queria só ficar esparramada ali, aproveitando o sol ao máximo.

Depois de um tempo, meu pai diminuiu a velocidade e o volume da música para me dar uma rápida aula de geografia. Explicou que Santorini era, na verdade, composta de cinco ilhas. Havia Thira, a ilha principal, que era de longe a maior. Então havia Therasia, que ficava em frente a Santorini e tinha talvez um oitavo do tamanho dela. Segundo Theo, lá havia uma aldeia abandonada, uma igreja colorida, muitos burros com enfeites elegantes e algumas centenas de moradores. Meu pai disse que a ilha parecia uma máquina do tempo, pois conseguira ficar para trás do restante das ilhas.

Mais adiante, havia as ilhas vulcânicas, Nea Kameni (nosso destino) e Palea Kameni, as ilhas pequenas que eu via flutuando no meio da caldeira. Por fim, havia Aspronisi, a "ilha branca", uma pequena faixa de terra que nem sempre aparecia nos mapas. Segundo Theo, viviam circulando rumores de que estaria à venda. Reunidas, as ilhas tinham a forma circular que deixava os caçadores de Atlântida tão entusiasmados.

Eu não diria que estava morrendo de vontade para ver mais das ilhas, mas estava animada.

Nea Kameni significa "queimada jovem" e, assim que chegamos, entendi exatamente por quê. Parecia a superfície de Marte. A ilha era pequena, com pouco mais de um quilômetro de diâmetro e quase perfeitamente redonda, com uma rajada ocasional de enxofre subindo da superfície. Após o caos de Santorini, ver um espaço tão ermo era chocante. Meu pai desligou o motor, e nos aproximamos silenciosamente do pequeno cais. O clima do lugar era completamente diferente de Santorini. Era tudo muito parado e, sinceramente, um pouco sinistro.

Encarei a ilha com ar cético.

— Então este é o vulcão que destruiu… — Quase disse *Atlântida*, mas rapidamente me corrigi. — Que destruiu Santorini?

Algo tão pequeno podia mesmo destruir uma civilização inteira?

Theo se aproximou, e seu braço aquecido pelo sol roçou no meu quando jogou a corda de amarração do barco para o meu pai.

— Claro que não. O vulcão já desapareceu há muito tempo. Explodiu assim que afundou Atlântida.

Ele disse "Atlântida" tão casualmente que fiquei em choque.

— Então o que é isso? — perguntei, apontando para a ilha.

— Nea Kameni é a prova do vulcão — disse meu pai. — Está vendo tudo isso? — Ele moveu a mão para mostrar a ilha e a caldeira. — Toda essa área em forma de tigela é o que restou da última erupção do vulcão. Está inundada de água agora.

De repente, entendi a forma circular de Santorini.

— Quer dizer que todo esse grupo de ilhas é um vulcão?

— Tudinho — respondeu Theo, calmamente.

Tínhamos chegado ao cais. Destemido, Theo subiu pela lateral do barco, puxando-nos com cuidado.

Apesar do calor, senti um calafrio.

— Mas… não está ativo, certo?

Olhei de volta para Santorini. Dali, as aldeias eram manchinhas brancas, os edifícios agarrados teimosamente aos penhascos. Tudo parecia tão frágil. As pessoas não construiriam vidas em lugares com destruição iminente, certo?

Senti um embrulho no estômago. Tinha sido aquilo que minha família fizera. Será que minha mãe alguma vez suspeitara de como terminaria seu casamento? Que meu pai iria acordar um dia e partir, sem nenhuma explicação?

Meu pai me encarou por cima de seu equipamento, alheio à minha turbulência interior.

— Dormente. É um vulcão adormecido.

Soltei o ar, imaginando o vulcão todo arrumadinho para dormir com touca e pantufas. Assim parecia bem menos assustador.

— Então não vai entrar em erupção?

Meu pai passou a mão pelo cabelo, deixando-o arrepiado, antes de colocar o chapéu de volta.

— Não é provável. Nosso desastre natural mais recente foi um terremoto em 1956. Nada comparado a uma imensa erupção vulcânica, mas destruiu alguns milhares de casas e prejudicou a economia por um bom tempo.

Maravilha. Aparentemente, meu pai considerou que morar ao lado de um vulcão ativo era menos perigoso do que morar com sua esposa e filha. Será que éramos *tão* ruins assim?

Algo que minha mãe me dissera mais de uma vez veio à minha mente. *Não foi por causa de nós.* Mas como poderia não se tratar de nós? Era nossa *família*.

Não havia uma nuvem sequer enevoando o céu, mas senti o sol diminuir um pouco. Era hora de me mexer. Eu precisava de alguma atividade para empregar toda aquela raiva correndo em mim. Peguei minha mochila depressa e me levantei, alongando as costas, enquanto tentava manter o equilíbrio no barco que balançava. O calor parecia subir da água.

— Vamos nos apressar — chamou Theo, impaciente, mudando o peso do corpo de um pé ao outro na doca. Seu cabelo estava bagunçado da viagem, e sua animação era quase elétrica. — Queremos terminar antes que a galera chegue.

— Que galera? — perguntei.

Meu pai estendeu a mão para me ajudar a sair do barco, e eu aceitei com relutância, saltando aos tropeços no cais. Theo rapidamente me amparou, agarrando meu cotovelo.

— Pessoas que são atraídas por câmeras — explicou meu pai, mas notei o brilho de um sorriso em seu rosto.

— Não são as câmeras, é *você* — disse Theo ao meu pai, e se virou para mim. — Você vai ver, Kalamata. Assim que ele começa a falar sobre Atlântida, as pessoas se aglomeram. Isso dificulta a filmagem. Mas é por isso que eu sabia que tínhamos que fazer esse documentário. Todo mundo quer saber sobre Atlântida.

Então o documentário tinha sido ideia do Theo. Até que fazia sentido. Mas em que momento meu pai tinha decidido me incluir?

— Mas quem vai conseguir nos encontrar aqui? — perguntei, cética.

Nea Kameni parecia de fato queimada e, tirando alguns poucos barcos pequenos, completamente abandonada.

— É um destino famoso — respondeu meu pai.

Eu teria que acreditar na palavra deles. Até então, eu não tinha ficado muito impressionada. Fora a vista de Santorini, Nea Kameni não parecia nada mais que um monte de rochas pretas com um caminho que saía do cais. Ainda por cima, o ar cheirava vagamente a ovos podres, o que não era nem um pouco agradável.

Depois que o equipamento foi distribuído, meu pai seguiu a passos rápidos pelo caminho. Quando eu estava prestes a ir atrás, já arrependida da minha escolha de calçado, Theo pôs a mão no meu braço.

— Posso falar com você um minuto? — perguntou.

Sua voz sussurrada me fez sentir um calafrio, e dei um passo para trás por reflexo. O que ele tinha para falar comigo?

— Hã, claro.

— Nico! — gritou para o meu pai. — Procura um lugar para a gente filmar. Vamos gravar algumas tomadas da paisagem.

Meu pai acenou, e, assim que ele sumiu de vista, Theo estendeu a mão para mim, nossos dedos se tocando brevemente.

Contato físico com Theo era...

Deixa pra lá. Olhei em seus olhos cor de caramelo e fiquei surpresa com a dúvida que vi neles.

— E aí? — disse ele.

Era eu quem deveria estar fazendo aquela pergunta. Dei mais um passo para trás, nervosa.

— Que foi?

— Qual o problema com Atlântida? Mais especificamente, qual o *seu* problema com Atlântida? — Ele passou a outra mão pela testa suada. — Toda vez que o assunto vem à tona, você faz uma cara sofrida.

Pega no flagra.

— Não faço, não — falei, mas meu rosto corou na hora, de vergonha e surpresa.

Como Theo — alguém que eu tinha acabado de conhecer — conseguia me ler tão bem?

— É mais ou menos assim.

Ele fez uma careta, franzindo o cenho e contraindo os lábios. Eu tinha que admitir que se parecia um tanto comigo. Ele até tirou a franja invisível da testa com a mão como eu fazia.

Exibido.

Lutei contra o impulso de ajeitar meu cabelo e, para me conter, cruzei os braços sobre o peito. A brisa tinha sumido, e estava quente demais para um interrogatório.

— Tem certeza de que quer ser cineasta? Porque você daria um ótimo ator.

— Documentarista — corrigiu ele. — E você está fugindo da minha pergunta.

Eu esperava distraí-lo, mas ele não mordeu a isca.

— Eu até tenho uma prova gravada — insistiu Theo. — No aeroporto, parecia que você queria me bater quando mencionei Atlântida. Você não acredita na existência dela?

Sua voz soava relaxada, como se não fosse uma pergunta difícil. Para a maioria das pessoas, não seria. Para mim? Bem, aquela história de Atlântida existir ou não havia determinado boa parte da minha vida.

Cravei as unhas nos meus braços, tentando ignorar a fúria que se inflamava em meu peito.

— Isso importa?

Ele abaixou a cabeça, o olhar ainda no meu.

— É claro que importa. Eu quero saber o que você pensa.

Talvez fosse o cheiro sulfúrico que invadia minhas narinas, mas senti a raiva jorrar quente dentro de mim.

— Só para deixar claro, você está me perguntando se acredito que havia uma cidade mágica que irritou os deuses e foi engolida pelo mar?

Theo se inclinou para trás como se quisesse escapar do meu tom sarcástico, mas continuei:

— E que, apesar de milhares de pessoas procurarem por ela há milhares de anos, meu *pai* é quem vai encontrar?

A princípio, Theo não fez nada. Depois abriu um sorriso e assentiu, impressionado.

— Você é cética. Interessante.

Balancei a cabeça com força, fazendo minha franja cair nos olhos. *Cética* soava como se eu estivesse indecisa. Como se quisesse deixar uma pequena brecha para o caso de ser verdade. Mas a raiva fervilhando em meu peito não deixava nenhuma brecha.

— Não, sou realista. Ou seja, só acredito em coisas fundamentadas. De que temos certeza.

Então seus olhos relaxaram e suas sobrancelhas voltaram à posição normal. Sinceramente, aquelas sobrancelhas tinham um *dialeto* próprio.

— Entendi. Então me diga algo de que temos certeza.

Quê? A frustração tomou conta de mim.

— Hum… a gravidade.

A boca dele se curvou em um sorriso que era um misto de triunfo e presunção.

— Não temos certeza da gravidade.

Foi a minha vez de encará-lo. Ele tinha enlouquecido?

— Oi? Temos, sim.

Theo balançou a cabeça, abrindo ainda mais o sorriso.

— Não, temos *provas* da gravidade. E *provas* dos elétrons. Há uma diferença entre ter certeza e ter provas. — Ele cruzou os braços. — Sua mãe não é advogada?

A presunção só aumentava o seu charme. Eu queria arrancar os cabelos.

— Theo, do que você está falando? — falei.

Ele ergueu as mãos.

— Você tem razão, Kalamata. *Não* temos certeza da existência de Atlântida. Não sei se Atlântida, a Atlântida utópica, realmente existiu ou se é apenas uma história. Mas sei que uma das mentes mais respeitadas da história estava convencida da sua existência e que, apesar de todos os problemas com isso, as pessoas são atraídas por essa lenda há séculos. Tem algum fundo de verdade nisso.

O que ele defendia era obviamente ridículo, mas também tinha uma lógica inegável. Aquele era o problema com Atlântida. Era tão mágica e inatingível que envolvia a mente com seus tentáculos e se recusava a soltá-la.

— Continuo não acreditando — falei.

— Você não *precisa* acreditar em Atlântida, Kalamata — rebateu Theo, aproximando-se. — Mas seria melhor se estivesse pelo menos aberta à possibilidade.

Seus cílios inferiores estavam todos grudados, e as pontas do cabelo estavam meio úmidas de suor, o que deveria dar nojo, mas eu não sentia nem um pouco.

Eu precisava parar de pensar nos cílios daquele garoto. Balancei a cabeça.

— Desculpa, Theo. Não é nada contra você. Simplesmente não consigo acreditar em Atlântida.

Não mais.

Ele hesitou, então ergueu o rosto e olhou bem nos meus olhos.

— Fiquei pensando no que você disse ontem à noite, sobre seu pai ter deixado vocês em busca de Atlântida. Às vezes as coisas parecem ser de um jeito, mas nem sempre temos certeza de que *são* assim.

— Perdão? — Meu coração estava disparado, e precisei de todo o autocontrole do mundo para não gritar com ele. — Não estou entendendo.

Theo se inclinou para a frente, e não pude deixar de notar que a luz da manhã o favorecia muito. Seus cílios projetavam uma sombra nas bochechas, e seus olhos pareciam mais escuros e profundos. Como se pudesse ler minha mente, ele entreabriu ligeiramente a boca em um sorriso.

— Por exemplo, você me acha bonito, certo?

Quase engasguei com minha saliva.

— Theo! Namorado, lembra?

Um namorado que ainda não havia me ligado de volta. Quantas horas já tinham se passado? *Ainda assim.*

Ele ajeitou o chapéu.

— Espera… você tem namorado?

— Theo!

Ele sorriu para mim.

— Foi uma piada ruim, desculpa. Mas escuta. Teoricamente, se você não tivesse namorado, provavelmente teria reparado que sou atraente, da mesma forma que reparei que você é muito, *muito* bonita.

AI, MEU DEUS.

Ele tinha mesmo falado aquilo? Meu rosto estava em chamas, e a ilha parecia girar.

— Theo...

Ele continuou sorrindo e acenou para eu não esquentar a cabeça.

— Relaxa. Sou um perfeito cavalheiro. Respeito você e seu namorado...

Ele parou a frase no meio, arqueando a sobrancelha.

— Dax — falei.

— Dax. O que estou tentando dizer é que, só porque seu pai acreditava em Atlântida, não significa que deixou você por causa disso. Da mesma forma que, só porque você e eu estamos claramente atraídos um pelo outro, não quer dizer que vamos fazer alguma coisa a respeito.

Uau. Meu corpo tinha decidido assumir todos os estereótipos possíveis. Coração acelerado, palmas das mãos suando. Pior ainda, eu estava sorrindo? *Ai.* Estava. Não conseguia nem imaginar o tom de vermelho do meu rosto naquele momento. Vermelho--vivo. Escarlate. Vermelho-rubi. Tudo o que Theo estava dizendo deveria soar pretensioso e arrogante, mas não era o caso. Soava quase natural. Quase... *verdadeiro.*

— Theo, não faço ideia de como continuar essa conversa.

Ele abriu um sorriso torto.

— Foi mal, isso acontece muito comigo. Meu cérebro é meio acelerado. E minha mãe diz que faço conexões que outras pessoas não entendem. Talvez tenha a ver com o fato de eu ser trilíngue? Enfim. O importante é que acho que você está enganada a respeito do seu pai.

Balancei a cabeça. Era igualzinho à noite anterior. Por que Theo achava que sabia alguma coisa sobre mim e minha família? Além do mais, ele não poderia estar mesmo aberto à ideia de Atlântida ser real, certo? Quer dizer, uma coisa era meu pai estar à procura da cidade. Ele fora criado antes da internet, e, até onde eu sabia, a lenda tinha se entranhado profundamente em seu cérebro e tomado conta dele. Mas o Theo? Ele tinha uma tela à sua disposição vinte e quatro horas por dia, sete dias por semana. Podia pesquisar as coisas.

— E *você*? Acha que Atlântida existiu?

Ele me observou por um instante, o olhar pensativo.

— Estou animado para fazer o documentário. E não acho que tenhamos que decidir se Atlântida existiu ou não. — Com um gesto, ele apontou para a vastidão da caldeira. — Eu diria que a maioria das histórias, incluindo as que contamos a nós mesmos, tem uma pitada de verdade, e acho que com Atlântida não é diferente. É possível que algum grande evento histórico e destrutivo tenha inspirado a lenda de Atlântida? Claro. E Santorini definitivamente se encaixa na descrição. — Ele me encarou. — Além disso, que mal há em acreditar?

Que mal há?

Ele tinha perguntado mesmo aquilo? O *mal* era que acreditar podia arrancar alguém da família e mandá-lo para o outro lado do mundo em uma caça ao tesouro maluca. O mal era que alguém podia ficar obcecado a ponto de perder os aniversários, os bailes da escola e milhares de histórias para dormir...

PARA. Pisei fundo em meus freios emocionais, parando bruscamente. Eu já tinha superado aquilo. O que quer que meu pai tivesse ou não feito, já tinha passado. Eu tinha seguido em *frente*. Furiosa, pisquei algumas vezes, procurando me acalmar, e, quando ergui os olhos, Theo ainda me observava. Ou melhor, me estudava. Era como se estivesse me filmando, porque ele captava cada movimento meu.

— Então? — perguntou, e ergueu as sobrancelhas com um ar divertido. — Você acha que poderia ao menos se manter aberta à ideia? Porque precisamos muito da sua ajuda. Além disso, acho que você precisa contar ao seu pai como realmente se sente com relação a Atlântida.

Pronto. Aquela era a gota d'água.

— Espera aí, você está me dizendo como devo interagir com meu pai?

— Não. Sim? Não. — Ele deu de ombros, confuso. — Não sei qual é a resposta certa.

Se eu não estivesse com tanta raiva, provavelmente teria reparado mais na fofura inegável de Theo naquela agitação toda.

— Vou tomar um ar. Vejo você lá em cima — falei, e então dei meia-volta, a cabeça erguida, e subi rapidamente pelo caminho em direção à cratera.

Meu giro seguido de passadas rápidas não foi tão digno quanto eu esperava. Não só meus olhos estavam embaçados pelas lágrimas de raiva, como Theo tinha razão quanto ao calçado — sandálias não eram a melhor opção para escalar rochas vulcânicas soltas.

Que droga.

Segui cambaleando morro acima, tentando aliviar um pouco a pressão, o que era adequado, porque aquela ilha soltava vapor como uma panela de pressão. A superfície era monocromática, com apenas um ou outro ramo de plantas e flores amarelas destacando-se da rocha, e, em algumas áreas, suculentas floresciam em padrões estonteantes. A ilha também soltava vapor no ar. Então, sim, era um vulcão *ativo*. Eu podia ver com meus próprios olhos. Theo e meu pai tinham escolhido um ótimo lugar para filmar — de tão austero e peculiar, era bonito.

Ouvi o barulho de pedras sendo pisadas atrás de mim. Theo. Acelerei o passo, mas na mesma hora escorreguei e tive que estender as mãos para me segurar.

— Passei dos limites — disse Theo, sem fôlego, quando finalmente me alcançou.

AMOR & AZEITONAS

— Muito mesmo — falei, controlando a voz para que saísse forte e decidida.

Eu era Liv. Não deixava minha relação com meu pai me afetar daquele jeito.

Ele mordeu o lábio inferior, os olhos nos meus.

— Foi mal. É que realmente me preocupo com o seu pai.

A intensidade da voz dele me pegou desprevenida. Parei de andar e me virei lentamente para encará-lo.

— Theo, fico feliz que você goste do meu pai...

— E de você — interrompeu ele.

Que fosse. Ele mal me conhecia. Balancei a cabeça.

— Certo. Mas você não pode sair dando conselhos a pessoas que mal conhece. E se eu tentasse dar conselhos sobre sua família?

Theo pareceu considerar o assunto, assimilá-lo.

— Verdade — disse ele, por fim. — Uma grande verdade. — Então enfiou as mãos nos bolsos. — Quer saber? Você tem razão. Fiz besteira. Eu me importo muito com vocês, mas não foi uma boa maneira de demonstrar isso. Perdão. Quero muito ser seu amigo.

Eu o conhecia havia menos de dois dias, mas já sabia que era verdade. Theo se importava. Além do mais, eu precisava dele como aliado.

— Está tudo bem — falei, relaxando os ombros. — Vamos só tentar ter um bom dia de filmagem.

Ele olhou para mim com ar esperançoso.

— Obrigado, Kalamata. Agora, mudando completamente de assunto, você sabia que o ramo de oliveira tem sido usado historicamente como símbolo de paz? Está até na bandeira da ONU. Não é *interessante*?

Eu tinha quase certeza de que era fisicamente impossível ficar com raiva dele por muito tempo.

***

A cratera era uma reentrância grande e bem formada com uma borda em volta. Encontrei meu pai agachado de um lado, segurando um punhado de terra e falando rapidamente em grego com um casal que estava por ali, fazendo perguntas animadas a ele. Sem dúvida, ele estava explicando as manifestações superficiais da atividade geotérmica, a composição mineral da rocha vulcânica ou algum outro fato científico que parecia ter nascido sabendo.

Quando nos aproximamos, o rosto dele se iluminou. Meu pai me indicou com um gesto, e ouvi a palavra grega para "filha". O casal olhou para mim alegremente e tentei retribuir um sorriso, mas saiu meio sem jeito.

A mulher veio até mim, firmando o chapéu de sol na cabeça com uma das mãos.

— Muito bom. Trabalhar juntos. Muito bom.

— Atlântida! — disse o marido com um sorriso largo, erguendo o punho no ar.

— Sim, obrigada.

Foi a única resposta que me ocorreu. Ninguém ali parecia estranhar a procura do meu pai por Atlântida. Aquilo quase me fazia cogitar se a ridícula era eu. *Quase.*

— Viu só? Os fãs o encontram — disse Theo atrás de mim.

Enquanto Theo e meu pai montavam a câmera e o tripé, dei uma volta na parte da cratera cheia de pequenas flores amarelas — lindas em contraste com todas as rochas pretas. A cratera não parava de soltar pequenas nuvens de enxofre no ar, e só pude pensar no quanto minha mãe odiaria o cheiro.

Quando voltei, Theo havia montado o tripé e estava posicionando meu pai em frente aos penhascos íngremes de Santorini. Os edifícios brancos lá no alto pareciam uma fina camada de neve.

— Vamos lá, diretora de fotografia, onde você acha que devemos filmar?

Levei um segundo para registrar que meu pai estava falando comigo.

— Hum...

— Ele vai falar sobre a destruição de Atlântida — explicou Theo.

Ele estava com a câmera no ombro, o boné virado para trás.

— Está bem, destruição. Imagino que a gente queira... drama?

Eles me encararam com um ar confiante. Qual seria o melhor local? O sol era um círculo quente e brilhante no céu, e estreitei os olhos, nervosa, para dar uma conferida em volta. Por que achavam que eu sabia fazer aquilo? O casal sorriu para mim de forma encorajadora. Era óbvio que estavam adorando a cena.

O que faria mais sentido? Santorini em segundo plano? A cratera? E que lugar teria a melhor luz?

— Imagine que é uma pintura — sugeriu meu pai. — Como melhor enquadrar o tema.

Eu me virei, deixando meu olhar correr pelo perímetro da ilha.

— Bem... Acho que não tem nenhum lugar ruim. É tudo lindo. E a iluminação...

Parei de repente, porque lá estava: uma vista tão perfeita que era quase cômica.

— Lá — anunciei.

Saí correndo em direção à vista, enquanto Theo, meu pai e o casal seguiam depressa atrás de mim.

O local era feito da mesma rocha empoeirada do resto da ilha, mas um buraco na rocha tinha formado uma pequena enseada e, além da rocha, o oceano passava de verde-garrafa a turquesa e a um tom profundo de cobalto, com Santorini flutuando a distância. Suculentas vermelho-tijolo cobriam o solo. Aquela cor tinha definido tudo. Era tão satisfatória.

— Perfeito — declarou meu pai, e o casal demonstrou sua aprovação.

Enquanto Theo montava o tripé, meu pai vestiu uma camisa limpa e se preparou para gravar. Theo e eu o observamos através do visor. Era mais fácil olhar para ele assim. Como encarar o sol de óculos escuros. Ele ergueu o polegar para nós.

— O que acha? — perguntou Theo.

Olhei para o meu pai.

— Sem chapéu. Está criando umas sombras estranhas sob os olhos. E você está brilhando um pouco.

— É a minha maldição — disse meu pai. — E estava muito quente durante a caminhada.

Estávamos todos suando. A mulher tirou o chapéu, usando-o para se abanar. Independentemente de sua credibilidade, eu não queria que meu pai parecesse um turista suado. Ajeitei a mochila nos ombros, lembrando-me da maquiagem que havia trazido, além dos lencinhos para remover oleosidade que eu sempre guardava no fundo da bolsa. Filho de peixe suado, peixinho suado é.

— Ei, pai, tudo bem se eu passar um pouco de maquiagem em você?

Seu rosto brilhou ainda mais.

— Maquiagem? Claro.

Fui até ele, vasculhando a mochila até encontrar corretivo, protetor labial e máscara para sobrancelha. Meu pai sorriu para mim e senti um pouco de nervosismo da parte dele.

— Manda ver, Liv. Acha que vai precisar de um rolo de tinta?

— Não, de jeito nenhum.

De perto, o rosto dele parecia marcado pelo tempo e um pouco mais inchado do que eu lembrava.

— Vou pedir para você secar o rosto, então vou passar um pouco de base e disfarçar as marcas de sol e olheiras. Depois vou tentar domar suas sobrancelhas.

— Que os deuses estejam com você — disse meu pai com um sorriso.

Dei a ele os lencinhos e começamos a trabalhar.

Era estranho estar tão perto de um rosto em que eu pensava com tanta frequência, mas tentei tirar aquilo da cabeça e me concentrar em fazer um bom trabalho. Minhas mãos tremiam um pouco enquanto eu aplicava cuidadosamente o corretivo nas bochechas. Estávamos quase do mesmo tamanho — a altura da minha mãe tinha ajudado — e, enquanto passava a maquiagem, me lembrei de quando ele me deixava passar creme de barbear em seu rosto. Nosso tom de pele era *exatamente* igual, e, quando coloquei a mão em seu rosto, senti seus bigodes tão afiados e ásperos quanto eu lembrava.

ABORTAR MISSÃO!, gritou meu cérebro. *CORRER E PROCURAR ABRIGO.*

Dadas as circunstâncias, era uma sugestão razoável, mas eu tinha quase certeza de que a única coisa mais constrangedora do que estar tão perto do meu pai seria fugir dele em pânico, com corretivo na mão. Portanto, me obriguei a ficar parada, mordendo com força o lábio.

Concentre-se no trabalho, Liv.

Ele tinha razão sobre as sobrancelhas. Elas não aceitavam a direção criativa de ninguém. Não ficou perfeito, mas, quando por fim me afastei, a aparência dele estava melhor. Parecia descansado e pronto para as câmeras. Profissional.

— Obrigado — disse ele, em voz baixa.

— Uau, bom trabalho — disse Theo de trás da câmera. — Fez uma grande diferença. Beleza, chefe. Está pronto?

— Pronto.

Meu pai assentiu, e me posicionei atrás de Theo para assistir.

— Ele precisa de cartões pra lembrar do texto ou algo assim? — perguntei.

Theo bufou.

— Você está brincando, né? Muito bem, pessoal. Silêncio, por favor.

Theo fez a contagem regressiva, ficando em silêncio após o *três, dois, um*. Todos os olhos se voltaram para o meu pai, até mesmo os meus.

— É o ano 1646 antes de Cristo. Você está dormindo em casa, cercado pela família, quando ouve algo do lado de fora, uma erupção ensurdecedora. Bem-vindo à primeira fase de uma das maiores explosões vulcânicas da história.

Sua voz soava alta mas calma, e ele encarava fixamente a câmera, os olhos focados.

— A fase um foi o sinal de alerta do vulcão... assustador, mas não devastador para os muitos residentes da ilha. Cinzas e pedras-pomes explodiram no ar, deixando sete metros de destroços. A fase dois foi uma imensa explosão de lava, que escureceu o céu e trouxe raios e um calor absurdo. A fase três devastou a ilha. Fluxos piroclásticos, uma combinação poderosa de gases, lava e cinzas quentes, se espalharam pela superfície do oceano, dizimando tudo no caminho. Qualquer coisa que não estivesse coberta por cinzas teria sido vaporizada e destruída.

Ele mostrou a caldeira.

— Chegou então a fase quatro, quando a câmara de magma vazia do vulcão entrou em colapso, formando uma grande bacia. À medida que a água do oceano entrava, o vapor e a pressão aumentavam, culminando no final grandioso, uma explosão gigantesca, muitas vezes maior que a de uma bomba atômica. O deslocamento de um volume tão grande de água criou tsunamis, com ondas de dezoito metros ou mais que viajaram cerca de oito quilômetros em todas as direções. E, por fim, houve os terremotos.

Ele deu um passo à frente, o olhar intenso.

— Essa foi a destruição de Atlântida. Como disse Platão: "Por conta de inundações e terremotos violentos, em um só dia e em uma só noite de infortúnio, tudo foi engolido pela terra, e a ilha de Atlântida desapareceu nas profundezas do mar."

Sua voz, que até então estivera quase melodiosa, adquiriu um tom firme e ameaçador.

— Imagine, em três dias, uma cidade inteira, uma civilização inteira, dizimada. Nem um único osso ou corpo se salvou. Essa foi a destruição da Atlântida.

Seu olhar se desviou da câmera e encontrou o meu. Aquela intensidade me prendeu ao chão.

— O que estava perdido foi encontrado. Bem-vindo a Atlântida.

Capítulo 12

#12. GRAVATA DE SEDA ESPINHA DE PEIXE E LENÇO DE BOLSO AZUL-MARINHO, AINDA NA CAIXA

    Eu adorava tudo sobre Atlântida, mas a parte de que mais gostava era o que meu pai chamava de Planejamento de Comemoração. Era um elemento tão importante de nossa busca por Atlântida quanto definir sua localização exata.

    Embora já soubéssemos onde ficava Atlântida, precisávamos economizar dinheiro suficiente para podermos ir a Santorini provar nossa teoria.

    Assim que a encontrássemos, a comemoração começaria. Nossa foto estaria na primeira página de todos os jornais do mundo e haveria um desfile com fogos de artifício e bandas marciais, em que eu acenaria do alto de um carro alegórico reluzente. O mundo inteiro saberia meu nome: Olive Varanakis, a garota que descobriu Atlântida. O presidente dos Estados Unidos daria um baile em minha homenagem. Eu não tinha *certeza do que vestiria em tal ocasião, mas meu pai, sim: ele usaria sua gravata de seda, a que tinha comprado durante os poucos meses em que trabalhara em uma alfaiataria.*

Em nossa lista do planejamento da festa, havia uma fonte de chocolate de vários metros, três elefantes enfeitados e uma fila de conga que se estenderia por pelo menos vinte quarteirões.

Nunca me ocorrera não acreditar no meu pai. Afinal, ele já tinha a gravata.

ERA MAIS FÁCIL OBSERVÁ-LO ATRAVÉS DA LENTE DA CÂMERA. Eu não precisava me preocupar com o que tinha dado certo ou errado entre nós. Podia enxergá-lo como qualquer outra pessoa enxergaria: alguém com um grande interesse em Atlântida, em vez de alguém que tinha me *abandonado* por Atlântida. Era uma diferença monumental.

Meu corpo não cumpria nem um pouco minha decisão de como reagir ao meu pai. Eu poderia culpar o calor e o enxofre pela tontura e dor de estômago, mas eu sabia muito bem o que meu coração galopante significava. *Empolgação*.

Apesar de provavelmente não ter entendido nada daquilo, a mulher parada ao meu lado deu um suspiro, então me cutucou, sorrindo com alegria. Não pude fazer nada além de sorrir também. Porque tinha sido mágico. E as palavras finais: *o que estava perdido foi encontrado...*

Bem, tinham me deixado arrepiada.

Ele não tinha consultado as anotações nenhuma vez. Não tinha sequer feito uma pausa. Ainda citara Platão como se fosse alguém com quem se encontrasse uma vez por semana para tomar um cafezinho. Enquanto ele falava, eu me agarrara a cada palavra, atenta a cada modulação e quebra de sua voz. Ele tinha roubado completamente minha atenção. Em um minuto, eu estava suando com os outros residentes da Thira moderna, e, no seguinte, tinha sido transportada de volta ao momento em que tudo mudara. Eu ouvira o pânico dos minoicos, acordando confusos e correndo para se salvar. Sentira o cheiro do enxofre, o pavor e a ameaça dos tsunamis. Eu *estivera* lá.

— Uau — sussurrei.

— Eu avisei — disse Theo, sem nem desviar os olhos da tela.

Eu me virei para trás e percebi que — exatamente como Theo avisara — uma pequena multidão havia se formado, um grupo de turistas que devia ter visto a câmera e se aproximado em silêncio de nós.

Alguns deles fizeram perguntas ao meu pai. Ele sorriu graciosamente, então começou a respondê-las uma a uma, enquanto Theo e eu nos reuníamos atrás da câmera para assistir ao que havíamos gravado. A tomada estava linda — interessante e equilibrada — e, mesmo sem som, eu já conseguia ver que a câmera havia captado sua intensidade. Ele parecia natural, confiante e completamente à vontade. Meu pai, ao que tudo indica, tinha nascido para as câmeras.

— Uau — repeti, mas a palavra era patética de tão inadequada, uma brasa comparada a fogos de artifícios.

Theo olhou para mim.

— Nas palavras de todo vencedor vitorioso da história da Grécia: *eu avisei*.

Soquei o braço dele, mas não pude deixar de sorrir.

— As gravações têm ficado sempre boas assim?

— Melhores, até. Acho que ele ficou nervoso porque você está aqui. Normalmente ele mexe mais os braços e a coisa fica ainda mais intensa. Ele estava um pouco fora de forma.

— O que você achou, Liv? — perguntou meu pai, conseguindo se desvencilhar da multidão. — Ficou bom?

Meu coração bateu forte no peito. Eu tinha visto apenas dez minutos de filmagem, mas já sabia que o documentário tinha o potencial de ser transformador.

Parte de mim queria minimizar o desempenho dele, mas não consegui. Era impossível se eu quisesse manter o mínimo de integridade.

— Pai, você foi incrível. A National Geographic vai amar.

— Você acha mesmo? — Os olhos do meu pai brilharam de esperança. — Bem, você ajudou muito. Me senti bem mais confiante com maquiagem e roupas melhores...

Baixei os olhos, ignorando o calor que tomava conta do meu peito. Eu não *queria* gostar dos elogios dele, mas estava gostando mesmo assim.

— Não foi nada.

— E você soube direitinho como posicionar a tomada — disse Theo, como se eu tivesse feito aquela mágica acontecer.

Como se meus pequenos ajustes tivessem feito toda a diferença. A verdade era que meu pai poderia ter feito aquele discurso usando uma fantasia de galinha debaixo de um viaduto e ainda assim teria soado confiável e cativante.

Apesar do que o cartão-postal e Theo diziam, meu pai não precisava de mim. Ele tinha sua própria magia. Desde sempre. Ninguém ligaria para a existência ou não de Atlântida, se a história fosse contada daquela forma.

Lembrei então uma frase que minha professora de literatura tinha colado na parede da sala: *Nunca deixe a verdade atrapalhar uma boa história.* Para o meu pai, eram as duas coisas ao mesmo tempo: a verdade e uma boa história. Quanto ao restante de nós? Não tínhamos escolha a não ser nos deixarmos levar pela corrente. Resistir era inútil.

Ajustei a alça da mochila, incapaz de deter a urgência que me dominava.

— Aonde vamos agora?

Theo queria deixar tudo perfeito, então, embora a apresentação do meu pai tenha sido quase impecável de primeira, repassamos a cena várias vezes antes que os barcos turísticos aparecessem e as pessoas começassem a se reunir para assistir. A parte boa era que o público trouxe à tona o lado contador de histórias do meu pai, o que o deixou ainda melhor. A parte ruim era que eles faziam muito barulho. Depois que dois turistas americanos se aproximaram no meio da gravação para perguntar no que estávamos trabalhando, Theo desistiu e levamos o equipamento de volta para o barco.

Passamos o resto do dia escolhendo lugares para o drone de Theo fazer tomadas aéreas de Nea Kameni e Palea Kameni. No almoço, comemos o conteúdo da caixa de ferramentas vermelha do meu pai, que na verdade estava cheia de cubos grossos de queijo feta tão salgado que faziam minha língua doer, fatias generosas dos melhores tomates que eu comera na vida e um pão crocante que devoramos em grandes bocados. Sempre que ficava quente demais, meu pai desligava o motor e anunciava que era hora de *aragma*, que Theo explicou ser a "arte de relaxar, ao estilo grego".

Minha metade grega tinha virado uma grande fã.

Meu pai aumentou o volume da música e distribuiu refrigerantes que tirou da caixa de ferramentas mágica, então ele e o Theo mergulharam no oceano enquanto eu fiquei sentada na popa com os pés na água, tentando *não* pensar em toda aquela profundeza azul e gelada. Para ser sincera, era um pouco torturante. No meio da tarde, eu estava com tanto calor que achei que entraria em combustão a qualquer momento, mas, por mais que o oceano parecesse deliciosamente frio e refrescante, era assustador até pensar no assunto. Santorini claramente não era o lugar em que eu faria amizade com o mar, mas talvez pudéssemos ser colegas?

Quando enfim retornamos à doca na baía de Ammoudi, eu estava queimada de sol, exausta, com sede e — embora a contragosto — completamente encantada com a magia daquele dia. Minha mãe tinha razão sobre a ilha: era maravilhosa de um jeito desorganizado e confuso que eu nunca tinha visto antes. E, apesar de as coisas estarem estranhas entre mim e meu pai, tínhamos Theo para suavizar o clima. Sempre que a conversa tomava um rumo meio turbulento, ele fazia uma piada ou aumentava o volume da música. Estar ali era estranhamente... fácil.

Tão fácil, na verdade, que de alguma forma eu tinha conseguido esquecer todos os meus problemas com o Dax, fato para o qual fui alertada no momento em que nosso barco chegou em terra firme e um exército de mensagens começou a invadir meu celular.

Liv, você pode falar?

Liv, tá aí?

Ainda estou acordado, me liga quando puder.

Santorini estava dez horas à frente da Califórnia, ou seja, Dax tinha me mandado mensagens em plena madrugada. A esperança tomou conta de mim enquanto eu as lia. Aquilo era um sinal de que ele estava disposto a deixar de lado o fiasco da visita à faculdade? Será que estava arrependido por não ter se despedido de mim pessoalmente?

Parei bem no meio do cais, criando um pequeno engarrafamento, enquanto meu pai e Theo tentavam descarregar o equipamento.

— Você parece feliz — disse Theo, seu ombro quente roçando no meu ao passar.

— Estou — falei. — Preciso fazer uma ligação. Tudo bem se eu encontrar vocês mais tarde? Podem deixar uma parte do equipamento para eu carregar.

JENNA EVANS WELCH

— A gente dá conta — disse meu pai. Ele colocou a mão no meu ombro, a postura firme apesar do deque que balançava. — Você consegue encontrar o caminho de volta para a livraria?

Olhei para ele e me assustei ao ver o quanto estava abatido. Suas olheiras tinham voltado, e seus ombros estavam curvados com o peso do equipamento. Filmar e passar todo aquele tempo na água obviamente tinha exigido muito dele.

— Pai, você parece cansado — falei, esquecendo o celular por um momento.

Ele sorriu, ajeitando o chapéu na testa.

— Documentário é coisa para jovem.

— Deixa que ajudo você com isso, chefe. — Theo pegou uma das bolsas do meu pai. — Quantos anos você tem, afinal? Uns quarenta? Como foi ter um dinossauro de estimação? Ele mordeu você alguma vez?

— Você está ouvindo isso? — perguntou meu pai, mas com um sorriso enorme no rosto.

— Estou — confirmei.

Eu tinha certeza de que Theo era a única pessoa no mundo que poderia se safar com uma brincadeira daquelas.

— Vejo vocês lá em cima.

Enquanto Theo e meu pai desapareciam mais à frente no caminho, segui pela beira d'água, pisando cuidadosamente na rocha vulcânica, ousando entrar e sair das piscinas formadas pela maré e das poças ondulantes. A água mais próxima da costa era azul-turquesa, tão clara que dava para ver o amontoado de pedras lá embaixo. Em certo ponto, as rochas menores se transformaram em rochas maiores, e me vi escalando as pedras até chegar ao final do caminho, uma grande rocha lisa com vista para a baía.

Respirei fundo e apertei o botão de ligar. Dax atendeu no quarto toque.

AMOR & AZEITONAS

— Liiiiiiv — disse ele, estendendo meu nome.

— Dax!

Sua voz alegre e completamente normal me deixou tão aliviada que quase caí da rocha. Eu me sentei de pernas cruzadas, para me firmar.

— Como você está? — perguntei.

— Com saudade de você. Conseguimos um apartamento a duas horas de Portland e acabamos passando metade da noite numa parada na estrada, então levamos uma eternidade para chegar aqui. Como está minha namorada?

A voz dele estava vibrante e calorosa, e o alívio transformou meus músculos em gelatina.

— Bem. Muito bem. — Expirei, abrindo um sorriso largo. — Você parece... diferente. Menos irritado?

— Bem... — Ele suspirou. — Conversei com minha prima, e ela disse que perder o dia da visita do ensino médio não é o fim do mundo. A maioria dos alunos que eles aceitam não participa desses eventos, então você ainda tem uma boa chance de ser aprovada. Até conversei com ela sobre o programa de arte. Ela disse que eles têm um departamento de história da arte muito bom, então entrei em contato com a faculdade e solicitei alguns folhetos. Já devem estar aqui quando você voltar.

Sacudi os pés distraidamente para tirar as sandálias, descansando as solas descalças na rocha aquecida pelo sol. Aquilo era tão típico do Dax. *Primeiro passo, identificar o problema. Segundo passo, resolver o problema. Terceiro passo, comemorar.*

Eu não queria estudar arte. Eu queria *fazer* arte. Mas a voz dele estava tão radiante, e Dax tinha sido tão atencioso. Além do mais, aquela era mesmo a melhor hora para contar a ele que eu tinha outros planos para a faculdade? Não. Essa conversa podia esperar até eu chegar em casa.

— Obrigada, Dax. Isso foi muito legal da sua parte.

— Sem problemas. Sei que é bem estressante se inscrever para Stanford. Eu fiquei assim também. Se você quiser, posso ajudar com a inscrição.

Fechei os olhos, esfregando as têmporas de um jeito que me lembrou minha mãe. E agora?

— Hã, Dax...

— Como está a escavação? — perguntou ele, ignorando minha hesitação.

Escavação? Meu cérebro levou um instante para entender que ele estava falando da minha mentira. Aquela em que eu vivia em um universo alternativo em que meu pai era professor de história e trabalhava em uma escavação arqueológica.

— Ótima — respondi depressa.

Eu provavelmente deveria ter pesquisado um pouco mais sobre os detalhes da minha mentira. Enfiei uma mecha de cabelo na boca e mordi.

— Está indo bem — continuei. — Mas é meio chato. Várias pessoas cavando para achar coisas e categorizá-las...

Bati silenciosamente a mão na testa. Não fazia a menor ideia do que estava falando. Tudo o que eu sabia sobre escavações arqueológicas vinha de filmes. E se Dax me pegasse mentindo para ele de novo?

De repente, tive uma ideia brilhante. Eu podia mudar o rumo da conversa para o documentário. Assim, quando o projeto verdadeiro saísse, não seria tão distante da minha mentira.

— Dax, adivinha? A National Geographic está envolvida em alguns dos estudos do meu pai. Estamos trabalhando num documentário.

— Liv? — chamou uma voz de garota, me interrompendo. — Liv, sou eu. Sophie.

— Hã... oi, Sophie — cumprimentei, espantada com a interrupção.

AMOR & AZEITONAS

— Você está no viva-voz — disse ela.

Como que para provar o que Sophie dissera, de repente ouvi todo tipo de ruído ambiente. Gritos, risadas… água em curso.

— Alec também está aqui — disse ela.

— Oi, Liv — disse Alec.

— Oi!

Descansei a cabeça nas mãos. Alec era o melhor amigo do Dax e namorado da Sophie. Os três eram amigos desde o jardim de infância, e, assim que Dax e eu começamos a namorar, Sophie começou a ligar para me convidar para festas e para dormir na casa dela.

— Por que todo mundo está acordado tão cedo?

— Tão tarde, na verdade. Ficamos acordados a noite inteira e agora todo mundo está saindo para tomar café e surfar, depois vamos dormir. A viagem de carro foi muito *longa*, mas Balboa é incrível, e a casa do pai do Matthew é o máximo. Tem três banheiras de hidromassagem e, tipo, trinta camas.

Os barulhos e gritos ao fundo abafaram a voz de Sophie, e meu cérebro tentou imaginar a cena. Latas de refrigerante por toda parte, toalhas de praia coloridas, muita pele à mostra.

Agarrei a beirada da rocha em que eu estava, vendo as ondas quebrarem ao longe. Minha pequena praia ficava a cerca de onze mil quilômetros de distância deles, mas, naquele segundo, pareciam sete milhões.

— Liv, por que você não me disse que não viria? Está mesmo visitando seu pai na Grécia? Eu nem sabia que você *tinha* pai.

— Hã…

Deixei escapar um ruído que talvez fosse uma risada, mas eu não tinha certeza. Aquilo era uma piada? Ela não disse mais nada, então sobrou para mim preencher o silêncio.

— Bem… várias pessoas têm pais — falei, com a voz fraca. — Acho que nunca entramos nesse assunto.

— Verdade — disse ela, diminuindo meu constrangimento. Então continuou, em tom baixo e conspiratório: — Bem, volta logo. Várias garotas de biquíni estão cercando o Dax que nem tubarões.

Meu coração quase saiu pela boca, e pressionei a rocha com as unhas.

— Que garotas?

Minha voz saiu fina e enciumada, e me odiei por aquilo.

Sophie riu, e a imaginei jogando seus longos cabelos pretos para trás.

— A maioria formanda — explicou ela. — Você soube que a Maya entrou para Berkeley?

— Soube — falei, desanimada. — Ela está aí?

— Ela e Dax vieram no mesmo carro. Quer dizer, havia outras pessoas junto, mas ainda assim… Ela exigiu ir no carro dele para que pudessem passar na frente das faculdades dos dois no caminho. — Sophie riu, mas nada daquilo era engraçado. — Não se preocupe com a Maya. Todo mundo sabe que Dax está todo apaixonado por você.

Ela fez uma pausa, esperando que eu risse ou concordasse, mas não consegui esboçar nenhuma reação. Será que Dax ainda estaria todo apaixonado por mim se soubesse que eu não tinha intenção de ir para a mesma faculdade que ele?

— Obrigada, Sophie — falei, por fim. — Você se importa de passar o telefone de volta para o Dax? Preciso falar uma coisa para ele.

Minha ansiedade aumentava tão rápida e intensamente que rivalizava com o sol refletindo no oceano.

— Claro. DAX! — berrou Sophie, sem se preocupar em afastar o celular e quase estourando meu tímpano.

Esperei, meu coração acelerado, mas um instante depois ainda era ela na linha.

— Me desculpa, não sei para onde o Dax foi. Ele sumiu.

Fechei os olhos com força, tentando ao máximo não pensar nele enfurnado em algum canto com a Maya. Maya, com quem ele aparentemente tinha passado metade da noite em uma parada de caminhões e que, além daquilo, iria para uma faculdade perto da dele. Minhas mãos tremiam, mas invoquei todos os poderes de Liv, forçando minha voz a soar calma e até entediada.

— Sem problemas. Quando vocês se encontrarem, pede para ele me ligar?

— Claro. A gente se fala!

Ela desligou, então fiquei sozinha com o silêncio.

Isso é ruim. Muito, muito ruim. Enfiei o celular no bolso e me levantei para esticar as pernas. Eu já estava dolorida da caminhada, mas meu corpo não conseguia ficar parado, então comecei a pular de pedra em pedra, serpenteando em direção à água.

Ali embaixo eu tinha uma ótima vista do tema da pintura do Hugo. A rocha que se erguia sólida e escura da água, as ondas quebrando ao seu redor. Era obviamente um local popular para o nado, porque, além de alguns óculos e toalhas deixados para trás, vi uma escadinha entalhada na lateral da rocha.

Caminhei sem rumo pela praia, rezando para que Dax me ligasse, mas, depois de meia hora, acabei desistindo. Ele não iria ligar, e eu teria de lidar com o fato de que só conseguiria contar a verdade quando voltasse. De qualquer maneira, fazia mais sentido contar pessoalmente.

Levei quase vinte minutos para refazer todo o caminho escada acima e, quando cheguei ao alto e me juntei aos pedestres do início de noite, minhas emoções estavam um caos. Tudo o que eu queria era ir à livraria, me esconder e ler um pouco. Infelizmente, quando vi a loja, soube que essa não era uma opção. O lugar estava ainda mais movimentado do que de manhã, perto de explodir de tão cheio, e Ana, que ainda parecia bastante animada, conduzia a multidão como a mestre de cerimônias de um circo. Não vi meu pai e seu monte de equipamentos em lugar nenhum.

Abrindo caminho pela loja, encontrei Theo no alto de uma escada, ajudando um cliente a pegar um livro.

— Kalamata! — gritou assim que me viu.

Ele se virou, ignorando completamente o cliente que esperava, para falar comigo.

— Você está bem? — perguntou. — Sumiu já faz um tempo.

Balancei a cabeça e fiquei horrorizada ao perceber lágrimas brotando dos meus olhos.

Theo desceu apressado, abandonando qualquer tarefa que o tivesse feito subir ali.

— O que houve?

Ele colocou as mãos nos meus ombros, me firmando. Balancei a cabeça de novo. Eu precisava de uma distração. Qualquer coisa para me impedir de pensar no Dax.

— Posso ajudar na loja? — disparei.

Theo franziu a testa.

— Você quer trabalhar?

Fiz que sim rapidamente, enxugando os olhos.

— Trabalhar, ser voluntária, aprendiz, tanto faz. Preciso me manter ocupada.

Ele me observou por mais um instante, então pigarreou e usou um tom de voz mais grave e formal.

— Nesse caso, tenho boas notícias para você. Geoffrey, o Canadense, saiu para a costumeira visita vespertina à sua bailarina de mentira preferida, então estamos com falta de pessoal. No entanto, não contratamos qualquer um aqui na Livraria Perdida de Atlântida. Vou ter que fazer uma entrevista rápida. Quais são suas qualificações?

Mordi o lábio, surpresa ao me pegar contendo outro sorriso, apesar do estresse.

AMOR & AZEITONAS

— Bem... Já li livros. Muitos livros. Além disso, já tive uma caixa registradora de brinquedo. — Apontei para o balcão onde Ana atendia um cliente. — E de vez em quando tomo conta do gerbo de estimação da irmã do meu padrasto quando ela viaja no fim de semana.

— Impressionante — disse Theo.

Bapou cutucava alegremente um cliente com sua bengala, e Ana se aproximou para detê-lo. Theo se virou para mim.

— Bem, esses três fatos por si só já a tornam mais qualificada do que metade das pessoas que trabalharam aqui. Parabéns, Kalamata. Você está contratada.

Capítulo 13

#13. CREME DE BARBEAR DE SÂNDALO

Não sei se foi um presente ou se ele mesmo comprou, mas meu pai o usava da mesma forma que minha mãe usava perfume: com moderação e apenas em ocasiões especiais. Ficava em um recipiente lustroso de madeira, e eu sempre sabia quando ele e minha mãe tinham planos de sair, porque via o pote na bancada do banheiro e ficava esperando o cheiro terroso chegar à sala.

Ele sempre parava de se barbear quando perdia um emprego, e, aos oito anos, eu já tinha perdido a conta de quantas vezes isso acontecera. Ele também não falava que tinha perdido o emprego. Em vez disso, dizia "Aonde vamos amanhã, Olive?", e eu ficava sabendo.

DEPOIS DAQUELE RIGOROSO PROCESSO DE ENTREVISTA, fiquei feliz em saber que Ana não hesitou em me integrar ao furacão da Livraria Perdida de Atlântida. Minutos depois, eu estava arrumando a mercadoria, ajudando o recém-chegado Geoffrey no balcão do caixa, pegando cartões de crédito e conduzindo clientes em direção a uma infinidade de seios estufados e decotes na seção de romance lotada. De vez em quando havia uma calmaria, e minha mente começava a vagar de volta para Dax e o dilema da faculdade, mas em segundos um cliente me fazia uma pergunta ou Theo me encurralava para conduzir uma espontânea avaliação de desempenho do funcionário, e eu voltava a deslizar pela superfície, todos os pensamentos de Dax submersos em algum lugar lá no fundo. Perfeito.

Quando por fim enxotamos o último cliente, o sol já havia se condensado em um globo laranja-vivo, e só tivemos tempo de pegar suéteres e garrafas de água antes de subirmos ao terraço.

Depois de nos servir um jantar apressado e casual, Ana levou Bapou para casa e Geoffrey comentou algo sobre comprar flores para Mathilde, então ficamos só Theo e eu. De tanto caminhar, carregar livros e passar tempo na água, estava tão exausta que todos os músculos do meu corpo doíam, então me larguei em uma das cadeiras de madeira. Lá embaixo, a caldeira reluzia, espetacular e cintilante, e suspirei, apreciando a vista.

— Nossa, que dia chato — falei, apoiando meus pés na beirada.

— Você fez um ótimo trabalho lá dentro, Kalamata.

Theo se sentou ao meu lado e se virou para mim, apoiando o rosto no encosto da cadeira. Ele não parecia nem um pouco cansado da correria na livraria. Para falar a verdade, acho que estava ainda mais energizado. Ele e Ana pareciam ter uma bateria que nunca descarregava.

— Gostaria de promovê-la a funcionária não remunerada de meio período.

— Eu aceito.

— Que bom, porque fiz uma coisa pra você.

Ele enfiou a mão no bolso e me entregou um pequeno disco de plástico com um alfinete atrás. Meu próprio crachá. OLIVE NÃO.

— Você se acha tão engraçado — falei, o crachá virado para cima na palma da minha mão. — Como você fez isso?

— Eu *sei* que sou engraçado — corrigiu ele. — Temos uma máquina de crachá na caverna. Acho que tivemos, sei lá, uns trinta estagiários diferentes no verão passado, então minha mãe comprou a própria máquina.

— Incrível.

Prendi o crachá cuidadosamente na minha camiseta de EQUIPE, logo acima do coração, e Theo fez um sinal de aprovação.

Minha pele coçava dos respingos do mar, e meu cabelo era um monte de grumos salgados. Não me lembrava da última vez que tinha passado tanto tempo sem me olhar no espelho. Algo em Oia fazia com que eu não me importasse.

— Você acha que meu pai vai voltar à livraria hoje? — perguntei, olhando para trás.

A multidão do pôr do sol começava a se animar, e ouvíamos muitas vozes e risos.

Theo balançou a cabeça.

— Provavelmente não. Ele tem andado numa correria desde que descobriu que você vinha. Além disso, ele se joga de cabeça na filmagem. Acho que precisa de uma noite de folga.

— É justo.

Ficamos em silêncio por um instante vendo o sol baixar. Era um milagre Theo ficar parado por alguns minutos. Mal o sol tocou o mar, ele estendeu o braço e me cutucou de leve.

— O que houve com seu namorado? Ele ligou?

Mantive o olhar fixo no pôr do sol.

— Aham.

— E aí?

— As coisas estão... menos piores.

AMOR & AZEITONAS

— Menos piores? — Senti-o virando na minha direção. — Sinto muito, Kalamata, mas não acho que isso seja gramaticalmente correto.

Suspirei.

— Ele estava chateado comigo, mas agora não está mais. Ainda bem.

Minha voz não soou muito convincente, e senti Theo se concentrar em mim. Parecia que ele dava zoom mesmo quando não estava com a câmera.

— Por que ele estava chateado com você?

O sol havia criado um caminho dourado pela água, e meus olhos arderam ao acompanhar a linha ondulante. Eu não ia contar ao Theo sobre a RISD, mas podia contar o resto.

— Eu ia viajar com ele e os amigos, mas tive que cancelar no último minuto para vir para cá.

Pausa.

Arrisquei olhar para ele e vi que me encarava com intensa incredulidade.

— Ele está chateado porque você cancelou uma viagem para passar um tempo com seu pai, que não via desde os oito anos?

Ai. Ouvir Theo descrever a situação daquela forma fazia o Dax parecer injusto.

Cruzei os braços, voltando a encarar a água.

— Não é só isso. Acho que sou uma decepção para ele no geral.

Eu nunca tinha dito aquelas palavras antes, nunca tinha sequer formulado o pensamento, mas reconhecia que eram verdade. Havia um peso que eu sentia às vezes. Será que o pôr do sol estava libertando alguma coisa dentro de mim?

Pelo canto do olho, vi Theo erguer as sobrancelhas.

— Por que ele estaria decepcionado? Você é incrível. Quer dizer, sim, você ronca e tem essa coisa estranha com o seu nome, mas passamos vinte e quatro horas juntos e posso dizer sinceramente que só enjoei de você em uma delas.

— Theo — resmunguei.

— Tá, duas. Mas, sério, por que ele estaria decepcionado com você?

— Provavelmente não está. Esquece. — Senti uma onda de ansiedade se aproximando e mudei de assunto. — E você? Me conta mais sobre o que aconteceu com sua namorada.

Ele inclinou ligeiramente a cabeça.

— Nada além do que já contei. Eu me mudei e ela ficou em Londres.

Esperei que ele explicasse melhor.

— Então o que houve? O relacionamento a distância não deu certo?

Ele já tinha respondido àquelas perguntas, mas eu estava louca por qualquer distração. Pensar naquilo fez meu estômago revirar. Quando Dax fosse para a faculdade no outono, estaríamos na mesma situação. Isso se conseguíssemos sobreviver ao verão.

Ele balançou a cabeça.

— Como eu disse, esse negócio de relacionamento a distância não funciona para mim.

— Mas várias pessoas dão um jeito.

Havia um toque de desespero na minha voz. Onde quer que eu escolhesse estudar, Dax e eu passaríamos o primeiro ano separados.

Theo balançou a cabeça de novo.

— Quando meus pais estavam juntos, nos mudávamos a cada um ou dois anos. No começo, tentei manter minhas amizades, mas depois de um tempo percebi que passava o tempo todo com saudade de alguém, e isso dificultava aproveitar o lugar onde eu estivesse no momento. Então agora tenho essa regra inflexível:

nada de amizades ou namoro a distância. Não valem o sofrimento de tentar fazê-los durar.

— Viver o presente — falei, pensando na minha aula de ioga na escola.

Fazia sentido, ainda que fosse triste.

— Então... quando eu for embora de Santorini...

— Você vai estar morta para mim — disse Theo prontamente.

— É isso. Nunca mais nos falaremos.

Eu ri, mas senti uma pontada estranha no peito.

— Bom saber.

Ele deu de ombros.

— Gosto de ser sincero. Demy também sabia como as coisas seriam. Foi divertido enquanto durou, mas, depois que me mudei, tentar ficar juntos teria estragado todas as boas lembranças. Era hora de ela aproveitar a faculdade. Tenho certeza de que Demy está namorando e se divertindo, e é assim que deve ser.

Ele parecia tão *maduro*. Senti um frio na barriga de pensar em Dax indo para a faculdade. Será que ele ia querer namorar outras pessoas, curtir a vida universitária? E quando eu contasse que não planejava ir para a mesma faculdade que ele?

— Quer dizer que ela estava tranquila com isso?

— Hã...

Ele desviou o olhar, de repente tímido.

— Ah, lembrei. Vocês ainda são amigos, só do tipo que não se falam — comentei, repetindo o que ele dissera na noite anterior.

Encarei Theo por mais um instante. Era estranhamente satisfatório vê-lo evitar o *meu* olhar, para variar.

— Theo, qual é. Você gostava *mesmo* dela? Porque meu alerta de mentira está apitando agora.

Seus lábios se abriram em um sorriso.

— Kalamata, não estou mentindo. É a verdade. Eu gostava muito dela. Ela era divertida e inteligente. Mas de que adianta?

Na melhor das hipóteses, passaríamos meses definhando de saudades um pelo outro...

— *Definhando*? — falei, incrédula. — Estamos nos anos 1950?

Ele me ignorou.

— ... falando ao telefone tarde da noite, depois viriam as viagens caras pra lá e pra cá, e as ligações e visitas acabariam se tornando cada vez menos frequentes, chegariam o ciúme e as brigas... — Ele deixou escapar um forte suspiro. — Entendeu? Desastre.

Ergui as sobrancelhas.

— Parece que você já passou por isso antes.

— Não vou confirmar nem negar. Mas é uma boa regra, Kalamata. Aproveite o momento e leve as lembranças embora como um souvenir. É o mantra da minha vida. Você pode tentar, por mim?

Ele deitou a cabeça no encosto de novo, seu olhar encontrando o meu. O brilho alaranjado do céu refletia em sua pele, fazendo os olhos dele parecerem ainda mais escuros, e por um instante me perguntei se ele estaria insinuando algo. Será que estava sugerindo que eu aproveitasse o momento ali com *ele*? Seria a proposta de um romance?

Meu braço ficou todo arrepiado.

— Theo... — comecei, mas naquele exato momento o sol atingiu o ponto sem volta, e a multidão atrás de nós irrompeu em aplausos enquanto uma rajada de vento chegava à ilha.

— Viu só? Desse jeito — disse Theo, e mostrou o céu agora arroxeado, o cabelo voando em seus olhos. — Aproveite o momento. Vou dar uma olhada no Bapou. Vejo você daqui a pouco?

— Claro — consegui dizer.

Ele se levantou de um pulo e desapareceu escada abaixo, me deixando desorientada e um pouco atordoada. Era óbvio que Theo queria que fôssemos amigos e nada mais. Por que eu pensava o contrário toda hora?

AMOR & AZEITONAS

***

Era muito sufocante ficar na livraria, então, depois de me livrar de todos os sentimentos confusos que Theo despertara, fui buscar meu caderno de desenhos e pastéis a óleo. Os pastéis eram ainda melhores do que eu imaginava — vibrantes e macios, como manteiga na temperatura certa. Fiquei sentada desenhando por mais ou menos uma hora, apreciando o silêncio e observando o penhasco se iluminar, uma luz após a outra em meio à escuridão. Eu trabalhava num esboço da baía de Ammoudi quando Theo apareceu.

— Vamos ver os domos azuis.

Continuei com o olhar concentrado no caderno de desenho.

— Está falando daqueles no penhasco? Eu os vi da água hoje de manhã.

De acordo com os cartões-postais e as obras de arte exibidas ao longo da rua principal de Oia, a igrejinha branca com domos azul-cobalto era a mascote do vilarejo. A imagem estava por toda parte.

— Mas você já os viu de perto? Ou à noite?

Fiz que não.

— Para vê-los eu teria que caminhar? Porque acho que por hoje chega.

Ele colocou a mão sobre o meu caderno de desenho, tomando o cuidado de não tocar na página de fato.

— Kalamata, as pessoas vêm do mundo inteiro para ver os domos azuis de Oia, e você vai vê-los à noite. Nem que eu tenha que carregar você até lá. Além disso, vou confiscar seu telefone para você não ficar olhando para ele a noite toda. Vamos.

Santorini à noite tinha uma personalidade completamente diferente: fria e melancólica, com uma quietude serena que parecia dizer que era melhor andar na ponta dos pés. Os únicos sons eram o oceano, algumas vozes ocasionais e o ruído dos talheres que vinham dos pátios dos restaurantes.

A noite também tornava Oia ainda mais impenetrável. Sem prestar atenção, era fácil se perder pelas vielas estreitas e sinuosas. A maioria dos prédios era da mesma altura e, fora a rua principal, não parecia haver muito planejamento envolvido no desenho da cidade. O branco constante só piorava as coisas, mas Theo seguia confiante, certo do trajeto que estávamos fazendo.

Passamos pelo corredor principal até Theo virar à direita em uma joalheria chique, entrando em um caminho estreito, e logo estávamos serpenteando pela confusão de prédios aninhados no penhasco. As casas construídas diretamente nos rochedos pareciam pequenas cavernas, com janelas em miniatura e portas pelas quais a maioria dos adultos teria que se abaixar para passar. O caminho que as atravessava era confuso, cheio de curvas irregulares, degraus de alturas diferentes e becos sem saída.

— Este lugar é um labirinto — falei, de olho nos degraus enquanto o seguia.

— De propósito — respondeu Theo, olhando para mim por cima do ombro. — Os piratas eram uma grande ameaça, então as pessoas na ilha pintavam as casas de branco para que à distância a cidade se misturasse com a paisagem e os piratas não notassem um novo lugar para saquear. E, caso os piratas chegassem, só os moradores saberiam se virar pelas vielas, o que tornaria mais fácil confundir os invasores e ter tempo de escapar.

Distraída com a aula de história, escorreguei em um degrau particularmente desnivelado, mas recuperei o equilíbrio quando Theo segurou minha mão. Não dissemos nada, e ele não largou; nem sequer olhou para mim. Em vez disso, segurou minha mão com mais força e continuou descendo. Eu deixei, porque o caminho escorregadio tinha se tornado letal e porque meu coração estava dolorido e descompassado, e segurar a mão de alguém me deixava um pouco melhor.

Theo continuou a explicação.

— Quando os piratas já não eram mais um problema tão grande e os turcos otomanos invadiram, o branco e o azul se tornaram um ato de rebelião. Os turcos não deixavam os moradores estenderem suas bandeiras, então eles pintavam as casas das cores da bandeira.

— Rebeldes — falei, olhando para a encosta.

Oia tinha uma beleza sonolenta, mas sua história lhe conferia muito mais energia. Aquilo fazia sentido. Meu pai sempre fora um grande rebelde — não se importava com o que ninguém pensava. Talvez parte dessa atitude tivesse vindo de sua cidade natal.

A mão de Theo continuava quente e firme na minha, e eu esperava que ele soltasse a qualquer momento. Mas não soltou, e eu também não me afastei. Apesar de aquilo fazer meu rosto arder, parecia me equilibrar — emocional e fisicamente.

Volta e meia eu tinha vislumbres dos domos azuis enquanto Theo me guiava habilmente pelo labirinto, finalmente parando em frente a uma corda de seda com um cartaz que dizia PARTICULAR. Além dela, os domos apareciam plenos e dominantes, iluminados por holofotes na escuridão, o azul-cobalto se destacando em meio a todo o branco. Theo tinha razão. Eram lindos.

Ele soltou cuidadosamente minha mão, que agora formigava. Eu a enfiei no bolso. Observamos em silêncio por um instante.

As fotos não faziam jus aos domos. Nem as pinturas. Nada fazia, a não ser estar ali. Soltei o ar lentamente.

— Tá bem, você venceu. Valeu a pena.

— Eu avisei.

Girei para olhar as janelas de venezianas escuras ali perto. Um pátio fechado abrigava uma banheira de hidromassagem, e alguém havia deixado duas taças de vinho numa beirada próxima. Algumas das casas estavam iluminadas, mas a maioria estava escura e silenciosa.

— O que são essas construções? — perguntei.

— Casas-cavernas. Depois que meus pais se divorciaram, o plano original da minha mãe era investir em algumas dessas e alugá-las para turistas. Mas então ela se reconectou com seu pai, e eles tiveram a ideia da livraria.

Theo apontou para a casa-caverna mais próxima de nós e continuou:

— Antigamente, os pobres de Oia viviam nas casas-cavernas, mas agora é o contrário. Adivinha quanto custa uma dessas hoje em dia?

Olhei para a que estava mais perto nós. Parecia menor do que qualquer lugar em que minha mãe e eu tínhamos morado, com duas janelinhas e um pátio com espaço suficiente apenas para uma cadeira e uma mesinha lateral minúscula.

— Não faço ideia.

— Três milhões de dólares.

Meu queixo caiu.

— Sério?

— Sério — disse ele. — As pessoas querem a experiência de viver em Oia. E tudo aqui é voltado para os turistas. A ideia do seu pai de abrir uma livraria para turistas foi brilhante. Era a única coisa que faltava em Oia. E a temática de Atlântida deixou as pessoas ainda mais interessadas.

Theo tinha razão, é claro. A ideia era de fato brilhante. Se não fosse pela busca por Atlântida, meu pai muito provavelmente teria sido um empresário de sucesso. Senti meu humor se abater um pouco.

— Você gosta de morar na livraria?

Ele deu de ombros.

— Não desgosto. E, depois que meu avô foi morar com a gente, a casa ficou cheia demais. Preciso de espaço. Além disso, é bom sempre ter o que ler.

Meu celular apitou no bolso de Theo, quebrando o silêncio. Achei que teria de lutar pelo aparelho, mas ele me entregou sem olhar para a tela. Era uma mensagem da minha mãe. Não sei bem por que pagamos um plano telefônico supercaro para você se ignora todas as minhas ligações. Está tudo bem? Tem comido seu peso em queijo feta? Julius quer que eu pergunte se você viu algum ninja grego. Como está a filmagem?

Eu ri, mas de repente fui invadida pela saudade de casa. Sentia saudade do meu irmãozinho ninja, da minha mãe e do James. O máximo de tempo que eu passara longe deles tinha sido durante o acampamento de arte, que durou só três dias.

— Dax? — perguntou Theo, olhando para mim.

Fiz que não, sentindo um peso no peito de novo.

— Minha mãe. Parece que ela tentou me ligar várias vezes hoje.

Ele me observou por um instante.

— Sei que já ultrapassei todos os limites hoje, mas posso perguntar algo pessoal?

— E você por acaso faz perguntas que *não* sejam pessoais?

Minha risada saiu aguda demais, e a interrompi rapidamente. Theo arregalou os olhos com um ar de provocação, batendo o ombro contra o meu.

— Não sou um *monstro*, Kalamata. Se você disser que não, eu paro de falar. Juro.

— Jura?

Era preciso um verdadeiro esforço para desviar os olhos dos dele. As pessoas pagariam por aqueles cílios.

— Juro.

Ele colocou a mão sobre o peito para confirmar.

Fiquei tentada a recusar a pergunta, mas minha curiosidade falou mais alto. Estava na cara que o Theo tinha mais a dizer sobre a situação com o meu namorado, e eu estava pelo menos um *pouquinho* interessada em saber o que era. Além disso — e não queria parar para pensar muito a respeito —, eu ainda estava me sentindo um pouco agitada por ter dado a mão a ele e precisava esquecer aquilo.

Então me endireitei, e uma brisa passou entre nós, bagunçando nosso cabelo.

— Está bem. O que foi?

Theo mordeu o lábio inferior e se inclinou um pouco para a frente.

— Você já perguntou para ele por que foi embora?

Meu cérebro ficou confuso por um instante até minha ficha cair. Ele não estava falando sobre o Dax. Estava falando sobre o meu pai. *De novo.*

Meu rosto ficou quente, e eu recuei o máximo que pude, tomando cuidado para não tropeçar.

— Theo, eu já expliquei. Ele foi embora para procurar por Atlântida.

Theo se moveu junto comigo, os olhos suplicantes.

— Mas você chegou a *perguntar* a ele? Alguma vez já perguntou os motivos dele? Porque algo nessa história não bate. Seu pai não parece do tipo que abandonaria você.

Não. Nada disso.

— Bem, mas *abandonou.* — Qual parte Theo não conseguia entender? — Olha, estou feliz de estar aqui com você vendo os domos e tudo mais. Mas estou encerrando oficialmente o assunto.

Por que Theo estava tão determinado a defender meu pai? Mesmo tirando Atlântida da jogada, meu pai *tinha* deixado minha mãe e a mim. Independentemente dos motivos, suas ações tinham sido bem claras.

Theo hesitou, erguendo a mão para tocar a minha.

— Mas seu pai não parece...

Balancei a cabeça com raiva.

— Theo, eu disse que *não*. Você prometeu.

A palavra teve um efeito visceral sobre ele. Theo congelou, então baixou a mão.

— Está bem. Desculpa.

Esperei, incrédula, por alguns segundos de silêncio.

— Tudo bem?

Ele deu de ombros.

— Você tem razão. Eu prometi. Se não quiser falar sobre isso, não vamos falar. Mas algumas pessoas merecem uma segunda chance. Nem todas. Só algumas.

— Theo...

Ele ergueu as mãos.

— Acabei. Acabei mesmo. Não vou falar mais nada sobre o seu pai.

— Jura?

— Juro.

— Obrigada.

Apesar de seu histórico, eu sabia que podia acreditar nele. Não voltaríamos a falar sobre o meu pai. Então, onde estava o alívio?

Olhamos um para o outro por um tempo, nossos rostos iluminados pelos domos. O som do oceano lá embaixo era relaxante como um spa, mas eu não conseguia deixar de pensar que algo sinistro se aproximava. Um passo em falso e tudo desmoronaria. E seria possível que parte de mim estivesse gostando que alguém me fizesse todas aquelas perguntas difíceis?

O silêncio se estendeu até eu não aguentar mais. Respirei fundo.

— Vamos sair daqui antes que algum pirata apareça.

E antes que eu comece a pensar em seus cílios outra vez. Havia algo em Theo que tornava difícil desviar o olhar.

Capítulo 14

#14. ESBOÇO EM MINIATURA DA BAÍA DE AMMOUDI

Um dia, meu pai e eu estávamos fazendo meu dever de casa na biblioteca, e perguntei se ele tinha uma foto do lugar onde havia crescido. Ele disse que não, mas se ofereceu para desenhá-lo para mim. Meu pai rabiscou rapidamente e, em seguida, deslizou o papel até mim. Não era uma casa ou um apartamento, como eu esperava. Era o oceano, um litoral ondulado que levava até penhascos a distância.

— Mas onde você morava? — perguntei.

— Lá — disse ele, apontando para o desenho.

Eu não entendi. Mas, antes que eu pudesse insistir, ele se levantou e perguntou se eu queria ir tomar uma casquinha de sorvete com granulado colorido, e as leis da infância proclamam que nada supera um sorvete, principalmente se tiver granulado colorido.

Fiquei surpresa ao encontrar o desenho na prateleira de cima de seu armário. Imaginei que ele tivesse jogado fora com a mesma facilidade com que o desenhou. No entanto, ele o detalhara, sombreando a água e definindo construções nos penhascos. Era lindo, mas não parecia um lar.

OS DIAS SEGUINTES SE PASSARAM NUM BORRÃO DE filmagem, protetor solar e momentos delicados com meu pai, suavizados pela presença de Theo. Entramos numa rotina: acordar cedo, reunir nossa quantidade obscena de equipamento, ir para o barco, trabalhar em nossa lista de tomadas e depois voltar depressa a Oia para ajudar na livraria até a hora de fechar, em seguida o pôr do sol, o jantar e editar/desenhar no terraço até estarmos cansados demais para ficar de olhos abertos. De novo e de novo.

Aquilo era suportável. Era realmente suportável. Não só Theo tinha parado de falar sobre minha reconciliação com meu pai, como meu pai também parecia contente em manter os papos num nível superficial. Não era nem um pouco confortável, mas eu poderia lidar com aquilo por mais uma semana.

Dax tinha voltado a me mandar mensagens — alívio —, mas notei que eu já não ficava pairando em volta do celular como antes. Eu nunca admitiria aquilo para minha mãe, mas ela tinha razão. Embora eu gostasse da minha vida social em Seattle, também era muito bom estar longe do barulho, do caos e das pressões e simplesmente *ser*. Mais de uma vez percebi que acidentalmente deixara meu celular no quartinho e passei dias inteiros felizes na água, sem me preocupar com o que estava acontecendo em Balboa. Já fazia um tempo que não me sentia tão livre.

Apesar das ruínas emocionais que meu pai e eu tentávamos contornar delicadamente, os dias ganharam velocidade, provavelmente por estarem tão cheios. Theo e meu pai eram perfeccionistas quanto ao conteúdo das tomadas, e eu, com relação ao visual de tudo. Acabou que eu levava mesmo jeito para a produção de filmes. Quando chegávamos ao local da gravação, eu olhava em volta, confiando em meus olhos para escolher o lugar perfeito para filmar. Era como se eu ouvisse um sininho e pronto: eu *sabia*. Também saí para comprar um figurino novo para o meu pai e até o convenci a atualizar os óculos, o que melhorou imensamente sua aparência.

Refazíamos três ou quatro vezes a maioria das tomadas, o que era um problema, porque, onde quer que estivéssemos, as pessoas se aglomeravam ao redor da câmera, curiosas para ouvir o que meu pai estava falando ou para compartilhar suas próprias teorias sobre Atlântida. Eu não fazia ideia de que a população em geral ficava tão intrigada com a história. Se o documentário ficasse tão bom quanto eu imaginava, poderia ser um grande sucesso.

Também filmamos os penhascos na parte interna de Santorini, mostrando como as cinzas e as pedras-pomes da explosão do vulcão criaram camadas multicoloridas de rocha. Camadas que realmente era possível ver. A certa altura, meu pai disse que, se quisesse tocar Atlântida, bastava tocar aquela camada inferior, e a frase era tão boa que o arrastei e o fiz repetir tocando a rocha de fato. Sinceramente, fiquei um pouco emocionada ao ver aquilo e, quando ninguém estava olhando, estendi a mão e toquei rapidamente. Não senti Atlântida, o que não era de se estranhar. Senti rocha.

No quarto dia de filmagem, acordei de um sonho com água. Pela primeira vez, eu não estava me afogando. Quando abri os olhos, a luz do sol entrava pela nossa janela compartilhada. Como de costume, a cama do Theo já estava vazia e perfeitamente arrumada, com uma pilha de livros no travesseiro.

AMOR & AZEITONAS

Eu me espreguicei, animada. Não sabia se era o rap francês ou a exaustão absoluta, mas, desde que chegara em Oia, eu não tinha tido um único pesadelo.

Àquela altura, eu era uma navegadora experiente do quartinho. Abri a porta da estante com calma, olhando cuidadosamente para dentro da livraria. Vazia. Perfeito. Desci.

Depois de tomar um banho rápido na caverna, peguei meu par de tênis mais resistente e subi até o terraço, onde encontrei Ana e meu pai com xícaras fumegantes de café nas mãos, falando baixinho em grego. Era uma manhã fria, a névoa ainda tênue no horizonte, e, quando ouvi suas vozes, diminuí instintivamente o passo.

Ana falava apressadamente, o tom nervoso, e parecia que meu pai tentava tranquilizá-la sobre alguma coisa. O que seria? Tentei escutar um pouco, mas eles falavam muito rápido e não consegui pescar mais do que algumas palavras em grego. Eu espiava no canto quando meu pai me avistou e se levantou depressa no meio da frase.

— Liv!

Pega no flagra.

— Bom dia, pai. Está se sentindo melhor? — perguntei, juntando-me a eles.

Meu pai se empenhava ao máximo no trabalho e, quando voltávamos a Oia, geralmente estava tão exausto que pulava o jantar e ia direto para a cama. Naquela manhã, sua cor tinha voltado ao normal e seus olhos brilhavam de novo, o que era bom, porque tínhamos muito o que filmar.

— Uma boa noite de sono cura quase tudo — respondeu ele, sorrindo. — Me contaram que Bapou fez sua famosa mussaca.

— Estava uma delícia.

Minha boca encheu de água só de lembrar. A mussaca de Bapou era feita com berinjelas cortadas bem finas, cordeiro bem temperado e um saboroso molho bechamel. Depois de um longo dia de trabalho, parecia que eu tinha morrido e ido para um paraíso com cheiro de orégano.

— Pronto para o dia da egiptologia? — perguntei.

Naquele dia, íamos filmar os meandros da teoria de que Santorini era a Atlântida do meu pai e, depois que decidi que a melhor locação seria o interior da livraria, Theo e eu viramos a noite arrumando o cenário. Tínhamos limpado a mesa e pendurado alguns dos mapas do meu pai na parede, e eu passara quase uma hora organizando livros e bugigangas para fazer parecer que estávamos no escritório de um grande especialista em Atlântida. Tive que admitir que havia ficado ótimo, e Ana concordara em fazer uma rara exceção à sua rotina de abrir a livraria logo cedo. A loja abriria ao meio-dia.

Os ombros do meu pai caíram em resignação.

— Liv, mil desculpas, mas temos um pequeno… conflito.

A palavra "conflito" interrompeu minha linha de raciocínio. Aquilo e o olhar penetrante que Ana lançou para o meu pai.

— Como assim? — perguntei.

Ele deu de ombros como quem se desculpa.

— Sinto muito, mas surgiu um imprevisto na ilha principal. Preciso pegar a próxima balsa para Atenas. Vocês vão ter que fazer a filmagem de hoje sem mim.

— Mas… — hesitei, nervosa. — Como? Hoje é sobre você e sua teoria. Não podemos filmar sem você aqui. Já montei o cenário dentro da livraria.

Seu rosto mostrava decepção.

— Sei que é inconveniente e sinto muito. Já falei com o Theo. Vocês dois farão o máximo que for possível, e eu continuo de onde pararem assim que voltar à tarde.

Eu estava muito confusa. Só nos restavam mais alguns dias, e perder um só que fosse colocava o nosso prazo em risco. Ele sabia daquilo melhor do que ninguém. Além do mais, ele ia mesmo embora no meio da minha visita? O chão sumiu sob meus pés como aconteceu no aeroporto, quando percebi que meu pai não estava lá, e de repente prendi a respiração.

Respira, Liv. Você não tem mais oito anos. Ele não pode abandonar você de novo.

Endireitei os ombros, espantando o pânico.

— Qual o imprevisto em Atenas?

Ana e meu pai trocaram outro olhar.

— Bem... — começou ele.

— Negócios, sempre negócios — suspirou Ana. — Seu pai infelizmente tem que fazer muita coisa para manter a livraria funcionando. Tivemos umas complicações com a licença comercial.

Licença comercial?

— Mas... a livraria não está aberta há mais de um ano? — perguntei, olhando em volta.

— Complicações — repetiu Ana, revirando os olhos.

Naquela manhã, ela usava um vestido longo mostarda com detalhes em renda, e seus pés, como sempre, estavam descalços. Ela devia ter pintado as unhas do pé recentemente, porque estavam num tom vivo de rosa.

Meu pai colocou a mão no meu ombro.

— Estarei de volta no fim da tarde para retomar a filmagem. Depois, você gostaria de ir comigo a um cruzeiro ao pôr do sol? Você precisa ver o sol se pondo de dentro da água antes de ir embora.

Eu ainda tentava me recompor, reconfigurar o dia na minha cabeça. Se ele tinha que ir, tinha que ir. Nós daríamos um jeito. Eu tiraria uma foto do cenário e poderíamos recriá-lo quando ele voltasse.

— Ana e Theo também vão?

Ele fez que não.

— Pensei em sairmos sozinhos hoje.

Meu estômago revirou dramaticamente. Até aquele momento, minha visita tinha sido suavizada pelo trabalho, por Ana e por Theo. Sem eles, sobre o que falaríamos?

— Vai ter um pequeno grupo no cruzeiro — disse meu pai depressa, como se pudesse ler minha mente. — Um amigo meu é dono do iate. Vamos jantar, vai ter música. Vai ser uma noite ótima.

Olhei para a água. Eu já tinha visto barcos acompanhando o pôr do sol pela caldeira à noite e, apesar do potencial constrangimento, parecia... legal.

— Tá — falei, cautelosa.

Ele pendurou a mochila nos ombros.

— Maravilha. É um evento mais arrumadinho, ainda que nada muito sofisticado. Pego você às quinze para as seis?

Eu tinha mesmo topado um evento pai e filha? Tinha, sim. Assenti, nervosa demais para falar, e ele me deu um abraço rápido, então desapareceu escada abaixo, disparando na velocidade de sempre.

É UMA MÁ IDEIA, meu cérebro prestativo me alertou. Era tarde demais para desistir, e eu passaria o dia todo preocupada com o cruzeiro.

— Desculpa por estragar seus planos de hoje — disse Ana, vendo meu pai seguir pela rua. — Nossa licença tem sido uma dor de cabeça. Com sorte, hoje ele resolve isso.

Fiz que sim, mas não conseguia conter aquela sensação. Mais uma vez, meu pai colocava suas prioridades acima dos nossos planos e me deixava sozinha para lidar com as consequências. A parte mais difícil daquilo tudo era desejar que não me afetasse tanto.

Ana me avisou que Theo tinha ido nadar, então, enquanto o esperava voltar, acampei no terraço. Eu tinha planejado aguardar completamente pronta, mas me deixei distrair pelo meu caderno, então ainda estava de pijama, tentando desenhar os domos azuis de memória enquanto ouvia Geoffrey falar com uma cliente britânica junto à entrada da loja. Ela pedira uma leitura para a praia, e ele estava exaltando *As vinhas da ira*.

— Às vezes, o desolador é o que faz o belo se destacar — explicou Geoffrey. — Sem a escuridão, poderíamos notar as estrelas?

Devia ser um dia ruim com a Mathilde.

— Não acho que quero ler sobre a Grande Depressão americana nas férias. Que tal uma comédia romântica? Algo leve?

A mulher começava a soar desesperada.

— Que tal *Anna Karenina*? — sugeriu Geoffrey. — *Isso* é que é história de amor.

Não tinha percebido que Theo estava de volta até ouvir sua voz por cima do meu ombro.

— Está ficando ótimo — disse Theo, o cabelo molhado pingando no meu caderno. — Ah, não!

— Não tem problema — assegurei-lhe, tirando a água. — É um esboço descartável. E só está bom por causa dos pastéis a óleo que meu pai me deu. São incríveis.

Levantei o caderno ao sol para ver melhor.

— É como dizer que uma refeição está deliciosa porque foi servida num prato bonito — disse Theo, jogando-se na cadeira ao meu lado. — Você é muito modesta.

Dei de ombros, depois fechei meu caderno e me virei para ele.

— Você acredita que meu pai foi para Atenas hoje? Tivemos tanto trabalho arrumando a livraria ontem à noite.

— Ninguém morre de fome *per se* — ouvi Geoffrey dizer lá embaixo, ainda defendendo sua posição enquanto a cliente murmurava uma resposta.

O olhar de Theo tinha corrido para a caldeira.

— A licença comercial tem sido um problema sério.

Eu ainda estava lutando com meus sentimentos sobre o caso. Meu pai não havia abandonado nossos planos. Tinha surgido um problema. Minha reação era ridícula.

— Isso significa que vamos perder um dia inteiro. Você não está preocupado?

— Um pouco. Mas o que podemos fazer? Ter um negócio em Santorini definitivamente vem com suas dificuldades. Eles tiveram de enfrentar um monte de burocracia pra manter a loja funcionando, e seu pai tem que cuidar de toda a papelada.

Ele cruzou um tornozelo sobre o joelho, e fiquei vendo Theo balançar o pé, ansioso, o olhar ainda distraído em direção à água.

Encarei seu pé em movimento, me perguntando para onde tinha ido o Theo sincero e direto ao ponto. Claro, ele estava preocupado com a mãe e a livraria. Dava para entender. Para minha sorte, eu sabia como fazê-lo parar de pensar naquilo. Olhei de volta para a direção de onde vinha a voz de Geoffrey.

— Então você não se interessa pela seca que agravou a Grande Depressão — disse Geoffrey. — Que tal *1984*, do Orwell?

A cliente bufou.

— Você está brincando? Esse livro é uma tragédia distópica. Uma leitura de praia. Eu quero uma leitura de praia.

Guardei o pastel que segurava na caixa, então bati de leve no pé do Theo com o meu.

— Como diretora de fotografia, gostaria de fazer uma sugestão. Não, na verdade, eu gostaria de tomar uma *decisão*.

Theo moveu suavemente o olhar até o meu e arqueou uma sobrancelha.

— Então, antes você não queria o cargo e agora está com sede de poder?

Acenei a mão como se não desse importância.

— Escuta. A filmagem de hoje deveria estabelecer a credibilidade da teoria do meu pai. O que me deu a ideia de contratar um narrador que pudesse ajudar com isso.

Ele franziu a testa.

— Como assim?

— *O senhor das moscas?* — ressoou a voz do Geoffrey. — *A redoma de vidro?*

— Você *já foi* à praia?

Endireitei-me, sentando mais para a frente na cadeira. A ideia só estava parcialmente formada quando comecei a falar, mas tomava corpo.

— Você não acha que a teoria do meu pai soaria mais legítima se os fatos viessem de outra pessoa que não ele? Na maior parte do filme, ele aparece explicando e contando a história. Mas e se tivéssemos uma segunda voz, meio que dando apoio? Um narrador também poderia amarrar as cenas e explicar onde meu pai está e o que estamos filmando. Meu pai não teria que falar o tempo todo. Poderíamos mostrá-lo em ação. Vagando pelas ilhas, filosófico e melancólico.

Os olhos de Theo se iluminaram, e ele sentou mais para a frente.

— Kalamata, isso é brilhante!

Vai embora, frio na barriga.

— Você é *boa* nisso — acrescentou.

Procurei me acalmar, para disfarçar as bochechas avermelhadas, e cutuquei o braço dele.

— Não fique tão surpreso. Precisamos de alguém que tenha uma voz boa e firme para dar às ideias do meu pai mais seriedade. Alguém que pareça saber tudo. Como aquele cara que narra trailers de filme. Sabe de quem estou falando? É o que faz todas as divulgações dos filmes americanos. — Deixei a voz o mais grave possível. — Em um mundo...

— Isso. O narrador dos trailers seria perfeito. Mas você acha mesmo que ele estaria passeando numa pequena ilha grega?

Theo olhou para a frente e para trás dramaticamente.

— Mas às vezes você não *precisa* de esperança — insistia a voz do Geoffrey.

Eu sorri.

— Vem comigo.

Theo me seguiu até a livraria, onde Geoffrey sorria, olhando para o celular. Sua cliente devia ter fugido.

— Oi, Geoffrey — falei.

Ele gesticulou com o aparelho.

— Três chamadas perdidas da Mathilde enquanto eu ajudava aquela cliente.

— Geoffreyyyyy — gemeu Theo, mas pisei no pé dele, fazendo-o calar a boca.

Não estávamos ali para debater a existência de namoradas bailarinas. Estávamos ali para — como eu tinha lido em um dos muitos sites de cinema que andara visitando nos últimos dias — *elevar nosso filme.*

— Ei, Geoffrey, o Canadense. Tenho uma pergunta para você...

Geoffrey, o Canadense, era um excelente locutor por vários motivos: não só ele tinha uma voz inexplicavelmente perfeita, mas a tal voz era barata (só tivemos que comprar uma granita de uma barraquinha perto do ponto de ônibus), e Ana estava disposta a emprestá-lo durante o dia, com a condição de que ajudássemos na correria da tarde.

Primeiro, Theo e eu nos entocamos no quartinho para listar todas as nossas ideias, levantando o máximo de detalhes possível sobre a teoria de Atlântida do meu pai. Então, escrevemos um roteiro e pedimos a Geoffrey para praticar algumas vezes, acertando os pontos que pareciam muito cafonas ou exagerados.

Passamos quase a manhã inteira e um pouco da tarde gravando Geoffrey na caverna, em parte porque a acústica era boa, mas principalmente porque todos os outros lugares estavam lotados. Entre as tomadas, nos revezávamos ajudando na livraria e abanando uns aos outros com um grande papelão que encontramos em cima de uma caixa.

Quando terminamos, estávamos banhados de suor e eu nunca mais queria ouvir falar de *civilizações perdidas* ou *fluxos piroclásticos*. A boa notícia era que eu tinha razão. Quando Theo colocou um rápido trecho da narração sobre algumas das filmagens que já tínhamos, ficou mesmo mais profissional. *Muito* mais profissional.

A má notícia era que, apesar dos meus esforços, o projeto não tinha me feito parar de pensar no jantar com o meu pai. Era pedir muito.

Como prometido, trabalhamos durante a correria da tarde. Depois, Theo saiu depressa para fazer algumas tomadas panorâmicas enquanto eu seguia até a caverna para um segundo banho e tentar descobrir o que seria um traje apropriado para o iate. Provavelmente por conta do nervosismo em relação a passar um tempo com meu pai, eu não conseguia decidir o que vestir. Tudo o que sabia sobre iates vinha de videoclipes. Em algum momento, começariam a jogar dinheiro para o alto enquanto mergulhávamos no oceano?

Talvez eu estivesse esquentando demais a cabeça com aquilo.

Experimentei dois vestidos diferentes, uma saia e um macacão antes de escolher o primeiro vestido: o longo com decote em V que tinha usado na formatura do Dax. Em seguida, achei um pequeno secador embaixo da pia e arrumei o cabelo, me maquiei e calcei minhas sandálias plataformas preferidas. E, porque Coco Chanel disse que "uma mulher que não usa perfume não tem futuro", borrifei um pouco em mim e saí da caverna tossindo.

Se alguém precisava de futuro, era eu. *Para o alto e avante.* Eu não tinha a menor intenção de conversar sobre o passado com meu pai naquela noite. Na verdade, torcia para que nem falássemos muito.

Parte de mim desejava que a viagem do meu pai para tratar da licença comercial tivesse sido estendida, mas, assim que entrei na livraria, encontrei-o ajudando Ana no caixa. O cabelo dele estava molhado e recém-penteado, e ele usava uma das camisas de botão que eu aprovara para as filmagens, daquela vez abotoada direito. Estava também de bermuda e chinelo. Ele tinha seus limites.

Os dois ergueram os olhos quando entrei, e um sorriso tomou conta do rosto do meu pai.

— Liv, você está parecendo sua mãe.

— Obrigada.

Não me dei ao trabalho de lhe dizer o que nós dois sabíamos... que eu não parecia em nada com minha mãe loira de pernas compridas. Eu parecia com *ele*.

Havia um buquê de flores frescas no balcão, que ele pegou e trouxe para mim.

— Vi essas aqui na minha barraca de flores preferida em Atenas. Lembrei de você.

Era um buquê pequeno, as cores dispostas em uma combinação simples de rosa-claro e branco. Algo nelas *realmente* tinha a ver comigo, mas eu não sabia bem o quê. Além do mais, era só eu ou aquilo estava começando a parecer um estranho encontro de baile de formatura? Será que uma limusine decadente estava prestes a parar em frente à livraria?

Ana se aproximou depressa.

— Ah, que amor! Liv, você está um charme.

— Devo ir me trocar? — perguntei, apontando para os chinelos dele. — Porque pensei que você tivesse dito que era mais formal...

— Não mude nada — declarou Ana na mesma hora. — Você está linda.

— Concordo — disse meu pai.

— Está bem.

Afundei o nariz no buquê, inspirando profundamente. O cheiro era incrível, mas minha intenção era disfarçar o pânico que sem dúvida começava a transparecer no meu rosto. Iríamos sair sozinhos. Na última vez que aquilo acontecera, eu tinha *oito anos*. E se meu pai tentasse falar sobre a época antes de ele ir embora, ou como tinha sido depois que ele partira, ou...?

Respira, Liv.

Eu precisava me manter sob controle.

— Como foi em Atenas? — consegui perguntar. — Resolveu tudo com a licença comercial?

Tentei ao máximo disfarçar a decepção ou o que quer que fosse.

Ele e Ana trocaram um olhar rápido que não passou despercebido por mim. O que era aquilo? Arrependimento?

— Quase tudo — disse meu pai. — Mas soube que *você* teve um dia de trabalho e tanto aqui. A ideia da narração foi genial.

Fiz que sim, apreciando a sensação do chão sólido sob os meus pés. Desde que falássemos sobre o documentário, ficaria tudo bem.

— Geoffrey fez um ótimo trabalho.

— Fiz, não é? — Geoffrey veio da segunda sala, carregando uma grande pilha de livros e, quando me viu, mostrou surpresa. — Esse vestido! Me lembra o que Mathilde usou para fazer suas fotos profissionais. Infelizmente, ainda não colocaram no site, então não posso mostrar.

— Não é curioso? — disse Ana, abrindo um discreto sorriso para mim, e apontou para o relógio. — É melhor vocês dois irem logo. O barco vai atracar que horas? Às seis?

— Cinco e cinquenta — corrigiu meu pai.

Ele começou a mexer na manga da camisa, e uma verdade alarmante se abateu sobre mim. Meu pai estava tão nervoso e hesitante quanto eu. Como conseguiríamos fazer aquela noite dar certo?

— Bem...

Ele olhou para a sala como se também esperasse por algum tipo de emergência na livraria... um corte de papel letal? Uma avalanche de romances? Como nada aconteceu, ele finalmente se virou para mim.

— Vamos?

Meu pai estendeu o braço, e acenei para Ana e Geoffrey.

— Eu fico com as flores — disse Ana, pegando-as de mim.

Senti um ímpeto de agarrar seu braço e fazê-la ir junto, mas duvidava que fosse dar certo. Além do mais, eu precisava acabar logo com aquilo.

— *Au revoir* — cantarolou ela. — Tenham uma ótima noite.

Quem dera.

Meu pai segurou a porta da livraria para mim e saí para a noite clara e calma. Senti como se estivesse andando numa prancha. Bem, andando na prancha com sandálias plataforma e sabendo que um jantar refinado me esperava do outro lado.

Mas, de resto, exatamente igual.

Capítulo 15

#15. SUDOKU SEMIACABADO

Meu pai e eu buscávamos Atlântida em tempo integral e relaxávamos em bancos em meio período, todas as vezes que conseguíamos. Ele dizia que faltava aquilo nos Estados Unidos: as pessoas nunca tiravam um tempo para simplesmente ficarem sentadas. Havia um banco no Grant Park que provavelmente tinha nossos nomes escritos de tantas horas que passamos lá. Eu sempre levava um livro para colorir e uma caixa de giz de cera, e meu pai, o sudoku que estivesse fazendo, embora quase nunca pegasse no quebra-cabeça ali. Em vez disso, sentávamos lado a lado, em silêncio, absorvendo tudo.

Meu pai dizia que existiam dois tipos de silêncio, o silêncio que é vazio e o silêncio que é completo, e que nunca era difícil descobrir com qual se estava lidando. Ele tinha razão quanto a isso.

PEGAMOS O MESMO CAMINHO DE SEMPRE PARA O MAR.
Deveria ter sido mais fácil descer até lá sem todas as parafernálias que normalmente carregávamos, mas a conversa pouco natural pesava quase o dobro do equipamento de filmagem, e, quando chegamos ao castelo, eu já estava sem fôlego. Também estava tendo dificuldades para me movimentar como uma pessoa normal.

Era inspirar e depois expirar? Como as pessoas balançam os braços ao caminhar? Será que era mesmo necessário trezentas pessoas virem nos cumprimentar toda vez que passávamos?

Além disso, sandálias plataforma deveriam ser proibidas na ilha. Com o que eu estava na cabeça quando as escolhi?

Enquanto descíamos as escadas, comigo agarrada ao corrimão tentando decidir se ousava seguir descalça, meu pai começou a explicar longa e detalhadamente como funcionavam os cruzeiros ao pôr do sol na ilha enquanto eu fazia *aham* como se achasse aquilo o assunto mais interessante do mundo. Quer dizer, não que fosse desinteressante. Os cruzeiros ao pôr do sol eram um grande negócio em Santorini. A maioria deles durava quatro ou cinco horas, partindo do centro de Fira e parando em vários destinos e áreas para nado antes da chegada culminante a Oia para o jantar e o pôr do sol.

Pelo menos haveria outras pessoas a bordo. Agarrei-me com força àquele fato. Precisávamos de mais alguém para aliviar o clima. Onde estava Theo com sua câmera gigante?

Com velas altas e interior de madeira polida que reluziam sob a luz cambiante da noite, o barco parecia mais um navio pirata em fuga do que o iate que eu havia imaginado. Cerca de vinte convidados já estavam a bordo, suas idades variando de velhos a mais velhos ainda. A julgar pelas expressões eufóricas e pelos copos de vinho pela metade, eles já estavam festejando havia algum tempo. Encararam nós dois com franca curiosidade, e me perguntei como nos enxergavam. Será que parecíamos um pai e uma filha normais? Ou o desconforto exalava de nós em uma nuvem grande e feia? As pessoas adoram um desastre. Não era de admirar que parecessem tão alegres.

— Nico Varanakis! — gritou o capitão, correndo para nos ajudar a subir a bordo. — Senhoras e senhores, temos um clandestino do melhor calibre. As histórias que ouviram são verdadeiras. Finalmente, posso lhes apresentar Nico, o caçador de Atlântida!

O capitão devia ter feito uma apresentação e tanto do meu pai, porque o barco inteiro irrompeu numa agitação enlouquecida, aplaudindo e gritando, alguns deles batendo colheres nos copos e gritando *"OPA!"*. Meu pai fez uma reverência, o que foi ao mesmo tempo constrangedor e adequado. Vários outros *"opa!"* ecoaram sobre a água, e, quando meu pai se levantou, suas bochechas estavam vermelhas. Se eu não tivesse tanto medo do oceano, teria aproveitado a oportunidade para me atirar em suas profundezas. Estávamos mesmo prestes a entrar naquele circo?

O capitão caminhou até nós com movimentos exagerados, manejando habilmente o barco e a doca oscilantes, e estendeu os braços de forma acolhedora. Ele devia estar na casa dos vinte e tantos ou trinta e poucos anos, com a pele bem bronzeada e uma barba densa, e visivelmente se empenhava na imagem de capitão de iate. Usava uma jaqueta branca bem ajustada nos braços, óculos escuros de aviador e um pequeno quepe com um bordado dourado na aba. Parecia mais uma fantasia do que um uniforme.

Como se tivesse lido minha mente, ele piscou para mim, a voz ainda alta o suficiente para o restante do cruzeiro ouvir.

— Ah, a *filha da Atlântida*. Vamos começar com um teste sobre a cultura grega. O resto de vocês, nada de ajudar.

Ele se virou e balançou o dedo para os outros em advertência, fazendo com que começassem a aplaudir novamente. Os passageiros comiam na palma da mão dele.

— Vamos começar. Aqui na Grécia, todos os homens têm um dentre cinco nomes. — O capitão ergueu a mão e apontou para cada dedo, um a um. — É um exagero, claro, mas recebemos o nome de nossos avôs, e nossos avôs receberam o nome de seus avôs e assim por diante, para todo o sempre, amém. Só estou exagerando um pouco. Se conseguir adivinhar meu nome, você ganha meu *chapéu*.

Ele o tirou, lançou-o girando para o alto, depois o pegou com uma das mãos atrás das costas e fez uma mesura para mim com um floreio, ganhando outra salva de palmas.

Ridículo. Mas o que ele disse era verdade. O povo de Santorini adorava dar nomes em homenagem uns aos outros. Pensando em todas as pessoas a que meu pai me apresentara, eu só tinha ouvido alguns poucos nomes gregos: Marias, Anastasias e Christos, todos interligados em uma corrente. E, por mais constrangedor que aquilo fosse, eu estava aliviada. Um diretor de cruzeiro brega podia suavizar as coisas ainda melhor do que Theo. De qualquer maneira, eu topava.

Os passageiros sorriram para mim em expectativa, e o capitão do iate recolocou o chapéu.

— Bem?

— Giorgos — arrisquei, disparando o primeiro nome que me veio à mente.

O capitão do iate sorriu alegremente.

— Não! Mas é um bom palpite. Tente outra vez.

— Dimitris?

— Errado!

— Constantino?

— Errou de novo!

Minha mente vasculhou as trezentas pessoas que meu pai tinha me apresentado nos últimos dias. Uma mulher de cabelos grisalhos no barco acenou para mim, querendo me encorajar.

AMOR & AZEITONAS

— Kostas?

Bingo. Kostas abriu um sorriso, e o barco todo comemorou quando o chapéu pousou em minhas mãos.

— Muito bem. Você é tão inteligente quanto bonita. Agora, por favor, fique à vontade.

— Bom trabalho — disse meu pai, me seguindo pelo barco.

Por um instante, tudo estava bem. O barco parecia rico e luxuoso, e a água de um azul profundo nos embalava numa cadência preguiçosa. Todo mundo queria apertar a mão do meu pai e me cumprimentar. Até que vi onde deveríamos nos sentar, e meu bom humor despencou. Havia dois assentos acolchoados posicionados junto à proa do iate, a uns três metros de distância dos demais passageiros, que estavam sentados ombro a ombro, sem nem um centímetro entre eles. Ou seja, eu não poderia contar com estranhos para sobreviver àquela noite. Excelente. Acomodei-me no banco, tentando não entrar em pânico.

E então... mais silêncio. Silêncio enquanto Kostas dava ordens para a tripulação e silêncio enquanto o navio avançava devagar pela água, a música ressoando nos alto-falantes. Tínhamos recebido assentos VIP, é claro. A vista dali era de tirar o fôlego, mas eu estava tão ansiosa que era fisicamente doloroso ficar parada. Eu olhava para a água, para as velas, de volta para a água, para Oia lá em cima, para os passageiros, que faziam um jogo de beber que parecia girar em torno do refrão da canção grega que tocava a todo volume. Meu pai, por outro lado, estava completamente imóvel, os ombros tensos, olhando para o mar. Ele quase nunca ficava parado daquele jeito. Em que estaria pensando? Será que estava tão desconfortável quanto eu? Por que não podíamos ter nos atido à produção do documentário? Os minutos se passavam, até que não aguentei mais. Por fim, apontei para Kostas, falando a primeira coisa que me veio à mente.

— Pai, você tem o nome do seu pai?

Ele hesitou, e notei a inquietude que passou rapidamente por seu rosto. Eu não sabia quase nada sobre sua família, só que ele havia perdido os pais antes de ir para os Estados Unidos. Ou seja, eu tinha acabado de mexer em um vespeiro extremamente delicado na minha tentativa de manter as coisas o menos vespeiras possível.

Mandou bem, Liv.

Então, para minha surpresa, uma expressão de alívio. Talvez por eu ter demonstrado algum interesse em sua vida? Meu pai se inclinou para perto.

— Sim, recebi o nome do meu pai. E do pai dele. Se tivesse nascido menino... você se chamaria Nico. — Ele sorriu, a inquietude não mais presente em seu rosto. — Você escolheu ser chamada por um lindo nome, mas sabe a história do nome que lhe demos?

Nome que lhe demos. Era engraçado pensar assim, como se eu tivesse recebido um presente embrulhado com um laço. Olhei para os outros passageiros, desejando estar com eles.

— Olive? Não. Mamãe nunca me contou.

Foi uma cutucada não intencional, mas uma cutucada mesmo assim. Desde os meus oito anos, minha mãe era a única que poderia ter me dito de onde viera meu nome.

Ele pescou a provocação, o rosto tranquilo.

— Tínhamos uma oliveira perto de casa quando eu era criança. Era muito antiga. Devia ter uns duzentos anos. Eu costumava subir na árvore e imaginar todas as coisas que ela havia visto e todas as coisas que devia saber. — Meu pai olhou nos meus olhos. — Então, quando segurei você pela primeira vez, vi os seus olhos. Eram tão grandes e brilhantes que parecia que você também sabia das coisas, e me lembrei imediatamente daquela árvore. Eu senti sua força. Sabia que você resistiria a qualquer coisa. E aqui está. Você resistiu.

O barco passou por um trecho difícil, levando respingos e pânico ao meu rosto. A água salgada fez meus olhos arderem, e os esfreguei com força. Por que eu não conhecia aquela história sobre mim? Será que minha mãe sabia? Será que eu já tinha ouvido aquilo antes? A parte da oliveira me parecia vagamente familiar, mas meu pai nunca falara muito sobre sua infância, então... O pânico se agravava e, quando baixei o olhar, ele grudou nos números tatuados no braço do meu pai, os que significavam *família*.

Uma onda de raiva me tirou do desespero por tempo suficiente para eu recuperar o fôlego. Quem esperava um cruzeiro geriátrico para contar à filha histórias importantes assim? E por que ele estava me contando aquilo, afinal? Será que não percebia como era doloroso?

— Pai... — comecei, mas não sabia como continuar.

Não sabia como dizer a ele que nosso elo tinha se rompido havia muito tempo. Ele já devia saber, certo?

Sua voz se elevou, e logo notei que ele tinha interpretado errado minha emoção.

— Liv, tenho tanto para lhe falar e explicar que não sei bem por onde começar. Quando fui embora...

Ele respirou fundo, os olhos cheios de lágrimas de repente.

Ah, não. *AH, NÃO*. Ele planejara um cruzeiro de desculpas. Eu tinha que impedi-lo.

— *Pai*.

Daquela vez, a palavra saiu como um pedido brusco para que parasse, e ele entendeu. Então contraiu os lábios, olhando para mim.

Respirei fundo, forçando meus pulmões a se expandirem apesar de todos os sentimentos conflitantes que lutavam por espaço em meu peito.

— Estou bem. Foram anos difíceis, mas minha vida está boa agora. Mamãe e eu seguimos em frente, ela se casou de novo. Tenho um irmão mais novo, muitos amigos, um namorado e uma vida inteira. Ficou tudo *bem*.

Sem a sua ajuda. Eu não disse as palavras, mas elas se fizeram ouvir.

— Não quero que a gente perca tempo remoendo as coisas — acrescentei, rapidamente. — Quero aproveitar isso aqui.

Isso aqui. O que *isso aqui* queria dizer? O cruzeiro? O pôr do sol? Acho que estava aberto à interpretação.

Meu pai parecia um pouco atordoado. Olhos arregalados, a boca curvada para baixo. O silêncio se estendeu entre nós. Um... dois... três... e...

— Certo — disse ele por fim, acenando com a cabeça. — A escolha é sua. — Ele assentiu de novo. — Gostei muito de passar os últimos dias com você. Vamos aproveitar o pôr do sol.

— Ótima ideia — falei, mas minha voz saiu meio sufocada, e ele me lançou um olhar penetrante que fingi não notar.

Eu me virei depressa para encarar a água e, pelos quinze minutos seguintes, foi o que fiz — se *aproveitar o pôr do sol* significava observar sem jeito o grande orbe reluzente para que ninguém notasse que eu estava tentando conter as lágrimas e lutando contra um pequeno ataque de pânico, enquanto o resto do navio se acabava ao som do que parecia uma versão grega da música "My Sharona".

Foi péssimo.

Por fim, para meu alívio absoluto, dois garçons vieram do casco da embarcação, trazendo pratos cheios de comida. Souvlaki temperado em espetinhos de madeira, arroz com aroma de limão e uma salada feita com pedaços grossos de queijo feta, tomate e pepino. Eles até montaram pequenas bandejas para nós e serviram refrigerante para mim e vinho para o meu pai.

— Aproveite — disse meu pai, encostando o copo no meu.

Seu rosto ficou sério e, por um instante, pensei que insistiria em falar sobre por que fora embora, mas ele só se inclinou em minha direção.

AMOR & AZEITONAS

— Me conte sobre o Dax — pediu.

Ouvir meu pai dizer o nome dele era um choque desconcertante dos meus dois mundos. Claro que minha mãe havia lhe contado sobre o Dax. Eu me apoiei na borda do barco.

— Mamãe pediu para você me perguntar isso?

Ele inclinou a cabeça com curiosidade.

— Não. Por quê? Ela deveria?

O barco ganhava velocidade, deslizando sobre o oceano em direção ao sol poente, e o refrigerante se derramou um pouco do copo. Eu tinha a estranha sensação de correr e estar parada ao mesmo tempo.

Balancei a cabeça.

— Não. Acho que ela não gosta muito dele.

As palavras dela ecoaram em minha mente. É fácil se perder em seu primeiro relacionamento. Não era de admirar que minha mãe fosse tão desconfiada com relação ao Dax — o primeiro relacionamento custara muito a ela.

— Não gosta? — perguntou ele.

Não havia nenhum motivo para eu entrar em detalhes sobre o estado do meu relacionamento, então claro que fiz isso.

— Dax quer que a gente vá para a mesma faculdade ou, pelo menos, para faculdades próximas. Ele está um ano à minha frente e vai para Stanford.

— Stanford — disse meu pai, e um sorriso se abriu em seu rosto. — Então Dax é um bom aluno.

Ele parecia admirado, e meu peito foi tomado por alívio. Minha mãe não parecia capaz de ver as qualidades do meu namorado. Ou talvez ela não ficasse tão impressionada com aquilo quanto as outras pessoas. Eu me animei um pouco, cravando meu garfo em um pedaço de queijo feta.

— Pois é. E um ótimo atleta. Era o capitão da equipe de polo aquático da nossa escola. É muito bom mesmo.

Meu pai colocou o guardanapo cuidadosamente no colo.

— E para qual faculdade você quer ir, Liv?

— RISD.

A resposta saiu automaticamente. Eu ainda não tinha contado para ninguém além da minha mãe. Nem tinha falado muitas vezes para mim mesma. Na verdade, eu só dera uma espiada no site, anotara quais das minhas obras seriam melhores para usar na inscrição e fingira não me importar, mas na verdade me importava tanto que aquilo fazia com que eu me sentisse no meio de um enxame de abelhas. Respirei fundo, os olhos focados na minha salada.

— É a...

— Escola de Design de Rhode Island?

Ergui os olhos, surpresa, e vi que ele estava com as mãos em volta do copo, um sorrisinho no rosto.

— Você já ouviu falar.

Ele abriu ainda mais o sorriso.

— Um dia também sonhei em entrar lá. Mas a vida deu reviravoltas inesperadas.

— Espera... *Como assim*?

Deixei cair o garfo com um barulho alto, como se eu estivesse tropeçando, escorregando, *sei lá*. Meu pai já pensara em se inscrever para a RISD? Minha mãe sabia daquilo?

Claro que sabia. E nunca mencionara. Só ficava me incentivando e pregando os folhetos no quadro de recados da família. Aquilo era estranho demais. Era *intenso* demais. Eu tinha feito de tudo para me desvencilhar do meu pai, mas, de alguma forma, a influência dele me seguiria até a faculdade?

A RISD de repente parecia tão fora de alcance e insignificante quanto as pequenas casas-cavernas que se afastavam ao longe.

Enfiei as mãos embaixo das pernas, tentando fazer com que parassem de tremer.

— De qualquer maneira, não importa — falei. — É difícil entrar lá. Extremamente difícil.

Ele balançou a cabeça, os olhos brilhando.

— Não. Suas notas são excelentes. E seu trabalho artístico também.

Ela tinha contado minhas notas para ele? *Affe*. Minha mãe me devia uma explicação muito séria.

— Ainda assim, as chances são baixas.

— As chances de estar vivo são baixas — rebateu meu pai. — E a arte não é o seu futuro, é o seu presente. Ela está na maneira como você faz tudo.

Ele estava certo, mas eu queria muito que estivesse errado. Eu *precisava* que estivesse errado.

— Mas ser artista... — comecei, estendendo a mão e segurando meu garfo com força. — Não faz muito sentido financeiramente. Não é uma boa ideia me endividar para pagar a faculdade e...

Ele bateu na bandeja, fazendo seus talheres e eu pularmos.

— O que ganhar dinheiro tem a ver com arte? Você não faz arte para ganhar dinheiro. E não faz porque é conveniente. Faz porque é o que veio ao mundo para fazer e, se não fizer, estará fugindo de si mesma. Liv, você não está aqui para fracassar. Está aqui para *criar*.

O discurso apaixonado, estrelando Nico Varanakis. Já houvera uma época em que eu ouvia aqueles discursos quase diariamente. Tinha esquecido como eles faziam as coisas — a vida — parecer tão grandiosas. Será que era assim? A arte seria mesmo meu destino? Tá, destino era uma palavra meio exagerada, mas a arte seria mesmo quem eu era?

Suas palavras pairavam no ar e, por um instante, não pude deixar de acreditar nele. E, de um jeito ainda mais forte, acreditei que *ele* acreditava em mim. Isso deu um nó na minha mente, porque como alguém que acreditava em mim podia ter me deixado? Era uma contradição. Um enigma insolúvel. Ele não podia ser as duas coisas, mas eu sabia que, naquele segundo, ele era.

Meu pai literalmente *me dava dor de cabeça*. Minha mente fervilhava de perguntas. Será que ele estava defendendo a paixão da própria vida? Será que tentava explicar o que o levara de volta a Santorini?

Já havíamos mergulhado algumas centenas de metros. Por que não mais alguns? Respirei fundo.

— É por isso que você procura Atlântida? Se não estivesse procurando por ela, estaria fugindo de si mesmo?

Ele me encarou por um instante, então seus ombros se curvaram.

— Fugindo, sim. Atlântida sempre foi importante para mim. Às vezes mais importante do que deveria ser. — Ele olhou para o prato. — Theo me falou para perguntar o que você pensa sobre Atlântida. Disse que você tinha algumas opiniões fortes que gostaria de discutir.

Theo! Amaldiçoei-o mentalmente.

— Quando ele disse isso?

— No dia seguinte à sua chegada. Falou que você tinha algo a me dizer sobre Atlântida e que o mataria se ele me contasse.

Meu corpo ficou tenso, preparando-se para o confronto, mas meu pai não queria briga. Ele parecia concentrado e curioso. Como se quisesse mesmo ouvir o que eu tinha a dizer. Talvez Theo tivesse razão. Talvez meu pai precisasse saber como eu me sentia de verdade.

Será que eu poderia machucá-lo assim? Ele provavelmente sabia que eu não acreditava mais em Atlântida, mas como reagiria se eu o dissesse isso com todas as letras? Àquela altura, eu não lhe devia nada, mas...

Beleza. Eu ia tentar.

AMOR & AZEITONAS

— Para mim... — Minha voz vacilou. — Pai, sei que você fez todo esse trabalho e conversou com uma especialista e tudo mais...

Eu tinha pensado aquelas coisas um milhão, talvez dois milhões de vezes, mas dizê-las em voz alta para o meu pai era uma experiência completamente diferente.

— Mas acredito que Atlântida é um mito de moralidade usado para evitar que as pessoas fossem soberbas. Platão falava sobre isso porque se preocupava com o povo de Atenas. Achava que estavam ficando muito ricos e orgulhosos, e lhes contou uma história para assustá-los e fazer com que voltassem a ser bons. Não acho que seja um lugar que você... ou qualquer pessoa — acrescentei rapidamente — possa realmente encontrar.

Pronto.

As últimas palavras saíram apressadas, e eu mal conseguia olhar para ele, porque meu coração estava tendo um surto monumental.

Eu tinha falado. Tinha cruzado a linha entre motim e traição.

Preparei-me para qualquer reação que ele pudesse ter — raiva ou tristeza, talvez até uma palestra sobre a veracidade dos diálogos de Platão —, mas, quando ergui os olhos, ele não parecia arrasado. Seus olhos brilhavam, e ele exibia o sorriso torto que sempre reservava para mim e minha mãe. Orgulho. Ele olhava para mim com *orgulho*.

Ele se inclinou para a frente, os olhos brilhantes fixos nos meus.

— Liv, você tem sua própria mente. Sua própria mente *brilhante*. Sempre soube que você seria uma pensadora.

Por aquela eu não esperava. Não passava nem perto do que eu esperava.

— Hã... — gaguejei.

Ele balançou a cabeça com entusiasmo, o prato esquecido.

— Diga mais!

Ele estava falando sério? Observei seu rosto, meu coração acalmando com o ritmo do balanço do barco. Ele estava, sim. Segui em frente com minha explicação.

— Tá... Bem, tem algumas inconsistências com a história de Platão e Santorini.

— Sim. Me fala.

Ele fez um gesto me pedindo para prosseguir, o rosto ainda iluminado.

— Platão fala que o vulcão entrou em erupção nove mil anos antes de seu tempo — falei —, mas, se fosse o vulcão de Santorini, teriam se passado apenas três mil anos. É uma grande diferença.

Eu tinha descoberto aquilo depois de parar de acreditar em Atlântida mas antes de conseguir ignorá-la, o que ficou conhecida como minha Fase da Raiva.

Ele assentia cada vez mais rápido.

— Sim. O que mais?

— Platão dizia que Atlântida era maior do que a Ásia e a Líbia juntas. Santorini não é tão grande quanto nenhuma das duas.

Eu não sabia dizer se era o pôr do sol ou orgulho, mas seu rosto conseguiu se iluminar ainda mais.

— Outro bom argumento. Liv, você andou pesquisando. Estou tão orgulhoso.

— Não pesquisei *tanto* assim — falei, mas não era verdade, e nós dois sabíamos.

Não se decoravam detalhes exatos sobre a explicação de Platão sem investigar a fundo.

— Vou pensar nessas questões — disse meu pai. — Pesquisar. Se realmente houver inconsistências, eu gostaria de saber a respeito.

Naquele momento, uma música soou tão alta perto do meu ouvido que quase joguei meu prato no mar. Era Kostas, só que, em vez de capitão de iate, ele passara ao papel de músico. Tinha substituído sua jaqueta de capitão por uma camisa reluzente de botão.

Um saxofone dourado pendia pesadamente em seu pescoço, e ele estava com um pé apoiado no banco. Meu cérebro mal teve tempo de processar aqueles fatos antes de ele começar a tocar o tipo de música que se ouviria na sala de espera de um dentista.

— Ele toca saxofone também? — perguntei.

— Bem mal — disse meu pai, procurando conter o riso. — Mas ganha muitas gorjetas.

Um casal de idosos se levantou e começou a dançar abraçado, e meia dúzia de pessoas se juntou a eles. Os outros passageiros pegaram seus celulares e começaram a filmar. A coisa toda era imperdoavelmente brega, mas aquele pôr do sol esplêndido e imponente ao fundo fazia com que funcionasse.

— Então... você está bem? – perguntei. — Sabendo que eu não acredito?

Ainda estava tentando entender tudo aquilo.

— Estou mais do que bem.

Seu olhar escuro encontrou o meu, me assustando um pouco. Fora a cor, nossos olhos eram iguais. *Iguais*. Sempre que via fotos minhas, eu notava: a curiosidade, o brilho, tudo. Se não fosse pelas rugas ao redor dos olhos dele, seria como me olhar no espelho.

— Você nunca teve a obrigação de acreditar. E eu tenho respostas para essas inconsistências, mas vou deixá-las de lado por enquanto. No entanto... — disse ele, e engoliu em seco. — Você acha que consegue acreditar um pouco em *mim*? Nem que seja só por alguns dias? Sei que é pedir muito. Mas, Liv, acredito que encontrei dessa vez. Acredito mesmo.

Um nó se formou na minha garganta. A ideia de voltar a acreditar no meu pai era tão grandiosa e radiante que olhar para ela doía. Talvez fosse a combinação idiota de saxofone e pôr do sol, mas de repente eu começara a lembrar como era ser filha dele. Acreditar nele. Eu queria cantar, chorar ou algo assim, mas, ao mesmo tempo, como ele podia achar que eu seria capaz de confiar nele outra vez?

— E-eu não sei... — gaguejei.

Ele ergueu a mão de forma tranquilizadora.

— Isso também está mais do que bem — disse.

O sol já tinha se fundido em uma imensa massa dourada. Meu pai tinha razão — assistir ao pôr do sol da água com a luz se derramando por cima de tudo era incrível, como se eu estivesse me tornando parte do pôr do sol, em vez de só observando.

— E essa história de Atlântida... — disse meu pai, interrompendo meus pensamentos. — Às vezes o mais importante é a busca.

Assenti de novo, porque não tinha ideia do que mais fazer e, quando olhei para baixo, percebi que a mão dele estava pressionada à parte interna do braço, bem onde eu sabia que ficava a tatuagem com a minha localização geográfica. Acho que ele nem percebeu o que estava fazendo. Eu me perguntei quantas vezes ele tinha feito aquilo enquanto ele estava ali e eu, do outro lado do mundo.

Ele se virou para mim.

— Amanhã à noite, vou levar você a um dos meus lugares preferidos na ilha. Kamari. Liv, você vai adorar.

E, de repente, havia sido convocada para uma segunda noite a sós com meu pai. Era melhor eu esquecer aquilo de evitar o passado. Ele estava gravado em nossa pele.

Capítulo 16

#16. PEQUENO CADERNO ESPIRAL COM ANOTAÇÕES EM GREGO

Eu ficava fascinada com a habilidade do meu pai de escrever em grego. Eu o ouvia falar o idioma o tempo todo, tanto comigo quanto com seus amigos no bairro grego de Chicago. Estava acostumada. Mas escrever? Era impressionante.

Encontrei o caderno enfiado no porta-luvas do nosso carro duas semanas depois que ele foi embora e, quando vi as anotações, pensei que talvez fossem uma pista. Eu sabia que minha mãe não conseguiria entender, então certa tarde, antes de ela voltar do trabalho, levei o caderninho para Markos — o dono de nossa delicatessen grega preferida — e pedi que ele traduzisse para mim.

Markos já devia ter ficado sabendo do meu pai, porque seus olhos se voltaram para mim em tom de desculpa.

Era uma lista de compras.

MEU OTIMISMO SE PÔS COM O SOL E, QUANDO VOLTAMOS ao cais na baía de Ammoudi, senti meu coração quase tão pesado quanto antes. Eu queria acreditar no meu pai, da mesma forma que queria acreditar em Atlântida, mas tudo aquilo exigiria ignorar a realidade, e eu não estava disposta a fazer isso de novo.

Os fatos eram que, mesmo que meu pai quisesse ir atrás de Atlântida ou terminar o casamento com minha mãe, ele não precisava ter *me* deixado. Ele poderia ter visitado. Ou ligado. Eu conhecia várias pessoas com pais divorciados, até mesmo pessoas que tinham pais vivendo em cidades ou estados diferentes. Eles não sumiram da face da Terra quando partiram. Não desapareceram. Afinal, não estávamos falando de uma cidade dourada fictícia, mas sim de um *pai*.

Em todo o caminho até a livraria, era como se um balão estivesse se expandindo em meu peito, a pressão prejudicando minha capacidade de pensar ou sentir qualquer coisa. Eu queria *fugir*. Deixar toda aquela confusão para trás.

Consegui me controlar até chegarmos, mas, depois que meu pai desapareceu rua abaixo, as lágrimas começaram a escorrer pelo meu rosto, levando junto meu delineador. Eu tinha mesmo me arrumado toda só para ter meu coração partido de novo?

Eu precisava me recompor, me acalmar. Pensei no celular carregando no quartinho e senti um fio de esperança. Eu precisava falar com o Dax. Ele me ajudaria a me lembrar da minha vida real — em que eu era *eu*, Liv —, em vez daquela realidade alternativa em que meus sentimentos com relação ao meu pai ainda me controlavam.

Corri de volta para a livraria e a encontrei destrancada, mas vazia, uma única lâmpada iluminando um dos cantos. Não devia haver muitos ladrões interessados em roubar romances. Subi até o quartinho, peguei meu celular e desci de novo, já ligando para o Dax, tudo em um movimento ágil.

O telefone tocou e tocou, e a ligação caiu na caixa de mensagens. Droga.

— Atende — pedi em voz alta, então apertei de novo o botão de discagem.

Mesma coisa. Só que da segunda vez foi parar na caixa de mensagens depois de três toques. Pressionei o telefone com força contra a orelha, desejando que o som da gravação da caixa postal dele me trouxesse de volta à realidade. *Ei, aqui é o Dax. Deixe uma mensagem, que provavelmente ligo para você depois*. Eu precisava que aquele *provavelmente* fosse um *com certeza*.

Pigarreei.

— Ei, Dax. Me liga assim que puder? Foi um dia difícil, e preciso muito falar com você.

O que ele devia estar fazendo? Surfando? Relaxando na praia? Eu gostaria de estar lá também. Alguns segundos depois, me vi na seção de viagens da livraria, passando a mão pelas capas, esperando distrair a mente. *Finlândia. Japão. Turquia. Rússia*. A música idiota do saxofone não saía da minha cabeça, e eu não conseguia parar de pensar no que meu pai tinha dito. *Você acha que consegue acreditar um pouco em mim?* Como acreditar em alguém que me deixou quando eu tinha oito anos? E como lidar com o abismo imenso que existia entre o que ele *dizia* que sentia por mim e o que suas ações indicavam que ele sentia por mim?

Encarei o celular, desejando que tocasse.

— Dax, me liga de volta *agora* — exigi.

— Noite difícil?

Dei um pulo, deixando o aparelho cair ruidosamente aos meus pés.

Theo estava sentado na cadeira atrás da caixa registradora e a girou lentamente, como o vilão de um filme antigo do James Bond. Um gato caramelo estava enroscado em seu colo, junto com um caderno vermelho e uma caneta.

— O que você está fazendo? — perguntei.

Eu não conseguia decidir se estava mais constrangida ou irritada. Ele tinha ouvido minha mensagem de voz para o Dax? Observei seu olhar preocupado. Sim. Com certeza.

Ele balançou a cabeça.

— Desculpa. Isso parecia bem mais engraçado na minha cabeça. Só queria assustar você, não fazer com que derrubasse aparelhos caros.

— Missão *não* cumprida.

Peguei o celular e o guardei no bolso.

— Como foi o jantar no cruzeiro? — perguntou ele. — Você diminuiu a idade média do passeio?

— Muito.

Suspirei e atravessei a sala para fazer carinho no gato, que arqueou as costas, aborrecido. Apesar do meu interesse por eles, gatos nunca gostavam de mim.

— Quem é esse? — perguntei.

— Ernest Hemingwato. Que não deve ser confundido com a irmã, Margaret Gatwood.

Hemingwato pulou do colo de Theo e se escondeu atrás de uma pilha de livros.

— Sério?

Theo deu de ombros.

— Geoffrey é ótimo com trocadilhos para gatos de livrarias. Acho que é uma das razões para a minha mãe mantê-lo aqui. E você não respondeu minha pergunta. Como foi o cruzeiro? Foi com o Kostas, não é? Por favor, me diz que ele tocou saxofone.

— E como! — Suspirei de novo, então me lembrei da parcela de culpa de Theo no fiasco. — E meu pai e eu conversamos sobre Atlântida, graças a você.

Theo girou calmamente na cadeira, nem um pouco preocupado com as vibrações de raiva sendo emanadas em sua direção.

AMOR & AZEITONAS

— Interessante. E como você se sentiu com a conversa?

Afundei na mesa, murchando como uma das plantas que eu sempre resgatava da minha mãe.

— Não sei.

Theo ergueu a caneta.

— A paciente tem dificuldade em discernir suas emoções — disse ele, fingindo escrever no caderno.

Levantei minhas pernas, batendo nas dele.

— Você não vale nada.

Ele arregalou os olhos.

— Sério? Ninguém nunca me disse isso. E estou curioso: as pessoas costumam retornar suas ligações quando você ordena que façam isso de longe?

Chutei de leve o joelho dele.

— Às vezes. E aqui, trouxe isso para você.

Joguei para ele o chapéu do Kostas.

— Sempre quis um desses.

Theo colocou o chapéu, puxando a aba para cima dos olhos, então me encarou, pensativo.

— Minha mãe me alertou que você estava linda. E está mesmo.

Minhas bochechas ficaram ainda mais quentes, só que por um motivo completamente diferente.

— Ela alertou você? — falei, me abaixando para pegar Hemingwato na tentativa de esconder meu rubor.

— Ela sabe que tenho um fraco por garotas de vestido preto.

— *Qualquer* garota de vestido preto?

Puxei as pontas do cabelo. Eu nem precisava ver para saber que os fios tinham ficado ondulados com o ar úmido e salgado.

— Não *qualquer* garota — disse Theo, e inclinou a cabeça. — Enfim, você está bem? Parece meio irritada. E gritona.

— A palavra "gritona" não existe. Mas, sim. Estou gritona.

Ele observou meu rosto.

— Fora a conversa com o seu pai, o que há de errado?

O que *não* havia de errado?

— Sinto saudade de casa. Da minha mãe e do meu irmão, do Dax... E tem toda essa coisa com meu pai... — Fiz uma careta. — É um desastre.

Theo endireitou o corpo.

— Desastre. Um grave distúrbio na vida de um ser humano ou comunidade.

— Exatamente — falei. — Além disso, por que você sabe essa definição de cabeça?

— Está no documentário — explicou ele.

Affe. O documentário. Pelo menos proporcionava uma mudança de assunto.

— Como foi a filmagem hoje à noite?

Eu tinha sugerido que ele conseguisse algumas tomadas complementares dos muitos empreendimentos na cidade que prestavam homenagem à cidade mítica.

— Ótima — respondeu Theo, dando de ombros. — Você tinha razão. Cerca de cem lojas de Fira têm Atlântida no nome. Até entrevistei alguns turistas e moradores sobre o que achavam de Atlântida. Todos pareciam favoráveis à ideia.

— Talvez porque isso não tenha desestabilizado suas vidas.

Eu não tive a intenção de dizer aquilo, mas acabou saindo em meio a toda a raiva que eu sentia. Theo olhou para mim, e senti sua hesitação. Eu já sabia o que viria. Estava na cara que *não* tínhamos deixado de falar sobre o meu pai.

— Ah, não... — falei, levantando a mão em advertência.

Ele ignorou o gesto.

— Como foi quando seu pai foi embora?

Quase caí da mesa. Era literalmente a primeira vez que alguém me fazia aquela pergunta.

— Eu sei. Tenho um caso sério de falta de limites — disse ele, com as mãos erguidas em sinal de rendição.

— Theo... você por acaso sabe jogar conversa fora?

— Sei. Na verdade, sou muito bom nisso. — Ele se inclinou para trás, ajeitando o chapéu de capitão. — Mas não com você — completou. — Já disse, você é a única pessoa que não consigo adivinhar o que está pensando.

Ele olhava para mim como se eu fosse um papagaio exótico ou uma nova espécie de salamandra, mas, ainda assim, me senti estranhamente lisonjeada. Parte de mim gostava de que ele não conseguisse adivinhar o que eu pensava, mas estivesse interessado o suficiente para tentar descobrir. A maioria das pessoas via a camada superficial, Liv, e se dava por satisfeita. Não o Theo.

Deixei escapar uma risadinha abafada e, por alguma razão, comecei a responder sua pergunta.

— Choramos muito. Não tínhamos mais como pagar o aluguel do apartamento em que morávamos, e minha mãe não conseguiu arrumar um segundo emprego, daí nos mudamos, mas ela perdeu aquele emprego também e tentamos morar com os pais dela por alguns meses... mas não deu certo. Então ficamos pulando de um apartamento para o outro e moramos com alguns amigos da minha mãe até ela finalmente conseguir um bom emprego e poder começar a faculdade de direito. Eu ficava sozinha a maior parte do tempo. Me lembro de pensar que o relógio andava mais devagar à tarde, depois da aula. Ainda me sinto assim às vezes.

Tudo saiu depressa, os detalhes se condensando em uma nuvem de tristeza. Eu nunca tinha contado para ninguém como aqueles anos tinham sido, tão caóticos, atordoantes e *tristes*, e ainda assim lá estava, me abrindo para alguém que era praticamente um desconhecido.

Theo se endireitou e então se inclinou para a frente, apoiando o queixo na mão.

— Você já perguntou ao seu pai por que Atlântida é tão importante para ele?

Fechei os olhos, fazendo que não com a cabeça. Perguntar a meu pai por que ele se importava tanto com Atlântida era como perguntar a um peixe por que ele se importava com a água. Era necessário para sua sobrevivência.

— Você já?

Theo fez uma pausa e piscou lentamente.

— Não. Mas acho que é algo que precisamos abordar no documentário.

Sempre o documentário. O calor explodiu em meu peito. Ele considerava minha vida apenas uma fonte de entretenimento? Com sua câmera a postos?

— Não temos como acrescentar mais nada ao documentário, principalmente depois do tanto de tempo que perdemos hoje — falei.

— Não, realmente não temos — concordou. — Mas fico pensando em seu pai no vulcão e em como todos se reuniram em volta dele. Você já percebeu como ele é magnético? É como se as pessoas estivessem mais interessadas no caçador de Atlântida do que na própria Atlântida. Então por que não incorporar mais da história do seu pai? Tenho a impressão de que Atlântida para ele é algo maior do que uma cidade ou algumas ruínas.

Theo apertou a nuca.

— O que você acha? — perguntou.

Peguei o chapéu do capitão do iate e cobri meu rosto. Investigar mais a fundo a obsessão do meu pai por Atlântida não iria melhorar nem um pouco a situação. Pensar naquilo me fazia querer alugar um barco e me afastar o máximo possível daquela ilha. Senti uma mistura de energia e ansiedade correr pelo meu corpo, e fiquei de pé num pulo.

— Podemos falar sobre outra coisa? Qualquer coisa? Melhor ainda, podemos ir a algum lugar?

Um sorriso lento se abriu em seu rosto, e Theo pegou minha mão para se levantar.

— Que tal nadar um pouco?

— Não no mar — respondi depressa.

— Não no mar — concordou.

A mão dele continuava na minha, e seu calor subiu pelo meu braço, me deixando zonza, como se eu estivesse flutuando. Era uma sensação nova, que eu não lembrava já ter sentido com o Dax. Aquilo me assustou. Em vez de me soltar, Theo se aproximou ainda mais.

— Nunca levei ninguém a esse lugar antes, mas acho que você vai gostar. Vem comigo?

— Vou — respondi, pois o que mais se pode dizer quando alguém segura sua mão e você é envolvida por uma sensação que toma conta do corpo todo?

Respira. Você tem namorado. Você e o Theo são apenas amigos.

Parecia o tipo de coisa que eu não deveria ter que ficar me lembrando, mas Theo fazia com que eu me sentisse num bote salva-vidas em meio a uma tempestade. Eu não conseguia me situar.

Lá fora, a noite era densa e aveludada, as idas e vindas suaves do mar lá embaixo e as vozes que chegavam das janelas abertas e dos pátios distantes os únicos sons. Não tinha ideia de onde Theo achava que poderíamos nadar àquela hora, mas eu evitava pensar naquilo. Precisava manter os pés no chão. Me reconcentrar. Encontrar meu equilíbrio. O fato de eu achar Theo muito atraente era irrelevante. O importante era como eu reagia àquilo.

Theo me encontrou na calçada da frente. Tinha vestido seu calção de banho e uma camiseta preta, e seus olhos escuros brilhavam intensamente.

— Pronta?

— Pronta.

Se eu não olhasse para ele, talvez ficasse tudo bem?

Para meu absoluto choque, Theo saiu *caminhando*, e eu o segui logo atrás, desviando de um ou outro pedestre e vendo as vitrines fechadas. A princípio, atravessamos o labirinto de vielas em direção ao penhasco, mas uma hora Theo mudou de direção, levando-nos cada vez mais longe das cúpulas azuis, em direção à escuridão.

— Aonde estamos indo? — perguntei por fim.

A noite estava tão silenciosa que quase sussurrei.

Ele passou o braço pelos meus ombros e me puxou para um abraço caloroso que bagunçou minha mente e deixou meu rosto quente, antes de me soltar.

— Confie em mim, Kalamata.

Confiar nele era fácil; o complicado era confiar em mim mesma.

Quando já tínhamos descido metade do penhasco, Theo parou em frente a uma parede baixa e branca com uma porta de madeira arredondada. Ele segurou o cadeado meio sinistro que a trancava e começou a sacudir.

— O que você está fazendo? — perguntei.

Theo balançou o cadeado ruidosamente mais algumas vezes até que cedeu de repente.

Ele tirou o cadeado e empurrou a porta, que se abriu com um longo rangido. Uma luz suave nos banhou, e fiquei na ponta dos pés para enxergar por cima do ombro de Theo. Pela porta, vi espreguiçadeiras com almofadas brancas e alguns vasos de plantas. Uma parede refletia a água em movimento.

— Theo, que lugar é esse? — perguntei, mais alto.

— O paraíso — respondeu ele, e passou o braço pelo meu ombro. — Vamos.

Não sei o que me deixava mais nervosa, o toque dele ou o extremo silêncio, mas com certeza não recusaria a promessa de um paraíso. Então o segui — com cuidado — até o que descobri ser o pátio de uma pequena casa-caverna. Uma piscina com borda infinita, iluminada num tom de turquesa em meio à noite, ocupava a maior parte do espaço, estendendo-se até o limite da propriedade. A água corria sobre a borda, criando a ilusão de que a piscina se fundia com o mar. Estrelas pontilhavam a escuridão, e o reflexo da meia-lua brilhava intensamente na piscina.

Eu nunca tinha visto nada tão bonito. A quietude silenciosa que pairava sobre nós fazia meu coração quase pular do peito.

— Que tal?

Theo olhou para mim com seu ar presunçoso, mas não pude deixar de concordar com ele.

— É perfeito.

Expirei, sentindo a inquietação, a ansiedade, o pânico — todas os sentimentos que vinha enfrentando desde que chegara a Santorini — se desfazerem na escuridão.

— De nada — disse ele, abrindo um de seus sorrisos encantadores.

— Theo... eu... — comecei, mas minha voz ficou presa na garganta, e senti um arrepio. — Eu precisava disso. Obrigada.

O sorriso que iluminou seu rosto brilhava mais forte do que o reflexo da lua na água parada. Tão forte que meus joelhos bambearam.

— Eu sei. Vamos lá.

Ele me levou até a beira do pátio, de onde tínhamos uma visão panorâmica de Oia. O céu escuro fundido ao oceano ainda mais escuro, e a encosta iluminada por outras casas e piscinas reluzentes. Em geral, quando via algo tão deslumbrante assim, logo sentia vontade de pintar a cena, mas sabia que seria impossível capturar aquela vista. Era algo que precisava ser vivido com todos os sentidos.

Olhei de volta para a casa-caverna. As paredes caiadas de branco pareciam recém-pintadas, e as venezianas azul-cobalto estavam fechadas.

— Quem mora aqui?

Theo já estava tirando os sapatos e puxando a camiseta pela cabeça.

— É uma casa de aluguel que não é alugada com muita frequência. Os donos vêm para cá de tantas em tantas semanas. Dá para saber quando estão aqui porque colocam as almofadas coloridas para fora.

Olhei para a mobília toda branca do pátio.

— E eles deixam você nadar aqui?

Theo deu de ombros.

— Eu não diria que *deixam*, Kalamata, mas com certeza nunca me impediram.

O choque conseguiu roubar minha atenção daquela vista magnífica.

— Não temos permissão para estar aqui? Estamos invadindo?

Ele riu, colocando as mãos nos meus ombros.

— Relaxa. Ninguém arrombou nada. Você viu que a tranca estava aberta. E não se preocupe com sua ficha criminal. Qualquer coisa, *eu* invadi. Você é minha convidada desavisada.

Era difícil resistir àquele sorriso. E àquela *piscina*. Minha alma certinha queria que eu fugisse dali, mas tirei os chinelos e mergulhei o pé esquerdo, deixando a água tocar minha pele. A temperatura estava perfeita, e o zumbido do filtro da piscina se unia ao som das ondas quebrando lá embaixo.

Que as regras se danassem. Aquilo era perfeito.

Tirei a camiseta e o short, e entrei com cuidado na piscina. A água estava um ou dois graus abaixo da temperatura corporal, mas me resfriou de fora para dentro. Abaixei-me e girei na água com os braços estendidos, de olhos fechados. Quando os abri, Theo continuava na borda, seus olhos arregalados.

— O que foi? — perguntei.

Havia algo de diferente naquele olhar — não era o seu olhar de sempre, que dizia "Estou tentando dissecar cada movimento seu". Estava mais para surpresa. Como o olhar que me lançara no aeroporto quando me viu pela primeira vez. Eu me levantei, ajeitando a alça do meu maiô preferido — preto com a parte de cima transpassada e um recorte na altura da cintura —, e mergulhei timidamente outra vez.

— Nada.

Ele não desviou o olhar.

— Então tá...

Boiei de costas para ver as estrelas. Eram tantas que pareciam mais uma névoa do que luzes distintas. E a *lua*. Nítida, dominante e tão, tão luminosa. Provavelmente acabava sendo esquecida na terra do pôr do sol, mas aquela lua era especial.

Quando me virei de volta, Theo tinha abaixado e seus ombros estavam mergulhados na água. Estava encostado contra a beirada da piscina, e seu olhar continuava fixo em mim.

Ele me analisava de novo.

— Por que está me encarando assim? — perguntei, jogando um pouco de água nele.

— Não sei. Me desculpa. — Theo deu de ombros, limpando a água do rosto. Ele parecia nervoso. — Acho que o luar cai bem em você.

Também caía bem nele. Meu coração deu um pulo. Abri a boca, sem saber o que dizer.

— Namorado — lembrou ele rapidamente, antes que eu tivesse chance.

Aquilo dispersou a tensão. Eu sorri.

— Você é *tão* engraçadinho.

— Não sou?

Suas mãos subiram até a superfície, pairando à sua frente, e ele baixou os olhos para a água.

— Por que você nunca nada? — perguntou. — Está na cara que sabe nadar.

Olhei para a escuridão. Eu poderia mentir, mas parecia errado ali.

— Prefiro as piscinas ao mar. O mar é meio... assustador.

Ele assentiu e, pela primeira vez, não insistiu que eu entrasse em detalhes. Em vez disso, pigarreou sem jeito.

— Você... hã... tem um belo maiô aí.

— Theo! Namorado!

Atirei mais água para cima dele, que se abaixou, com um sorriso enorme no rosto.

— Sim, sim. Eu sei. Só estou dizendo... — Ele mergulhou e depois se levantou, a água escorrendo. — ... que *não* foi isso que você usou no barco com seu pai.

Mordi o lábio. Com sorte, a escuridão esconderia a vermelhidão do meu rosto.

— Sim, porque meu pai estava lá.

— Então essa é tipo a sua roupa oficial para invadir uma casa-caverna?

— Exatamente.

Nadei até o canto da piscina, descansando os braços sobre a borda e deixando minhas pernas flutuarem livremente atrás de mim. Sentir a atenção do Theo era... *bom? Aterrorizante?* Era como estar no alto de uma ladeira bem escorregadia. Seu charme era inconveniente ao extremo.

— Então, quantas vezes você já invadiu essa casa?

— Discordo do termo "invasão", mas... — Ele deu de ombros e olhou para o céu como se estivesse fazendo as contas. — Sei lá. Cinquenta vezes? Cem?

— Cem? Sério?

Olhei para ele, incrédula.

Ele se aproximou, enganchando os cotovelos na borda da piscina e parando bem ao meu lado.

— A mudança para cá foi muito difícil. Estou feliz de morar perto do Bapou, mas achava que terminaria o ensino médio em Londres, e senti muita raiva no início. Usar este lugar para dar uma fugida de vez em quando me ajudou muito. Além disso, nunca tem ninguém aqui. E uma piscina foi feita para se nadar. Seu principal objetivo é ser usada pelas pessoas. Estou fazendo um favor ao dono. Você acha que esta piscina *quer* ficar sozinha?

— Você sabe que está falando de um objeto inanimado, né?

Fiquei pensando que, assim como eu, Theo não escolhera ir para Santorini. Outra coisa que tínhamos em comum. Ele também tinha razão quanto à piscina, que parecia feliz por nos ter ali.

Descansei o rosto no braço, as pernas esticadas para trás, a água batendo na minha orelha.

— Então, Theo, qual é o seu plano de vida?

Ele desviou os olhos da paisagem e se concentrou em mim.

— Nadar com uma garota em Oia?

Respinguei água nele.

— Não estamos nadando, estamos boiando. E depois disso?

Ele deu de ombros.

— Bem, amanhã quero fazer um documentário sobre a cidade perdida de Atlântida. E depois... Não tenho um plano. Só estou tentando não ser um idiota.

Eu ri antes de perceber que ele não estava brincando.

— Sério? Esse é o seu plano?

Ele deu de ombros outra vez.

— Sei que deve parecer que tenho expectativas muito baixas. Mas já vi isso acontecer muito. Tipo o meu pai... Não acho que ele sempre tenha sido um idiota. Mas ficou tão envolvido com o

JENNA EVANS WELCH

trabalho que de repente parecia que a gente nem importava mais. Tudo girava em torno da sua ambição.

Hã. Eu conhecia bem aquilo.

— Éramos só mais uma coisa que ele tinha de mudar de lugar — continuou Theo, os olhos voltados para o oceano. — Ele foi pego de surpresa quando minha mãe disse que ia embora, mas ela já se sentia sozinha há muito tempo. Hoje em dia, me pergunto se ele sequer repara que não estamos mais lá.

A conversa tinha ficado muito mais profunda do que eu esperava, e de repente estávamos muito próximos um do outro. Quem tinha se mexido? Ele? Eu? Nós dois? Sua testa estava coberta de gotas de água, e seu cabelo, úmido e emaranhado, a água batendo nos fios escuros e ondulados.

— Tenho certeza de que sim — falei, mas me arrependi em seguida.

Por que tinha dito aquilo? Eu não conhecia o pai do Theo. Não fazia a menor ideia. E odiava quando as pessoas me diziam como me sentir com relação aos meus próprios pais.

— Me desculpa — falei. — Temos isso em comum. Um pai ausente que coloca o trabalho acima da família.

A mão dele escorregou da beirada, e Theo afundou na água, se aproximando de mim.

— Não. Com seu pai, é diferente. Sempre me pareceu...

Ele se calou abruptamente. Gotículas de água se prendiam aos seus cílios, e seus olhos pareciam muito *sérios*. Mesmo quando ele estava se divertindo, seu olhar era sempre muito sério.

— Ah, não — disse Theo. — Estou fazendo aquilo de novo.

— Fazendo o quê?

Minha respiração ficou presa no peito, e me abaixei na água até meus olhos ficarem na mesma altura dos dele, a boca logo acima da superfície. Se eu me mexesse um milímetro, encostaria nele.

Seu olhar analisava o meu.

— Lá nos domos, prometi não falar mais sobre o seu pai. Desculpa.

Ah. *Certo*. Meu estômago relaxou.

— Você pode terminar o que ia dizer — falei, mas agarrei a beirada da piscina com mais força, me preparando para o que viria.

— Está bem. — Theo respirou fundo. — Parece que... bem, sempre senti que ele estava tentando encontrar Atlântida por você.

As palavras se derramaram, e ele me encarou com um ar melancólico.

— *O quê?*

Eu me levantei de um salto, meus pés escorregando no fundo da piscina na pressa de me afastar. O encanto se quebrara. O que quer que eu tivesse sentido um momento antes se desfizera.

— Theo, isso não faz sentido — falei, na defensiva. — Por que ele encontraria Atlântida por mim? Ele me *deixou* por Atlântida.

Theo também se levantou.

— Não sei, não leio mentes. Mas é o que sempre me pareceu.

Nós nos encaramos em silêncio, os únicos ruídos vindo do filtro da piscina e das ondas quebrando lá embaixo. Água escorria pelo peito e pelos ombros do Theo, mas ele permanecia imóvel como uma estátua. Se ele achava que eu daria o primeiro passo, tinha se enganado. Por fim, ele baixou o olhar.

— Me desculpa. Sei que provavelmente não devia ter dito isso, mas achei que era importante você saber.

— Theo... — Cerrei os punhos sob a água, frustrada. — Sei que você gosta muito do meu pai. Mas não entendo por que você...

Vive defendendo ele. Não enxerga quem ele é. Não consegue entender isso. Havia tantas formas de terminar aquela frase, mas Theo parecia tão *arrependido*, triste de verdade, o luar destacando a sinceridade dos seus olhos. Ele podia não ser capaz de ver todas as facetas da minha situação, mas não era ele quem a vivia. Eu não podia descontar meus ressentimentos nele.

Gemi, então mergulhei de volta na água, mantendo os olhos voltados para céu. As estrelas pareciam ainda mais distantes do que o normal.

— Deixa pra lá. Novo assunto? — sugeri.

Uma breve pausa, então uma pequena tsunami quando Theo se lançou para o meu lado da piscina.

— Sem problemas. Já tenho um em mente.

Ele abriu um sorriso.

Suspirei, mas de maneira bem teatral. Ele continuava se aproximando de mim, e meu coração pareceu achar que aquilo exigia um surto épico.

— Ótimo. Qual?

Seus lábios se entreabriram.

— Kalamata. Esse seu namorado, por acaso ele...

Atrás de nós, uma luz se acendeu, forte como um holofote, e nós dois estremecemos, cobrindo os olhos, enquanto o pânico tomava conta de mim.

— Theo? — finalmente consegui dizer.

Talvez fosse um detector de movimento? De um vizinho? Theo olhava para a casa com ar de preocupação.

— Theo, o que foi? — sussurrei.

— Shhhh.

— *Poios eínai ekeí?* — gritou uma voz masculina.

Ah, não.

Os olhos do Theo procuraram calmamente os meus.

— Kalamata, me escuta. Vamos ter que correr.

Meu coração foi parar na garganta.

— Correr? Mas...

— *Agora.*

— *Paraváles!* — rugiu uma voz, muito perto.

Estava surpresa demais para reagir. Antes que eu percebesse o que estava acontecendo, Theo me puxou para fora da água, o braço firme em volta da minha cintura, e disparamos em direção à porta, pingando e escorregando enquanto pegávamos nossas coisas e *corríamos*.

Achei que o dono da casa nos perseguiria até sairmos da propriedade e pronto, mas me enganei. Quando chegamos à rua, nossas roupas e calçados amontoados de qualquer jeito nos braços, Theo agarrou minha mão. Mas, em vez de correr em direção à livraria, ele me puxou escada abaixo, ziguezagueando na escuridão, na direção oposta à do penhasco.

— *Stamáta tóra!* — berrou o homem, sua voz reverberando no silêncio.

— Th-Theo... — gaguejei.

A adrenalina era tanta que eu sentia meu corpo derretendo, meu cérebro se tornando uma confusão inútil. Theo não estava tendo aqueles problemas. Devia ter sido um pirata em outra vida, porque saiu se enfiando em vielas estreitas, descendo escadas, pulando muros e até mesmo saltando de uma beirada de um metro de altura, e eu simplesmente era arrastada por ele, balançando como uma pipa.

Escorreguei inúmeras vezes, mas, sempre que eu caía, Theo me segurava, às vezes jogando suas roupas para um dos lados para poder me firmar melhor. Ele tinha um plano? Ou estávamos só correndo sem rumo? Eu queria perguntar, mas estava atordoada demais para formular as palavras.

Os passos do homem ecoavam mais alto que o som das ondas martelantes do oceano. De tão curta e acelerada, minha respiração estava ofegante, e, quando pensei que meu coração fosse explodir, Theo finalmente nos levou para uma varanda fechada coberta por uma pérgula de madeira, com espreguiçadeiras em um canto e uma banheira de hidromassagem no outro.

Ele correu até a banheira e se espremeu, agachado, entre ela e a parede.

— Liv, anda!

Os passos do homem e sua voz irritada ressoaram mais perto, e me abaixei ao lado do Theo. Mal havia espaço para nós dois. Ficamos de frente um para o outro, os joelhos dobrados em direção ao peito, separados por poucos centímetros. Nós dois respirávamos com dificuldade.

Eu estava toda suada, o maiô grudando em mim de maneiras estranhas e a franja colada à testa. Theo, é claro, continuava lindo. Pele luminosa, olhos brilhantes, peito nu arfando. Ele parecia ter sido feito para ser perseguido pelos penhascos de Santorini, usando calção de banho.

Seus ombros eram bronzeados e macios e...

Deixei pra lá.

— Ladrão! — gritou o homem, com um forte sotaque.

Ele estava bem perto, a uns seis metros de distância. Em algum momento, percebera que não éramos locais e passara a gritar em inglês em vez de grego.

— Nadar na minha piscina? Americanos! Ladrão!

Será que o homem tinha visto a gente se esconder ali? Se ele nos encontrasse, o que faria?

Agarrei as mãos do Theo e as apertei com força. Mesmo que estivéssemos em um jogo angustiante de gato e rato, de repente senti uma vontade inexplicável de rir.

Theo e eu encaramos um ao outro. Seu rosto estava vermelho, e, quando seu peito e ombros roçaram minha pele, senti que ainda estavam úmidos. Meu coração batia acelerado.

— Não ria — sussurrei.

— Hã?

Mas não adiantou. Rimos em silêncio, o tipo de risada profunda que não pode ser controlada. Nossos ombros subiam e desciam, os rostos enterrados nos joelhos. Nem sei do que estávamos rindo. Da pena de morte vindo em nossa direção? Das cócegas provocadas pela respiração nos joelhos um do outro? Do fato de estarmos cheirando a duas enormes pastilhas de cloro? A certa altura, eu bufei, o que piorou muito a situação.

— Para — murmurou Theo. — Para.

Ele escondeu o rosto nos joelhos, os ombros sacudindo.

— Eu vejo. Eu vejo vocês! — gritou o homem, mas parecia bem mais distante agora. — Aí está.

Meu estômago doía de tentar conter as risadas. Lágrimas corriam pelo meu rosto.

— Eu *encontra* vocês.

A voz dele era um eco, o som desaparecendo sob o ruído do oceano.

— Ele está indo embora — sussurrei, secando os olhos.

Minhas pernas começavam a ficar com cãibra, porém as encolhi mais ainda, apoiando o queixo nos joelhos. A água fria pingava ritmicamente de nossos cabelos e roupas de banho, e, quando Theo ergueu os olhos, vi que também tinha um enorme sorriso no rosto.

— Despistamos o pirata — disse Theo, sua boca a dez centímetros da minha.

— Graças a você.

Era hora de desviar o olhar, mas nenhum de nós fez isso. Eu sentia sua respiração em meu rosto, e a água do cabelo dele escorria dos seus braços para os meus. Fosse lá o que estivesse acontecendo entre nós, parecia estar ganhando velocidade e cada vez mais impulso. Eu não conseguia parar de encarar os lábios dele, e Theo não conseguia parar de encarar os meus. Dava para sentir o hálito quente entre nós dois, e minhas pernas escorregadias junto às dele. Ele ia me beijar?

Pior. Eu ia beijá-lo.

Um fio me puxava em direção a ele. Theo estendeu a mão e tocou meu lábio inferior com o polegar, e comecei a me inclinar para a frente, com todas as células do meu corpo pegando fogo, então fechei os olhos e...

Theo se afastou de repente, batendo a cabeça na tampa da banheira com um baque alto e estragando o transe em que estávamos. Uma onda de emoções conflitantes me atingiu — confusão, decepção, alívio, pânico. Tudo o que consegui dizer foi:

— AimeuDeusvocêestábem?

— Sim. E você? Eu... Hã, me desculpa por isso...

Eu nunca tinha visto Theo se atrapalhar com as palavras daquele jeito. Tentei me levantar, mas caí arranhando os cotovelos e completamente sem jeito. O que estava acontecendo?

— Ai. A culpa foi minha.

Tentei novamente, finalmente conseguindo me pôr de pé relativamente ilesa.

Estava me sentindo tão exposta e constrangida, como se estivesse completamente nua, em vez de apenas seminua. Tínhamos mesmo quase...?

Qual era o meu *problema*? Theo se levantou, com a mão na nuca.

— Acho que vou ficar com um galo na cabeça.

Fiz uma careta.

— Theo... uau. Acho que foi, sei lá, toda aquela agitação? Sabe... sermos perseguidos e depois este espaço apertado aqui, era meio inevitável.

Inevitável? Eu tinha mesmo dito aquilo? Um sorriso lento e travesso se abriu no rosto dele, o que me fez querer me atirar do penhasco.

— Quer dizer... Não inevitável, só... compreensível? Ou...

Eu me afundava cada vez mais naquele buraco. O sorriso crescente dele não ajudava em nada. Nem um pouquinho.

Minhas bochechas pareciam os portões ardentes do inferno.

— Deixa pra lá. Esquece o que eu disse.

Ele cruzou os braços, ainda com o sorriso provocador.

— Não sei se algum dia vou esquecer o que você disse, mas foi algo sem importância, Kalamata. Não se preocupe.

Sem importância? Para quem? Também cruzei os braços. O ar noturno estava quente, mas não o suficiente para me impedir de tremer em meu maiô molhado.

— Bem, foi importante para *mim* — deixei escapar.

Por que, meu Deus, por que não consigo parar de falar?

— Kalamata...

Ele estendeu a mão para me tocar, e eu desviei depressa.

Corre!, gritou meu cérebro. *Antes que você tente beijá-lo de novo.*

— Vejo você lá em cima — falei.

Corri para a beirada da varanda, mas imediatamente me deparei com três caminhos diferentes, que se ramificavam em ainda mais direções.

Aquele lugar era mesmo um labirinto. Meu plano de fuga foi por água abaixo.

— A escada à esquerda — informou Theo atrás de mim. — Depois a segunda à direita. Eu guio você.

— Obrigada.

Mantive o olhar grudado nos degraus, ignorando o olhar dele nas minhas costas. Meus lábios ainda formigavam onde ele os havia tocado.

Aquilo não ia acabar bem.

Capítulo 17

#17. GUIA DA TV, EDIÇÃO DO EMMY

Tínhamos nos mudado outra vez, para um apartamento que um dia fora alugado por uma mulher chamada Rose Walker, a julgar pelo Guia da TV que chegava em nossa caixa de correio todos os meses. Minha mãe riu quando viu a primeira edição em nossa mesinha de centro. Aquela revista ainda existia? Mas, em vez de largá-la no lixo reciclável e usar a internet como todo mundo, meu pai começou a consultá-las.

Ele não era de ver TV. Estava mais para um leitor, aventureiro e artista. Mas às vezes ligava a TV. Nunca durava mais do que alguns dias. Cinco, seis, sete, até, mas então ele se levantava do sofá e perguntava sobre meu dever de casa antes de sairmos para caminhar ao sol. Naqueles dias, sempre soube que não devia falar sobre Atlântida. É engraçado como tem coisas que a gente não conhece, mas entende intuitivamente.

EXISTE CONSTRANGIMENTO DO TIPO "PODEMOS SEGUIR em frente e fingir que isso nunca aconteceu?" e do tipo "Por acaso você conhece algum vulcão não adormecido em que eu possa me atirar, porque essa parece ser minha única opção?". A caminhada de volta para a livraria estava mais para a segunda opção. Pelo menos para mim. Toda vez que eu olhava para o Theo, ele ainda exibia aquele sorriso terrível. Pelo menos um de nós estava achando graça de tudo aquilo.

Uma vez que ficou claro que eu não tinha como fugir, levamos cerca de vinte minutos para encontrar todos os calçados e roupas que tínhamos deixado cair pelo caminho e depois mais quinze para passarmos escondidos pela casa-caverna e voltarmos à livraria, onde enfim poderíamos fingir que estávamos dormindo enquanto ouvíamos nosso rap francês. O tempo todo eu mal conseguia olhar para ele, porque NÓS QUASE TÍNHAMOS NOS BEIJADO.

Com tempo de sobra durante nossa caminhada silenciosa de volta à livraria para analisar o que houve, disse a mim mesma que eu tinha ficado tão confusa depois do cruzeiro com meu pai que baixara a guarda e perdera a cabeça. Ou talvez aquilo tivesse acontecido porque Dax ainda não me ligara de volta, e eu estava ficando cada vez mais nervosa com a ideia de contar a ele sobre a RISD. Ou talvez fosse o fato banal de que Theo me fazia sentir como se estivesse nadando em bolhas de champanhe. Perceber aquilo era inconveniente ao extremo, mas isso não significava que não fosse *verdade*. Tudo o que eu sabia era que não precisava mesmo daquela complicação extra na minha vida. Só queria dormir.

Quando finalmente consegui acalmar meus pensamentos acelerados, que iam do Theo para o Dax e para o meu pai, foi exatamente o que fiz.

* * *

Quando acordei na manhã seguinte, a cama de Theo estava vazia, e fiquei aliviada ao ver a ficha de produção presa à minha. Nela, eu era instruída a encontrá-los no ponto de ônibus. Naquele dia, íamos filmar Acrotíri, o sítio arqueológico das ruínas minoicas. Eu andava animada para ver as ruínas, mas não podia mais contar com Theo para que as interações sociais do dia corressem bem. Precisava de alguém para suavizar o clima com a pessoa que normalmente suavizava o clima. Foi então que uma luz se acendeu na minha mente.

Dei mais uma olhada no papel. *Sítio arqueológico.* Henrik! Seria possível...? Peguei minha mochila e despejei tudo, canetas e blocos caindo para todos os lados, enquanto procurava a folha de revista em que Henrik anotara seu número, e então peguei meu celular.

Depois de tomar banho e fugir de Geoffrey, que queria conversar sobre Mathilde ter pedido "mais espaço emocional", saí para o sol quente e forte, a mochila pesada em meus ombros.

Eu não ia ao ponto de ônibus desde meu primeiro dia em Santorini, e fiquei surpresa ao notar que consegui chegar lá facilmente. Era engraçado como me familiarizara rápido com o vilarejo, como quando precisamos usar bastante um sapato até o pé se acostumar. Menos de uma semana antes, o lugar parecia uma tela em branco, um labirinto infinito, mas eu passara a identificar as nuances. Oia tinha suas peculiaridades e seus encantos: portas tortas, plantas crescendo de latas de tomate no peitoril das janelas, montes de globos de neve baratos e burros de pelúcia nas vitrines das lojas. Eu já até começava a distinguir os diferentes tons de branco e a reconhecer alguns dos cães residentes.

Aquilo fez meu coração doer um pouco. Santorini tinha uma carga emocional tão pesada para mim que nunca considerei que pudesse amá-la. Afastei rapidamente aquele pensamento e as emoções que o acompanhavam, bem a tempo de ver Theo, meu pai e sua montanha de equipamentos à minha espera. Eles falavam rapidamente em grego e, quando se viraram em minha direção, me preparei para lidar com a situação constrangedora com Theo. Para minha surpresa, foi meu pai que chamou a minha atenção.

— Liv!

Ele correu para pegar minha mochila, uma atitude ao mesmo tempo gentil e otimista. Meu pai já estava tão sobrecarregado de equipamentos que equivalia a um dos burros locais.

Estreitei os olhos para ele.

— Pai, você está bem?

Ele estava bem-vestido, com o chapéu alto na testa, mas tinha olheiras profundas e sua pele parecia pálida. Mas o principal era que, para quem sempre irradiava energia, ele estava visivelmente abatido.

— Não dormi direito — admitiu. — Acho que a comida do cruzeiro não caiu bem. — Então acenou com a cabeça em direção à minha mochila. — Espero que você tenha trazido a maquiagem de velho. Hoje, vou precisar.

— Você está bem, chefe? — perguntou Theo, seus olhos passando direto por mim. — É melhor não filmar se estiver com intoxicação alimentar.

— Estou ótimo — insistiu meu pai, piscando para mim. — Com um pouco de maquiagem e café, vai dar tudo certo. Por favor, não se preocupem tanto.

Ele não parecia bem. Theo olhou para mim, preocupado, e tivemos uma rápida conversa não verbal. *Devemos adiar a gravação mais um dia? Podemos adiar a gravação mais um dia?* A resposta era não, mas Theo deu de ombros, como se perguntasse: *Acha que a gente consegue convencê-lo a não filmar hoje?* A resposta para aquilo era: *Definitivamente não.* Além do mais, me comunicar com o Theo fez com que eu me sentisse melhor. A tensão se desfez dentro de mim. Sim, quase tínhamos nos beijado, mas Theo tinha razão. Um lapso momentâneo de bom senso era algo sem importância. As coisas não precisavam ficar estranhas entre nós.

— Faço sua maquiagem no caminho — falei, me virando para o meu pai.

— E, Nico, vê se descansa durante a viagem — ordenou Theo.

— Acrotíri fica a pelo menos uma hora de distância.

— Por favor, não se *preocupem* — repetiu meu pai, erguendo os braços em protesto.

Acabou que não íamos pegar o ônibus. Yiannis, a Morsa, ia nos levar em seu táxi, o que ficou claro quando ele veio correndo a toda velocidade até nós, charuto em uma das mãos e café na outra.

— Nico!

Depois dos tapinhas nas costas e dos cumprimentos animados habituais dos gregos, guardamos nosso equipamento no porta-malas. Então, nós quatro, acompanhados do charuto de Yiannis, entramos no táxi. Para chegar a Acrotíri, tínhamos de seguir literalmente até a outra ponta da ilha, o que seria simples se não estivéssemos em *Santorini*, onde precisávamos enfrentar o trânsito, burros usando arreios coloridos, turistas dirigindo quadriciclos e ônibus sacolejando imprudentemente pelas estradas estreitas.

Nunca fico enjoada andando de carro, mas aquela viagem estava me levando ao limite. Dentro do táxi, as condições eram ainda piores. Yiannis fumou por todo o caminho, Theo toda hora sacava sua câmera, e eu tentava maquiar meu pai apesar do balanço do carro. Quando paramos no estacionamento em Acrotíri, parecia que eu ia vomitar o equivalente a três dias de comida. Meu pai estava ainda pior. Talvez tivéssemos tido mesmo uma intoxicação alimentar.

— Que tal nunca fazermos isso de novo? — falei, saindo trêmula do táxi.

Verifiquei meu celular. Ainda sem resposta do meu contato ultrassecreto na ilha. Eu precisava que ele aparecesse.

— Acrotíri — anunciou meu pai, parando um instante para se recompor. — É aqui que vivia a antiga civilização de Minoa. Ou, como gosto de chamá-los, os atlantes originais.

— Isso foi bom. Você filmou? — perguntei ao Theo.

— Claro que sim.

Ele hesitou e deu uma olhada rápida para o meu pai, que descarregava nosso equipamento com Yiannis.

Theo mexia no cabelo, sem graça, e senti o muro metafórico que construía entre nós. Sim, claro. Nada de constrangimento por ali. O ar úmido parecia completamente saturado, e meu coração martelava no peito.

— Podemos conversar um minuto? — disse ele baixinho.

— Claro. O que foi? — perguntei, em uma voz ridiculamente animada.

Por que sempre faço isso quando estou nervosa?

Seu olhar finalmente encontrou o meu.

— Eu queria me desculpar pela noite passada, a coisa toda da piscina e... hã, da banheira. Pensei um pouco mais sobre isso e você tem razão, é importante, sim. Você tem namorado e, além disso, gosto muito de trabalhar com você. Foi meio errado.

Meio? Seus olhos pareciam líquidos e, ah, tão sinceros que eu fiquei vermelha de novo.

— Foi culpa minha também. Podemos ser profissionais. E amigos — acrescentei rapidamente. — Além disso, não é só porque tenho namorado. Existe a regra contra relacionamentos a distância, certo?

Não sei por que disse aquilo. Dava a impressão de que eu estava interessada, o que definitivamente não era verdade. *Não podia* ser. O olhar de Theo correu de maneira inquisitiva até o meu. Permaneceram assim por um instante, até que ele deu um pequeno passo para trás.

— Certo. Então… estamos bem?

— *Muito* bem.

Eu me odiava.

Infelizmente, não éramos os únicos interessados na civilização minoica. Havia cerca de dez ônibus de excursão lotados de turistas com protetor solar, todos esperando na fila do balcão de ingressos.

— Isso vai ser complicado — comentei com meu pai, que ainda parecia estar passando mal.

Seus olhos brilharam com entusiasmo no rosto pálido.

— Mas vale a pena. Vai ser importante para o filme. Dá para acreditar que poderemos ver o marco zero de Atlântida? Ou, como um cético diria, a civilização do Egeu da Idade do Bronze?

Meu pai ergueu as sobrancelhas para mim, e não contive um sorriso. Ele se referia à nossa conversa da noite anterior, colocando minha dúvida ao lado das suas crenças. As duas coisas se complementavam melhor do que eu imaginava.

— Algum progresso na questão da Ásia e da Líbia?

— Estou trabalhando nisso — respondeu ele.

— Ah, *não* — exclamou Theo.

Ao virarmos, vimos que ele olhava para a placa na entrada.

— Vejam só.

Fiquei na ponta dos pés. Uma grande placa na entrada do sítio arqueológico dizia FILMAGEM COMERCIAL PROIBIDA.

— Mas... nós somos amadores. Não vão nos deixar entrar com a câmera? Ou será que a gente não consegue entrar com ela disfarçada?

Todos nós encaramos a câmera do Theo, que parecia aumentar na proporção do nosso estresse.

— Não sei — disse meu pai.

Seu rosto mostrava decepção, fazendo-o parecer ainda mais abatido.

— Quanto tempo você acha que demoraria para conseguirmos uma licença?

Theo fez uma careta.

— Na Grécia? Noventa anos. Oitenta, se tivermos sorte.

Senti um aperto no peito. Era verdade. Meu pai e Ana ainda
não tinham nem conseguido a licença comercial para a livraria,
que já existia há um ano.

— E agora? — perguntei.

Se eu não tinha certeza antes, meus sentimentos finalmente
deixavam bem claro: para o bem ou para o mal, eu me importava
com o filme.

— Liv? É você?

A voz veio de trás de mim, interrompendo meu desespero, e,
ao me virar, encontrei um rosto conhecido abrindo caminho pela
multidão.

— Henrik! Você recebeu minha mensagem.

Corri até ele.

— Sim, sim. — Ele tirou os óculos escuros, um largo sorriso
se espalhando pelo rosto. — Olha só para você. Esses dias em
Santorini lhe fizeram bem.

— A você também.

Henrik estava de bermuda e chinelo, e parecia feliz e relaxado. Exatamente como pessoas de férias na Grécia deveriam
estar. O oposto de como eu me sentia: um grande emaranhado
de estresse.

— Como está seu namorado? — perguntei.

— Ah, ele. — Henrik balançou a cabeça, mas seu sorriso aumentou. — O máximo. Está no sítio desde as cinco da manhã.
Fiquei me perguntando se você entraria em contato, Liv. E você
escolheu um bom dia para isso. Eu já planejava trazer café da
manhã para ele.

— Então este é o sítio? É aqui que o seu namorado trabalha?

JENNA EVANS WELCH

De acordo com meus poucos minutos de pesquisa no celular, havia apenas uma grande área de escavação minoica. Ainda assim, parecia bom demais para ser verdade.

— O próprio.

Dei um soquinho triunfante no ar. *Aleluia.*

— Oi — cumprimentou meu pai, vindo em nossa direção com cerca de noventa bolsas presas às costas. — Meu nome é Nico Varanakis.

Ah. Claro. Hora das apresentações.

— Henrik, este é o meu pai, Nico. Pai, este é o Henrik. A gente se conheceu no avião. Ele, hã... me deu apoio moral. E o namorado dele trabalha aqui na escavação. Mandei uma mensagem para ele hoje de manhã para ver se conseguia nos ajudar a entrar.

E para me distrair de todo o constrangimento por aqui.

Aquela interação aleatória pegaria a maioria das pessoas de surpresa, mas não o meu pai.

— Henrik! — saudou ele. — É um prazer conhecê-lo. Qualquer amigo da Liv é meu amigo.

Ele estendeu a mão para cumprimentar Henrik conseguindo derrubar um mapa enrolado e seu chapéu de Indiana Jones no processo. Fiquei feliz por ter contado a Henrik a história de Atlântida e do meu pai. Tornava tudo aquilo menos estranho.

Henrik pegou o mapa e apertou a mão dele.

— É muito bom conhecê-lo também. Seu trabalho parece... fascinante. — Henrik piscou para mim e então se virou para o Theo. — E você deve ser o aspirante a documentarista. Liv me contou tudo sobre você.

— Nem *tudo* — rebati depressa.

Eu só tinha feito um resumo rápido por mensagem do projeto e da nossa situação de colegas de quarto. Por que Henrik estava dando a entender que aquilo tinha importância?

— Theo — disse Theo, saindo de trás da câmera para cumprimentar Henrik.

Então ele apontou para a placa.

— Você por acaso sabe alguma coisa sobre a regra de filmagem? Não temos tempo para obter uma licença.

Henrik estudou a placa, pensativo.

— Humm. Acredito que não deva ser um problema. Vou só ligar para o Hye.

Ele se afastou, e nós três ficamos observando a multidão cada vez maior na entrada do sítio. Passado um instante, Henrik acenou para nós.

— Hye disse que consegue deixar vocês entrarem mais cedo e para não se preocuparem com a câmera. Temos cerca de meia hora antes de as portas se abrirem, e ele quer fazer uma excursão guiada com vocês. Mas teremos que ser rápidos. Bem rápidos.

— Uma excursão expressa — disse Theo. — A gente consegue.

— Muito bem, Liv — elogiou meu pai.

Eu e ele trocamos um olhar animado, tão natural e espontâneo que me assustou.

Tínhamos deixado de lado o filtro que costumávamos usar um com o outro? Ele estava orgulhoso de mim? Mais importante, eu estava *feliz* por ele estar orgulhoso de mim?

Eu teria que refletir sobre aquilo mais tarde, porque começamos a correr para a entrada dos fundos do sítio arqueológico. Pouco depois, um homem americano de ascendência coreana, com um sorriso enorme e o que devia ser a calça jeans mais empoeirada do mundo, abriu a porta dos fundos. Gostei dele na hora.

— Hye — apresentou-se, estendendo a mão para nos cumprimentar.

Seus olhos se iluminaram ao ver meu pai.

— Você é o caçador de Atlântida?

Meu pai sorriu com confiança.

— Nico Varanakis, é um prazer conhecê-lo.

Hye o encarou com um olhar avaliador, e senti uma pontada de pânico. Será que ele pensava que meu pai era um louco? Hye assentiu, parando por um instante antes de apontar para o sítio.

— Se você está atrás de provas da existência de Atlântida, meu palpite é que vai querer ver o que tornava os minoicos tecnologicamente avançados. Acho que podemos começar pelos níveis superiores, ver a estrutura das construções e, em seguida, passar para alguns dos detalhes que fizeram os minoicos se destacarem. O que acha?

— Perfeito — disse meu pai.

Eu seria capaz de dar um beijo em Hye naquele momento. Então o seguimos, entrando no sítio silencioso e deixando o som da multidão para trás.

Eu andara tão preocupada com aquele dia que nem tinha cogitado que a área de escavação de Acrotíri poderia ser extremamente interessante. Lá dentro, um telhado rústico feito de ripas de madeira se erguia, nos protegendo do sol, mas trazendo de fora os sons dos pássaros e insetos. Havia poeira, andaimes e ferramentas de aparência complexa por toda parte. À primeira vista, a área de escavação parecia um monte de entulho moderadamente contido, mas, quando seguimos Hye até o alto de uma passarela, as ruínas lá embaixo começaram a tomar forma.

— Acho que esta é a nossa melhor vista. Eu recomendaria fazer umas tomadas daqui — sugeriu Hye, mas Theo já estava filmando.

— Me dá dois minutos — pediu ele.

Caminhei até a beira da grade e recuperei o fôlego, meus olhos assimilando aos poucos o que eu estava vendo. Para além dos detritos, Acrotíri era um vilarejo — uma cidade, na verdade — com ruas definidas e prédios altos, sem telhados e com paredes de pedra, de dois, às vezes três andares. Havia artefatos como bancos e grandes potes de cerâmica em algumas das estruturas, e suportes de madeira tinham sido construídos nas janelas de pedra. Se estreitasse os olhos, era fácil imaginar uma cidade movimentada... que não suspeitava de sua destruição iminente.

Hye apontou para uma casa próxima.

— Essa dezena de casas é uma pequena parcela do que acreditamos que Acrotíri tenha sido, provavelmente apenas três por cento do que permanece enterrado. A julgar pela qualidade da arquitetura, bem como pelos itens encontrados em seu interior, acreditamos que essas casas pertenciam a comerciantes ricos. Os andares inferiores eram usados como depósito, e nos superiores era onde ocorria a vida diária.

Theo virou a câmera para Hye.

— Conte a eles sobre a arte — disse Henrik. — Liv vai gostar.

Hye sorriu, então fez sinal para que eu o seguisse alguns metros adiante na passarela.

— Um dos maiores indícios da riqueza de Acrotíri é a arte abundante. A maioria das estruturas contém afrescos coloridos com cenas de grandes cidades e portos cheios de barcos. Os temas das pinturas nos dão uma ideia de como as pessoas viviam, e a atenção aos detalhes mostra que se preocupavam em embelezar suas vidas.

Ele apontou para um afresco fortemente pigmentado. Todos nos inclinamos sobre a lateral da passarela para ver melhor.

— Este é o afresco Primavera, que retrata a ilha vulcânica, com flores e andorinhas. O artista usou minerais locais, o que explica a pintura ter sobrevivido por tanto tempo. Isso e a camada de pedras-pomes que revestiu a cidade.

O afresco cobria três paredes que permaneciam intactas no prédio, e um toque de cor decorava a quarta. O fato de o cômodo estar decorado o tornava muito mais concreto para mim. Será que tinha sido uma sala de estar? Uma sala de jantar? Que tipo de vida se levava ali?

De repente, comecei a pensar no último apartamento em que minha família tinha morado quando ainda estávamos todos juntos. Aquele com a pia que sempre vazava e as portas estufadas para fora dos batentes. Em um minuto, os minoicos viviam seu dia a dia, cozinhando e fazendo cerâmica, abrindo as janelas, e, no seguinte, um vulcão explodira, deixando seu mundo na mais completa escuridão. Minha família também não tivera ideia do que estava por vir. Pelo menos, eu não tivera.

— Eles existiram de verdade — disse meu pai, aparecendo ao meu lado.

Apesar da nossa correria até o sítio arqueológico, ele parecia relaxado.

— Os minoicos, quer dizer — explicou. — Não é incrível pensar nisso?

Senti um nó na garganta, então só fiz que sim. Nós também já fôramos de verdade, mesmo que fosse mais difícil de perceber naquele momento. Será que ele notara no que eu estava pensando?

— Vamos seguir em frente, pessoal — disse Theo, enxotando todo mundo por trás da câmera. — Só temos mais vinte e seis minutos até abrirem para o público.

Você já viu um daqueles programas em que as pessoas correm pelos supermercados enchendo os carrinhos com tudo o que conseguirem? Assim foram os vinte e seis minutos seguintes. Hye e meu pai se deram muito bem e, em pouco tempo, conversavam animadamente, caminhando em disparada pelo térreo enquanto o restante de nós fazia o máximo para acompanhar.

Theo se revezava filmando o sítio e dirigindo entrevistas improvisadas com Hye, que, apesar de não ter sido avisado com muita antecedência sobre nossa visita, estava levando tudo com tranquilidade. Henrik e eu toda hora ficávamos para trás porque eu acabava me distraindo com os detalhes interessantes da escavação. O assentamento parecia rústico, mas, como meu pai dissera, na verdade era muito avançado, com casas à prova de terremotos e encanamento interno.

Quando chegamos ao centro do sítio arqueológico, eu estava sem fôlego e tinha manchas de terra no macacão preto e nas pernas. Era inevitável.

Henrik, que caminhava ao meu lado, apontou para Theo, que encurralara um dos alunos de Hye, uma universitária baixinha e de óculos grossos, carregando um monte de sedimentos. Henrik assobiou baixinho.

— Theo é sempre assim tão...?

— Agressivo? Invasivo?

A pobre aluna parecia completamente aterrorizada diante da câmera. *Eu devia ir salvá-la?*

Ele ergueu uma sobrancelha para mim.

— Eu ia dizer *curioso*.

— Ah, sim. Sempre.

— E aqueles dois... — comentou Henrik, apontando para meu pai e Hye, que olhavam por uma porta aberta. — Devo admitir que é bom ver Hye se comunicando com alguém que fala a língua dele.

— ... o encanamento interno é o que mais me impressiona. Esse tipo de tecnologia só reapareceu depois com os romanos — ouvi meu pai explicar.

Todos os vestígios de mal-estar tinham desaparecido de seu rosto. Parecia que o prazer de ver aquelas ruínas antigas era o antídoto para o que quer que o tivesse acometido. Ele parecia um fogo de artifício aceso, ou seja, normal.

— Quinhentos anos depois — acrescentou Hye. — Incrível, não é? O que realmente me interessa é o planejamento da cidade. Você reparou como...?

Eles dobraram a esquina, e suas vozes foram sumindo a distância.

— Deus abençoe os exploradores — repetiu Henrik. — Ele é maravilhoso, não é?

— Hye? É mesmo.

— Estou falando do seu pai. Tenho que admitir que ele não é bem como eu imaginava. Como vão as coisas entre vocês?

— Hã...

Refleti um pouco sobre meu estado e fiquei surpresa ao encontrar alívio em vez do estresse habitual.

— Acho que vão bem — falei. — Ter um projeto tem ajudado.

— Que ótimo. — Ele limpou um pouco de poeira do queixo, abrindo um sorriso. — E o seu namorado? Você não me disse que ele viria junto.

— O quê?

Ergui os olhos e vi que ele apontava para Theo.

Meu equilíbrio foi para o espaço.

— Ele não é meu namorado. Nossos pais são sócios, e Theo é o cinegrafista do projeto e...

Minhas palavras saíam aos tropeços, o que só piorava a situação. Henrik riu.

— Relaxa. Eu sei que ele não é seu namorado. Mas talvez você devesse repensar isso. Porque, além de ser fofo, ele olha para você como se fosse a melhor coisa que já lhe aconteceu. — Henrik olhou para mim. — Meu Deus, nunca vi ninguém ficar vermelha que nem você. Seu rosto todo está da cor de uma lagosta.

Cobri o rosto.

— Por favor, para.

— Não estou fazendo nada — comentou Henrik. — É tudo coisa sua.

Acabamos ultrapassando em várias horas nossa meta de trinta minutos, com meu pai se reunindo e conversando com quase todos os funcionários da escavação, e até mesmo fazendo um breve discurso sobre as semelhanças entre Acrotíri e Atlântida para um grupo entusiasmado de espectadores antes de completar suas próprias gravações. Quando terminamos, meu pai já havia passado várias horas diante da câmera e estava cansado em um nível que nem mesmo o corretivo poderia disfarçar. As filmagens realmente o esgotaram.

— De volta para Oia, chefe? — perguntou Theo, olhando para ele, preocupado.

Theo estava tomando cuidado para não ficar muito perto de mim. Eu já esperava aquilo, mesmo depois da conversa que tivemos pela manhã, mas o estranho era que meu pai parecia estar fazendo a mesma coisa. Levei um tempo para perceber, porque ele continuava falando comigo como se tudo estivesse normal, mas, depois de algumas horas, notei que estávamos presos em uma espécie de dança. Quando eu dava um passo em sua direção, ele recuava. Se eu tentasse retocar sua maquiagem ou ajudar a redirecioná-lo enquanto estava filmando, meu pai nunca me olhava nos olhos.

Por quê? Sabia que nosso jantar no cruzeiro não tinha sido o melhor do mundo, mas eu não tinha percebido que o muro entre nós poderia ficar ainda mais alto. Será que aquela viagem acabaria piorando as coisas?

Depois de agradecer a Hye várias e várias vezes pela experiência VIP, prometer manter contato com Henrik e fazer algumas últimas tomadas da entrada de Acrotíri, finalmente demos o dia por encerrado. Na saída, encontramos Yiannis dormindo no banco da frente do táxi. Meu pai e Theo cochilaram no caminho de volta a Oia, e, quando chegamos à livraria, estávamos cem por cento exaustos.

Sem se importar com o nosso cansaço, a livraria estava lotada, como sempre. Até Bapou parecia estar tentando ajudar, embora isso basicamente envolvesse falar em grego com clientes que não falavam grego e cutucar livros com a bengala.

Quando Ana nos viu, foi correndo até o meu pai.

— Nico, você exagerou.

Ela mudou para o grego, repreendendo-o antes de se virar para Theo e para mim.

— Vocês dois também estão com uma cara horrível, mas preciso de ajuda. O povo está mal-humorado hoje. Um dos cruzeiros está com problemas de eletricidade, e todos estão rabugentos, incluindo nosso padeiro. — Ela apontou para Bapou por cima do ombro. — Ele fica tentando empurrar os livros de turismo para os clientes.

— Bela! Bem-vinda a Santorini! — bradou Bapou para um cliente que fugia.

— Vou cuidar dos clientes — disse Theo. — Bapou! *Kse-xna to!*

Trabalhamos como formigas, como diria Geoffrey, até o costumeiro horário de fechar, e então Theo, Ana e eu nos arrastamos até o terraço, onde desabamos e assistimos ao sol se pôr no horizonte. Meu pai nem aguentou até lá. Depois de duas horas na loja, voltara ao apartamento sem falar nada sobre nossos planos noturnos de ir a Kamari. Eu esperava que ele fosse aparecer a qualquer momento, mas até então não havia sinal dele.

Interagir com Theo ainda era meio como andar na corda bamba, e eu estava grata pela falta de tempo a sós com ele. Olhei para Ana. Seu cabelo estava preso em um coque alto, que havia ficado mais bagunçado a cada minuto que passáramos na livraria. Pela primeira vez, ela parecia esgotada.

— Cadê o Geoffrey? — perguntei.

— Vagando pelas ruas. Geoffrey e Mathilde andaram discutindo, e ele precisava de um tempo para pensar — disse Ana, deixando escapar um suspiro profundo. — Aquele homem. Seu coração é puro, mas o que faremos quanto isso?

— Encontrar uma bailarina de verdade para ele amar? — sugeri.

— Dizer que, se ele não apresentar uma prova concreta da existência de Mathilde em vinte e quatro horas, será forçado a ler *Orgulho e preconceito*? — acrescentou Theo.

Tirei os chinelos e apoiei os pés na beirada do terraço. Tinha deixado o celular no colo, a tela cheia de mensagens não lidas do Dax. Ele estava me mandando fotos da fogueira que tinham feito na praia na noite anterior, mas eu estava cansada demais até para abri-las.

— Geoffrey não gosta de *Orgulho e preconceito*?

Theo falou com a voz mais grave, imitando Geoffrey:

— Muito preconceito e pouco orgulho. Além disso, aquele sr. Darcy é um idiota pomposo e Elizabeth poderia ter arrumado coisa melhor.

— Heresia! — exclamou Ana, sua energia retornando no mesmo instante. — Nunca mais quero ouvir essas palavras de novo. Olha, vocês dois têm trabalhado tanto, deveriam tirar a noite de folga.

— Na verdade, tenho planos com meu pai — falei rapidamente. — Ele quer me levar a um lugar. Acho que Kamari?

Embora eu estivesse nervosa com outra noite de pai e filha, fiquei feliz por ter uma boa desculpa para me manter longe de Theo e do luar de Santorini. O constrangimento que concordáramos que não existiria entre nós continuava lá, tão grande e inconveniente quanto um vulcão.

— Kamari? — perguntou Ana. Tentou prender algumas mechas errantes de cabelo de volta no coque, mas só piorou as coisas, e acabou desistindo. — Ah, sim, que ótimo. É um vilarejo único e encantador. Mas recebi uma mensagem dizendo que ele não está se sentindo bem — disse, evitando meu olhar. — Então, acho que seria melhor se ele descansasse esta noite.

Eu me virei para Ana.

— Ele mandou mensagem para você? Quando?

Até onde eu sabia, ela não estava com nenhum celular ali. Além do mais, por que ele mandaria uma mensagem para Ana e não para mim?

— Mais cedo — disse ela, tirando um grampo do bolso e enfiando no cabelo.

Será que era aquele o motivo por trás da energia estranha no sítio arqueológico? Ele estava tentando descobrir uma maneira de me dizer que não ia sair comigo? Se fosse o caso, ele poderia simplesmente ter me falado. Senti amargura, tristeza e outras coisas desagradáveis oprimirem meu peito. Ele ia mesmo me dar um bolo sem falar nada? Quer dizer, se ele estava se sentindo mal, tudo bem, mas por que ele mesmo não podia me dizer isso?

Ana, claramente alheia ao que se passava na minha mente, se iluminou de repente.

— Theo, você pode levar a Liv a Kamari!

— Hã… não precisa — cortei rapidamente, e Theo deixou escapar um sonoro "*Maman!*" antes de protestar em francês.

Sua voz soava um pouco mais grave em francês do que em inglês ou grego, e eu me odiava por ter percebido aquilo. Além do mais, ele poderia pelo menos fingir que sair comigo não era a pior coisa do mundo.

Ana não quis nem saber.

— Está decidido. Os dois vão a Kamari e vão se divertir *muito*. Vou arrumar o jantar de vocês para viagem.

Ela ficou de pé em um salto e saiu, deixando para trás um rastro de perfume, além de mim e Theo, atordoados e em silêncio.

— Sua mãe está armando um encontro para a gente? — perguntei, pressionando meus dedos à clavícula.

Theo suspirou, colocando as mãos atrás da cabeça.

— Está. Foi mal. Mas, se estivermos aqui quando Geoffrey voltar, teremos que passar o resto da noite dando conselhos sobre seu namoro falso enquanto você ignora todas as mensagens que recebe.

Meu rosto ficou vermelho e peguei rapidamente o celular, que não parava de apitar. Mais mensagens do Dax. Por que eu não conseguia me forçar a abri-las?

Theo tinha razão. Qualquer que fosse o constrangimento que eu tivesse de suportar em um encontro forçado com ele, deveria ser melhor do que ficar ali sentada, me perguntando por que meu pai tinha me chamado até Santorini só para me deixar sozinha ali.

Eu ainda não tinha ideia do que era Kamari, mas parecia exigir sanduíches, refrigerantes e muitos moletons, e Ana não economizara em nada disso. Acho que estava com certo receio de não irmos, porque insistiu em nos acompanhar até o ponto de ônibus e acenou quando já estávamos a bordo.

O trajeto não foi *terrível*. O céu tinha desbotado para um tom escuro de roxo, e o ônibus estava cheio de turistas cansados mas satisfeitos, conversando baixinho entre si. Antes que eu me desse conta, estávamos tendo uma conversa quase normal enquanto devorávamos a comida que Ana mandara. Foi uma bela distração. Em pouco tempo, Kamari foi anunciada como a parada seguinte.

Era uma cidade litorânea agradavelmente bagunçada, com um monte de restaurantes e lojas ao ar livre, que exibiam uma variedade eclética de maiôs, equipamentos para mergulho e brinquedos infláveis de piscina. Também dava para ver uma longa extensão de mar entre os prédios, com fileiras de guarda-sóis de palha e espreguiçadeiras brancas.

— Vamos dar uma olhada na praia primeiro — disse Theo quando descemos do ônibus.

Eu o segui até o calçadão, e paramos na beirada, vendo as ondas quebrarem. Em vez de areia, havia seixinhos pretos. À nossa direita, um par de penhascos altos e claros de frente para o oceano.

— E aí? — perguntou ele, gesticulando para a praia.

— E aí o quê?

Olhei para todas as pequenas rochas vulcânicas, e de repente as palavras de Platão vieram à minha mente. *Um tipo de rocha era branco, outro preto e um terceiro, vermelho...*

— Praia Preta! É essa?

Ele já estava com a câmera na mão.

— Dois coelhos com uma pedrada só, ou seja lá como for o ditado. Não era o que estava planejado para esta noite, mas preciso da filmagem.

Eu me afastei e o deixei trabalhar, mas a praia me fez pensar no meu pai e, de repente, a sensação incômoda em meu peito aumentou. *Por que ele mesmo não cancelara nossos planos?*

Depois que Theo terminou de filmar, demos as costas para a água, e ele me guiou colina acima pela cidade, ao longo de uma estrada movimentada que passava por edifícios e terrenos, até chegarmos a um prédio de estuque vermelho sem telhado. Dava para ouvir a música alta que vinha lá de dentro, e uma longa fila de pessoas se formara ao lado de uma fileira de vasos de planta. Fios de lâmpadas iluminavam uma área ao ar livre, e um cartaz que imitava o símbolo com o leão da MGM — só que com um burro — pendia da entrada.

Olhei para os pôsteres na parede.

— É um cinema?

— Melhor ainda.

Depois da bilheteria, seguimos por um pequeno corredor iluminado por lanternas de papel antes de entrarmos em um grande espaço ao ar livre. Fiquei sem ar. Não era um cinema normal — era o *paraíso* dos cinemas. Uma tela gigante pairava no ar perfumado, cercada por plantas exóticas, esculturas de arame, iluminação colorida, um jardim inteiro de suculentas e fileiras de redes-cadeiras independentes.

AMOR & AZEITONAS

Dei meia-volta, meu coração explodindo de emoção. Parecia uma mistura de Hollywood antiga com ilha tropical. Um música estilo *big band* tocava nos alto-falantes na parte da frente, e trepadeiras com flores fúcsia subiam pelas paredes. Para completar, o céu tinha adquirido um tom profundo de azul-escuro, e fragmentos de conversas, a maioria em inglês com vários sotaques, preenchiam o ar. Tinha até uma lanchonete com o que pareciam chocolates suíços e montanhas de pipoca fresquinha. Minha boca começou a salivar com o cheiro.

— Adorei — disse, e me virei para ele. — Theo, eu *adorei*.

Ele retribuiu meu sorriso, sua mandíbula se contraindo um pouco.

— Isso é coisa do seu pai. Era um dos cinco lugares que ele queria mostrar para você enquanto estivesse aqui. Arruma uns lugares para a gente, que vou pegar os lanches.

— Combinado.

Escolhi os lugares com calma, por fim me decidindo por duas espreguiçadeiras ao lado de uma pequena fonte de água borbulhante com um Buda de pernas cruzadas. Desde que chegara a Oia, eu estava em constante movimento, e era bom poder sentar sossegada e me misturar à multidão por um tempo.

Meu celular apitou e olhei para a tela. Era o Dax. Você está recebendo essas mensagens? Queria que estivesse aqui.

Senti o estômago revirar de culpa. Eu tinha planejado ligar para ele de manhã, mas ficara meio tensa em ouvir sua voz por causa do incidente com o Theo. Depois o dia passara voando com Henrik, a área de escavação do sítio arqueológico, meu pai me evitando, meu pai se sentindo mal, meu pai cancelando nossos planos. *Pai. Pai. Pai.* Affe. Meu dedo pairou sobre a tela. Eu não tinha ideia do que responder. *Queria que você estivesse aqui? Divirta-se? Tire muitas fotos? Também estou com saudade...?*

Aquele último pensamento me fez parar. Eu não vinha mais pensando tanto nele quanto no início da viagem. *Isso é normal?*

— Kalamata?

Levei um susto, e vi Theo procurando por mim, cambaleando atrapalhado com um balde gigante de pipoca, duas casquinhas de sorvete e meia dúzia de barras de chocolate.

— Aqui! Para que tanta comida? — perguntei, pegando os chocolates.

— Esqueci de perguntar do que você gostava, então trouxe um de cada.

Abri um sorriso.

— Adoro *um de cada*. Como você acertou?

— Dei sorte.

Ele sorriu para mim, e na mesma hora o desconforto entre nós evaporou. *Puf.*

— Chocolate amargo ou limão? — perguntou. — Ou os dois?

O sorvete já escorria pela sua mão. Peguei o de limão.

— Qual é o filme de hoje?

Ele ajeitou a casquinha na mão da pipoca, procurando o ingresso no bolso de trás.

— Alguma coisa em preto e branco. Vi o título em grego, mas não sei como é em inglês. Tem a ver com uma coisa quente e boa?

— Humm.

Peguei um punhado de pipoca quente e amanteigada. Ainda doía estar ali sem o meu pai, mas Theo fazia com que eu me sentisse bem melhor. Ele costumava ter aquele efeito sobre mim.

— Sinto muito por seu pai não poder vir — disse Theo, como se tivesse lido minha mente.

Então hesitou.

— Não é a mesma coisa, mas… sei qual é a sensação de seu pai furar com você. Acontecia comigo o tempo todo. Até que eu desisti.

AMOR & AZEITONAS

— Ah. — A pipoca ficou presa na minha garganta. — Você ainda vê seu pai com frequência?

Theo balançou a cabeça.

— Só quando não consigo evitar. O plano seria eu passar o Natal com ele, mas estou fazendo a maior pressão para isso não acontecer. Ei, olha.

Ele acenou a cabeça em direção à tela, onde o mesmo símbolo da MGM com um burro aparecera. As outras pessoas também notaram e começaram a aplaudir, e então as luzes piscaram uma, duas vezes e depois diminuíram.

— O aviso de cinco minutos. Vamos sentar.

A empolgação tomou conta de mim. Não conseguia pensar em nenhum outro lugar onde eu gostaria de estar naquele momento.

— Obrigada por me trazer aqui.

Bati com meu ombro no do Theo.

— De nada — disse ele.

Ele hesitou, segurando a casquinha que ainda pingava. Em vez de comer, me encarou com olhos grandes e preocupados. Ah, não. O que era?

— Você está preocupada com seu pai? — perguntou.

Endireitei-me na cadeira. Não era o que eu esperava.

— Porque ele se sentiu mal hoje? — falei.

Theo pegou um punhado de pipoca.

— Não, estou falando do documentário. Hoje de manhã ele me disse que acha que está faltando alguma coisa. Está preocupado que as provas que temos não sejam suficientes para a National Geographic. Mandaram um e-mail dizendo que esperam que ele encontre alguma novidade para a história de Atlântida.

Então era com aquilo que ele estava preocupado. *Atlântida*. Sempre com Atlântida. As coisas começavam a fazer sentido. Sua aparência abatida e pálida. Por que tinha cancelado comigo? Por que Atlântida sempre nos separava? Senti uma pontada de dor no peito, mas me forcei a ignorá-la.

— Como ele vai encontrar alguma novidade em uma história de onze mil anos?

Theo deu de ombros.

— Eu sei, não faz sentido. Mas achei melhor contar para você, caso tenha alguma ideia. Isso é muito importante para o seu pai.

Para Theo também, claramente. Fui atingida por uma onda de ciúme. Theo e o meu pai tinham o que eu tivera com ele quando era mais nova: ver nosso mapa juntos, alinhar pistas, ir a fundo nas ideias de Platão. Talvez não fosse tão ruim querer aquilo de volta.

Quebrei a cabeça, mas nada me veio à mente.

— Vou pensar — falei.

Não tinha esperança de que realmente fosse pensar em algo, mas sabia como o documentário importava para meu pai e para Theo. Eu me virei para ele.

— Nós três vamos acabar tendo alguma ideia. Certo?

Eu não tinha certeza daquilo, mas as rugas de preocupação na testa do Theo desapareceram.

— Certo. Agora chega de falar sobre Atlântida. Precisamos de uma noite de folga.

O filme era antigo, e Theo tinha quase acertado o título. Era uma velha comédia em preto e branco chamada *Quanto mais quente melhor*. O cinema o exibia em inglês com legendas em grego e, em pouco tempo, eu estava envolvida. O filme era sobre dois músicos que testemunham um crime e têm que se esconder, então se juntam a uma banda feminina itinerante que inclui Marilyn Monroe, por quem os dois se apaixonam (óbvio) e disputam, enquanto tentam manter seu disfarce e enganar a máfia.

Acabei me distraindo um pouco, em parte porque toda hora Theo e eu tentávamos pegar pipoca ao mesmo tempo e acabávamos roçando acidentalmente nossas mãos. Cada vez que aquilo

AMOR & AZEITONAS   307

acontecia, uma pequena luz acendia dentro de mim. Se eu tivesse que explicar o que achava tão atraente no Theo, diria que era o fato de ele ser tão completamente Theo. Eu nunca tinha conhecido ninguém como ele e duvidava que conheceria um dia. Se aquela fosse uma noite diferente sob circunstâncias diferentes…

Para.

Segurei meu celular com força, como um lembrete. Quanto antes eu voltasse para Dax, melhor. Porque, o que quer que estivesse acontecendo entre Theo e mim, não ia desaparecer.

Capítulo 18

#18. FOLHAS SECAS DE ORÉGANO E ALECRIM

Depois que meu pai foi embora, não podíamos mais pagar o aluguel e tivemos que deixar nosso apartamento. Ele não tinha um emprego fixo havia quase seis meses, mas fizera vários bicos para o proprietário em troca de um aluguel mais baixo. Nos dias bons, meu pai podia ser encontrado ajustando um dos corrimões ou pescando um garfo do triturador de lixo da sra. Davis (outra vez). Nos dias ruins, ele ficava com seus programas de TV.

Mamãe disse que não podíamos levar as plantas conosco. Estávamos nos mudando para um apartamento no porão com uma antiga colega de turma dela. As plantas precisavam de luz e seria melhor se as deixássemos para o novo inquilino do apartamento.

Eu sabia que era bobagem, mas chorei ao me despedir do orégano e do alecrim e, em seguida, escrevi um bilhete para os novos moradores contando o segredo do meu pai para as plantas crescerem: "AS PLANTAS CRESCEM MAIS RÁPIDO SE VOCÊ CONVERSAR COM ELAS. ESSAS ADORAM TROCADILHOS." Isso de conversar com a plantas é verdade. Li sobre o assunto em um artigo acadêmico na internet, porque já não confiava que meu pai estivesse certo.

QUANDO VOLTAMOS À LIVRARIA, ANA ESTAVA ENCOLHIDA em uma das cadeiras, lendo um livro com as pernas dobradas para o lado.

— Ah, e aqui temos uma dona de livraria selvagem em seu habitat natural — disse Theo, fazendo seu melhor sotaque australiano.

— Como foi? — perguntou Ana, olhando para nós por cima dos óculos de leitura, com ar convencido.

A capa de seu livro mostrava um homem forte de cabelo comprido e camisa aberta, segurando uma donzela caída em seus braços. *Amor proibido do deserto*. Ana realmente lia os livros que vendia.

— Foi ótimo. Passaram um filme antigo da Marilyn Monroe — disse Theo.

Ela suspirou, satisfeita.

— Aquela mulher era magnífica. Talvez não *feliz*, mas magnífica.

— Como está o Nico? — perguntou Theo.

— Está bem. Ele vive dizendo que fazer filme é coisa para jovens.

— Não é nada — disse Theo. Ele atravessou a sala e pegou Margaret Gatwood, que estava com cara de mal-humorada, do alto da seção de mistério. — Teve um cineasta português que fez seu último filme com cento e seis anos.

— Impressionante — comentou Ana, deixando o livro de lado. — Você perdeu uma longa conversa com o Geoffrey. Ele e Mathilde têm discutido muito, e ele está com medo de que o relacionamento dos dois não resista.

— O relacionamento falso dele com certeza não vai resistir a essa briga falsa — disse Theo, apertando Margaret contra o peito. — Por favor, me diga que não o encorajou.

— Ele parecia uma nuvenzinha tristonha com braços. Não tive escolha a não ser levá-lo a sério. Falei que todos os relacionamentos têm altos e baixos, e que, se estiverem realmente comprometidos um com o outro, eles darão um jeito de se entender. — Ana deu um sorriso melancólico e deslizou os óculos para o alto da cabeça. — Vejo vocês dois amanhã. Bons sonhos.

Ela nos soprou um beijo e saiu, fechando a porta.

— Sua mãe é incrível — falei.

— *Ouf!* — Theo se virou para mim. — Tive uma ideia. Para o documentário. Vem comigo!

— Não, Theo, não vou invadir uma casa-caverna. *Outra vez.*

Eu estava brincando, mas não ia mesmo a lugar nenhum. Estava exausta.

— Relaxa, é aqui.

Theo atravessou a sala principal em direção à menor — onde ficavam todos os livros infantis —, e o vi tirar os sapatos e subir descalço na mesa. Ele passou cuidadosamente por cima de uma placa em um cavalete que dizia POR MUITO TEMPO NA HISTÓRIA, "ANÔNIMO" ERA UMA MULHER — VIRGINIA WOOLF e estendeu a mão, abrindo uma pequena porta que até então parecia uma parte normal da parede.

Quaisquer que fossem os defeitos da livraria, entediante nunca seria um deles.

AMOR & AZEITONAS

— Outra sala secreta? — perguntei.

Theo enfiou a mão lá dentro, na ponta dos pés, a voz abafada.

— Está mais para um armário. Agora... cadê?

— Quantos compartimentos secretos existem aqui?

Nem tentei disfarçar a exploradora feliz dentro de mim. Tem algo de muito intrigante em salas secretas. Ou armários secretos. Bati na parede mais perto de mim.

— Quantos desses painéis se abrem?

— Nove? Dez? Por aí. Seu pai queria que esse lugar fosse mágico.

Missão cumprida. Olhei para o teto. Meu pai o cobrira de constelações pintadas, as estrelas um pouco maiores do que as que ele cortara para a minha festa de aniversário ao pôr do sol. Cada detalhe daquele lugar — das paredes aos tapetes macios e coloridos — gritava magia, crepúsculo e a promessa de coisas extraordinárias.

— Achei.

Theo pulou da mesa e se endireitou.

Quando estendeu o item para mim, toda a leveza entre nós se evaporou. Não só reconheci o objeto, como eu sabia *bem* o que era. Sabia qual seria a sensação do papel sob a ponta dos meus dedos, seu peso. Sabia até qual seria seu cheiro.

Um nó se formou na minha garganta.

— É um mapa, não é?

O olhar intrigado de Theo encontrou o meu.

— Como você sabia?

— Sou boa com palpites — respondi, com voz fraca.

Theo o colocou em minhas mãos, e eu removi o plástico com cuidado, depois o desdobrei, desamassando-o sem pressa. À medida que eu o alisava, meu coração apertava cada vez mais. Fora a falta de giz de cera e os desenhos, era quase uma réplica exata do que ele havia deixado para trás.

312   JENNA EVANS WELCH

Por um instante, não consegui fazer nada além de encarar o mapa. Por fim, me virei para Theo.

— O que você sabe sobre este mapa?

— Este é o primeiro mapa em que seu pai trabalhou quando chegou a Oia. Nico trabalhou nele por cerca de cinco anos e o levava para todos os lugares. Foi a partir daí que desenvolveu a teoria em que ele e a egiptóloga têm trabalhado. — Theo deslizou o mapa para mim com entusiasmo. — Olha só como está desgastado. Ele o carregou por anos.

Engoli em seco. Porque eu também carregara o mapa original, enfiado na minha mochila ou nos bolsos do casaco, durante um bom tempo — era a metade de uma pulseira da amizade que eu pensara ser importante. No entanto, nosso mapa tinha sido substituído. Era como sentir uma fisgada em um machucado esquecido.

Theo, confundindo meu silêncio com interesse, cutucou meu ombro com entusiasmo.

— É *isso* que estava faltando. O documentário não é sobre Atlântida. É sobre a vida do seu pai. É sobre por que ele se importa tanto com encontrar Atlântida. É a história dele. Precisa ser pessoal. — Theo apontou para o mapa. — Foi *aqui* que tudo começou. Talvez ele não consiga encontrar novas provas da existência de Atlântida, mas pode mostrar como a busca afetou sua vida. Podemos deixar o documentário mais pessoal.

Esperei que a ideia se assentasse, tomasse forma. Quase de imediato, percebi que Theo tinha razão. Precisávamos trazer um elemento pessoal para o filme — eu sentia aquilo da mesma forma que sentia que cor de tinta deveria usar. O único problema era que aquele mapa *não era* o começo.

— Espera aqui.

Passei por cima de Ernest Hemingwato, que dormia no meio do caminho, fui até a caverna e vasculhei minha mala até encontrar o caderno de desenho dentro do qual guardara o mapa

AMOR & AZEITONAS

do meu pai. Já fazia muito tempo que eu não olhava para ele fora do meu quarto, e hesitei por um instante antes de me forçar a levá-lo para Theo, que aguardava ansiosamente.

— *Este* foi o primeiro mapa dele — anunciei.

Eu o abri, vendo-o brilhar sob a luz da lâmpada.

— *Uau.*

Theo estendeu a mão para tocá-lo, mas se conteve.

— É, este aqui é bem antigo — comentou. — E muito mais interessante. Esta parte... é coisa sua?

Ele apontou para os rabiscos de giz de cera marcando diferentes seções de Santorini. Eu costumava ficar muito orgulhosa das minhas contribuições, certa de estar ajudando meu pai em sua missão de encontrar Atlântida.

— Tem meu nome, não tem?

OLIVE aparecia escrito no alto, com o *L* e o *E* espelhados.

— Eu o encontrei depois que meu pai foi embora.

Uma parte de mim queria desabafar sobre o resto — *era um dos vinte e seis itens* —, mas não consegui dizer aquilo em voz alta. Além do mais, eu também tinha tido uma ideia.

— Você tem razão, precisamos tornar o documentário mais pessoal. Meu pai alguma vez contou para você sobre o faroleiro?

Eu soube que sim pela forma como os olhos do Theo se iluminaram. De acordo com as histórias do meu pai, tinha sido um faroleiro local que despertara seu interesse por Atlântida. O homem lhe emprestara seu primeiro exemplar de *Timeu e Crítias* e lhe ajudara a desenhar seu primeiro mapa de Santorini.

Theo colocou as mãos nos meus ombros, me virando em sua direção.

— Kalamata, você é *brilhante*. É exatamente disso que precisamos para o documentário. Aposto que o faroleiro já se foi há algum tempo, mas podemos ir ao farol amanhã, depois das praias, e pedir ao seu pai para contar a história de como se interessou por Atlântida. Como eu estava fazendo tudo isso sem você?

Ele me envolveu em um abraço tão apertado que quase me derrubou. Theo era tão *físico*. Seus braços eram quentes e reconfortantes. Por algum motivo, me senti segura e relaxada, e talvez tenha sido por isso que um pequeno detalhe do meu passado escapou das minhas barreiras protetoras.

Enquanto o restante dos itens que meu pai deixara para trás tinha ficado espalhado pela casa, em gavetas e bancadas, o mapa havia sido deixado de propósito. Eu o encontrara dobrado e cuidadosamente colocado na minha mesa de cabeceira.

Eu não tinha encontrado o mapa. Tinha sido *presenteada* com ele. Era uma grande diferença, não era? Uma pequena janela se abriu em meu peito. Não estava escancarada, mas entreaberta o suficiente para deixar um pouco de luz do sol entrar.

Mesmo com todo o efeito relaxante que o rap francês tinha a oferecer, passei a noite me revirando e acordei me sentindo grogue, as pernas nuas emaranhadas nos lençóis. Já nem me preocupei em olhar para a cama do Theo. Sabia exatamente como estaria: lençóis arrumados, travesseiros afofados, as roupas da noite anterior dobradas ao pé dela. Procurei, então, minha ficha de produção na parede, mas não havia nenhuma.

Esfreguei os olhos com calma e abri cuidadosamente a porta do quartinho. Lá embaixo, vi Geoffrey, com ar abatido, segurando um exemplar de *A estrada*, de Cormac McCarthy. Ele parecia mesmo uma nuvenzinha tristonha com braços. Quando me viu, deu um aceno desanimado.

— Ah, Liv...

— Problemas com a Mathilde?

— Como você sabia?

— Um bom palpite. Cadê os clientes?

Ele balançou a cabeça com tristeza.

— A loja está fechada hoje. Ana e seu pai tiveram que ir para Atenas.

— Espera, o quê? — gaguejei, o pânico tomando conta de mim.

Pulei os últimos degraus, meus tornozelos formigando quando alcancei o chão.

— Mas só temos mais alguns dias para terminar o documentário — falei. — Não podemos deixar de gravar hoje.

— Mais negócios, mais problemas — respondeu Geoffrey, cabisbaixo.

Corri direto para o terraço, de pijama e tudo, e encontrei Theo sentado com o laptop apoiado nos joelhos.

— Theo, o que está acontecendo?

Cheguei apressada, derrapando até parar perto dele, meus pés descalços.

— Geoffrey disse que nossos pais foram para Atenas.

Ele tirou os fones do ouvido. Seu rosto parecia triste e conformado.

— Hoje de manhã cedo. Foi uma surpresa para mim também.

— Mas…

Eu me virei em direção à água, tentando domar os sentimentos em meu peito. Decepção? Frustração? Mágoa?

Não, era mais forte. *Raiva*. Finalmente tínhamos entendido de qual ângulo o filme precisava, mas talvez não tivéssemos tempo de realizar nossos planos.

— E agora? — falei. — Vamos perder o prazo.

Theo encostou a cabeça na cadeira.

— Estava sentado aqui, pensando nisso. Devemos pedir uma extensão de prazo? Ou filmar o resto sem ele? Não sei o que fazer. Minha mãe disse que era uma emergência. Eles podem ter sérios problemas se não resolverem a questão da licença comercial.

O vento soprou do mar, bagunçando meu cabelo, e joguei minha franja para trás com raiva.

— Quando eles vão voltar?

Theo curvou os ombros.

— Se pegarem as balsas mais rápidas, podem estar em casa às sete da noite.

— Sete?

Caí na cadeira ao seu lado. Como aquilo era possível? Não podíamos perder um dia inteiro. Não quando tínhamos um prazo final implacável se aproximando. E aí? Eu também não conseguia ignorar o outro pensamento que me incomodava.

— Isso não está estranho?

Theo se virou para mim.

— Isso o quê?

— Meu pai costuma ir tanto assim a Atenas? E vocês normalmente têm tantos problemas assim com os negócios? Me parece que uma licença deveria ser algo mais fácil de resolver.

Ele se inclinou na minha direção.

— Só sei que tem sido uma confusão tentar manter um negócio funcionando aqui. Quando eles começaram, todos disseram que seria fácil abrir uma loja, mas tem sido problema atrás de problema.

Tentei prender meu cabelo em um rabo de cavalo.

— Parece tão repentino. Por que sua mãe não comentou nada sobre isso ontem à noite? Nós a vimos pouco antes da meia-noite.

Ele mordeu o lábio, pensativo.

— Ela ainda não devia saber naquela hora. De qualquer forma, não temos muitas opções. Acho melhor passarmos o dia trabalhando na edição. Tudo bem?

Por que Theo estava tão calmo? *Não* estava tudo bem. As perguntas não paravam de passar pela minha cabeça: por que meu pai se daria ao trabalho de me chamar até a Grécia só para me evitar? Nossa conversa no cruzeiro tinha sido tão ruim assim?

Porque foi a partir dali que as coisas começaram a mudar — que ele começara a se esquivar de mim.

Ele ia mesmo me abandonar pelo resto da viagem? Meu tempo em Santorini não era ilimitado. Eu nem sequer tinha *muito* tempo ali.

Além disso, o tempo para terminar aquele documentário estava chegando ao fim.

Uma das frases favoritas da minha mãe me veio à mente: *Controle o que você pode controlar.* Theo tinha razão. O fato de meu pai ter saído estava fora do nosso controle. Tínhamos de terminar o documentário da melhor maneira possível.

Minha mente se voltou para a programação no meu fichário de filmagem.

— Precisamos cumprir o cronograma. Vamos fazer o que você tinha planejado para hoje e, depois, vamos ao farol e filmamos sem ele.

Minha voz saiu segura e decidida, e Theo olhou confuso para mim.

— Filmar sem o seu pai?

Dei de ombros de maneira um pouco exagerada.

— Bem, como não podemos filmar com ele… É isso.

Theo hesitou, mas depois me lançou um olhar que eu sempre lançava para minha mãe. Um olhar que diz *Então tá, acho que não tenho como deter você.*

— Hoje é o dia da Praia Vermelha. Não é muito longe do farol — disse ele, e olhou incisivamente para o meu pijama. — Encontro você aqui em vinte minutos?

— Dez.

Segui direto para a caverna em busca da minha camisa de EQUIPE.

A manhã estava mais quente que o normal e, após uma hora viajando em ônibus superlotados com pessoas suadas se acoto-

velando — e que pareciam ter esquecido de passar desodorante
—, eu começava a me arrepender da decisão de continuar com a
filmagem. Não teria sido melhor passar um dia relaxando na baía
de Ammoudi com meu caderno de desenho?

Dax mandou uma mensagem. Como vão as coisas?

Se eu fosse sincera, teria escrito algo como "Estou com calor,
mal-humorada e meu pai não para de me dar bolo", mas, em vez
disso, corri a tela pelas fotos e enviei uma que tinha tirado da
caldeira alguns dias antes. Mais um dia no paraíso! Logo depois
de apertar enviar, o ônibus freou de repente, e uma mulher acabou enfiando o cotovelo no meu olho esquerdo. Theo me encarou
com solidariedade.

Assim que nosso ônibus parou, guinchando, em nosso destino, Theo e eu dividimos o equipamento, o que não foi nada fácil,
depois passamos por várias barracas vendendo bebidas geladas e
brinquedos de piscina. Notei que seus donos pareciam bem de-
sanimados. Se os moradores dali estavam sofrendo com o calor,
como eu iria aguentar?

Depois de atravessarmos o estacionamento, tivemos que escalar algumas rochas caídas, minhas sandálias escorregando na
terra quente e macia, o suor escorrendo pelas minhas costas.

— O que tem de tão especial na Praia Vermelha mesmo? —
perguntei, gemendo depois de escorregar em uma rocha e quase
perder o equilíbrio.

Theo me estendeu a mão.

— Bem, é vermelha. E é uma praia.

— Ah, muito obrigada — murmurei, reposicionando minha
mochila superlotada nos ombros.

— Você nunca viu nada parecido — assegurou Theo.

— Como você sabe?

Ele deu de ombros com seu jeito confiante.

— Kalamata, eu sei de *tudo*.

AMOR & AZEITONAS   319

— Aham — murmurei, mas estava feliz de ter o velho Theo de volta.

Finalmente, *finalmente*, dobramos uma curva e avistei a praia ao longe... e, bem, eu odiava admitir, mas Theo estava certo, como sempre. Eu nunca tinha visto *nada* parecido.

A Praia Vermelha era — uma informação *chocante* — muito, muito vermelha. Também era ainda mais impressionante do que eu imaginara. Os penhascos laranja-avermelhados assomavam altos e dominantes, então terminavam abruptamente em uma estreita faixa de praia que desaparecia quase imediatamente sob as ondas turquesa impecáveis, o contraste das cores tão forte e surpreendente que fez meus olhos lacrimejarem. Guarda-sóis listrados de amarelo pontilhavam a praia, e barcos brancos reluzentes avançavam tranquilamente pela enseada.

Fixada à beira de um caminho íngreme e sinuoso que levava à praia, havia uma grande placa desgastada pelo tempo, traduzida em vários idiomas.

PERIGO — NÃO ENTRE

QUEDA DE ROCHAS, RISCO GRAVE DE LESÕES

Ou as pessoas não tinham lido a placa, ou não ligavam, porque a praia estava lotada. Havia até uma pequena loja na outra ponta, com um freezer de sorvete na frente.

Apontei para a placa.

— Devemos continuar?

O cabelo de Theo estava úmido de suor, e ele tinha um pouco de terra no rosto.

— Kalamata, Santorini é um vulcão ativo. Vamos mesmo deixar que a ameaça de umas meras rochas nos detenha?

Dei uma banana para o penhasco, quase deixando cair minhas bolsas.

— Podem vir, rochas.

Theo assentiu em aprovação.

— A propósito, você sabia que as oliveiras podem ser classificadas como sensíveis, moderadas ou resistentes?

Queria perguntar em qual categoria ele achava que eu me encaixava, mas seria admitir derrota naquela questão de eu ser ou não Olive, então revirei os olhos e segui em frente.

Foram necessários vários minutos de caminhada para alcançarmos a praia em si e, quando chegamos, tive que parar um pouco para assimilar a vista. A Praia Vermelha era toda de rocha, sem nenhuma areia — uma verdadeira praia vulcânica —, com o tamanho das rochas variando de grandes a médias e pequenas à medida que avançávamos em direção à água, mas o que realmente me interessou foi o clima do lugar. Dois tipos diferentes de música saíam de alto-falantes trazidos pelos banhistas, e as toalhas se alinhavam quase de ponta a ponta, acomodando todas as pessoas que pretendiam desfrutar de um dia na praia. Na água, crianças tentavam derrubar umas às outras de boias no formato de fatias de pizza.

Aquelas pessoas estavam de férias, curtindo um dia único, embora perigoso, no mar. Eu queria me sentir como elas, mas não conseguia. Eu estava angustiada, e não por causa das placas sobre rochas caindo. Sem meu pai ali, fui tomada pela decepção.

Quando estava criando coragem para tirar as sandálias, enfrentar as pedras e entrar na água, Theo me agarrou pela manga.

— Olhe aquilo.

Eu me virei e vi que ele apontava para um penhasco com o que parecia uma porta — por mais estranho que fosse — construída em sua superfície. Era de um tom suave de rosa, com um visor coberto por tábuas e um cadeado pesado.

— Hã, por que tem uma porta no penhasco?

— É a Porta para Lugar Nenhum. Tinha me esquecido dela, mas vai ser perfeita para o filme. Vamos.

— Porta para *onde*?

Theo já havia saído pela praia, costurando por entre as pessoas seminuas nas toalhas, e não tive escolha a não ser segui-lo. Quando o alcancei, ele estava agachado para obter uma visão angular da porta.

— Há duas histórias sobre a porta: a versão turística e a versão local — começou. — Os moradores dizem aos turistas que é como uma porta para Nárnia, um portal mágico para outros mundos, mas na verdade é um espaço de armazenamento. Os pescadores costumavam usá-la para guardar suas redes, e agora os donos da praia usam para armazenar guarda-sóis entre as temporadas de turistas. É um exemplo perfeito das lendas locais. Vai ficar ótima no documentário.

— Duas histórias — repeti, encostando a palma da mão na pintura descascada.

Será que alguém realmente acreditava na história de Nárnia? Se sim, por quê, quando quase sempre havia uma explicação chata pronta para acabar com a magia?

Senti o pensamento chegando antes que se formasse. *Meu pai acreditaria em Nárnia.* Ele sempre enxergara a magia no mundano. Será que minha mãe e eu éramos o mundano? Seria esse o motivo de ele ter ido embora e estar me evitando?

Eu queria sentir raiva, deixar um maremoto destruir as emoções mais complexas, mas a tristeza era grande demais. Estar em Santorini com meu pai só para ele *não* estar ao meu lado outra vez... era pesado. Ele partira para Nárnia, enquanto minha mãe e eu tínhamos ficado presas em um emaranhado de guarda-sóis e redes de pesca, fora de temporada. Meu pai ter me trazido até ali só ressaltava aquilo.

Quando me virei, encontrei Theo me filmando de novo, mas não consegui disfarçar minha expressão cabisbaixa.

— Filmou? — perguntei.

— Filmei. — Ele baixou a câmera solenemente. — Avante, Nuvenzinha Tristonha.

A única maneira de chegar à Praia Branca era pela Praia Vermelha, então esperamos um táxi aquático no cais, depois passamos uma hora filmando seus penhascos esbranquiçados e águas cristalinas.

Theo insistiu em uma pausa para nadar, e me sentei na areia fria, tentando ao máximo me livrar do peso no meu peito, mas não tive sorte. É possível estar em um dos lugares mais bonitos do mundo e ainda se sentir um lixo. Imagino que o oposto também seja verdade.

Quando por fim seguimos para o farol, eu estava mais me arrastando do que andando, e Theo toda hora passava o braço em volta dos meus ombros para me contar fatos interessantes sobre nosso fruto preferido. *Você sabia que noventa por cento de todas as azeitonas colhidas são usadas para fazer azeite de oliva? Você sabia que a primeira sombra de olhos do mundo foi criada na Grécia Antiga e era feita de azeite de oliva misturado com carvão vegetal?*

Não, Theo. Eu não sabia.

O almoço também não melhorou as coisas. Paramos em um pequeno restaurante para comer sanduíches quentes de souvlaki, mas nem mesmo toda aquela delícia macia conseguiu me animar. Como era possível que justo eu estivesse com medo de ir a um farol? Para meu último projeto de arte no ano anterior, eu tinha viajado de carro com minha mãe para fazer uma série de desenhos de vários faróis de Seattle. No entanto, estava claro que eu deveria visitar aquele farol específico com meu pai. Aquela viagem tivera alguns pontos altos, mas, no todo, confirmara o que eu já sabia sobre meu pai: eu não podia contar com ele.

Chegar ao farol não só exigia uma viagem de táxi, mas também andar por outra trilha repleta de rochas e arbustos até adentrarmos a península cor de caramelo que se projetava para o ocea-

AMOR & AZEITONAS

no. Aquele era o último trecho de Santorini — estávamos o mais distante possível de Oia.

Ficamos ao ar livre por um tempo, o vento nos atingindo de toda parte, Theo filmando como sempre. O farol era pequeno e simples, feito de pedra branca com tijolos marrons delineando as bordas. Havia um cata-vento no alto de um domo verde, e uma bandeira grega azul-cobalto balançava ao sabor do vento implacável. A península em si era um amontoado de rochas, o que fazia o robusto farol se sobressair ainda mais. A construção parecia deslocada em sua absoluta praticidade. Para além do farol, a caldeira cintilava ao sol, destacando as cinco ilhas de Santorini.

— Deixa eu filmar você andando aí toda triste e abatida — instruiu Theo. — Eu faço umas imagens, e depois acrescentamos uma trilha sonora dramática. Podemos falar sobre todas as pobres almas forçadas a passar o dia explorando uma das ilhas mais bonitas da Terra.

— Theo… — resmunguei, jogando os braços para o ar, mas acabei andando exatamente como uma pobre alma forçada a explorar uma ilha bonita, e Theo comemorou atrás de mim.

— Isso, assim. *Perfeito.*

Como ele sabia me fazer sorrir assim?

Enquanto seguia até o penhasco, percebi que não estávamos sozinhos. Grupos de pessoas fazendo piqueniques haviam se espalhado nas rochas e, ao ver um pai com a filha pequena, fui invadida por uma onda de inveja que substituí rapidamente pela autocrítica. Eu não tinha me treinado para *não* sentir falta do meu pai? Ainda por cima, já era adolescente. Eu deveria estar levando bronca por não largar o celular e deixando-o apavorado no banco do carona do meu primeiro carro, e não tentando me *reconectar* com ele. Estava tudo errado.

Depois de um tempo, Theo me alcançou, o celular na mão.

— Nuvenzinha, ouve só. O Farol de Acrotíri foi construído por uma empresa francesa no final dos anos 1800 e foi um dos primeiros em toda a Grécia. Parou de funcionar durante a Segunda Guerra Mundial, mas a Marinha grega o recolocou em uso na década de quarenta. Está vendo o formato dele?

Fiquei na ponta dos pés para ver por cima da cerca ao redor da estrutura. Junto à torre do farol, havia um edifício completo, a parte de trás na forma de um retângulo.

— Hoje o farol é administrado a distância, mas antigamente era aqui que o faroleiro e sua família moravam. Foi quem seu pai conheceu. Não dá para imaginá-lo aqui quando era criança?

Suspirei, apoiando o queixo na cerca. Porque, sim, eu conseguia imaginar. Já tinha visto fotos dele pequeno. Meu pai parecia travesso e cheio de energia, e era fácil vê-lo correndo sobre aquelas rochas, aproximando-se destemidamente da beirada, formulando suas primeiras teorias sobre Atlântida. Ele sempre fora quem era, e eu gostaria que aquela pessoa tivesse deixado espaço para mim. Será que ele sequer era capaz daquilo?

— Por que não filmo você contando o que sabe sobre o faroleiro? — sugeriu Theo. — Não vai ser tão bom quanto ter seu pai aqui, mas vai dar um toque pessoal ao documentário mesmo assim.

Como de costume, a câmera de Theo atraía muitos olhares interessados, e o peso de toda aquela atenção me deixou ainda mais deprimida.

— Ei, Theo, já volto.

Seu olhar escuro e compreensivo encontrou o meu.

— Claro, Kalamata. Fique à vontade.

Passei os minutos seguintes explorando a pequena península. A água quebrava por toda a minha volta, e fiquei bem na beirada, de frente para a água, desejando que o oceano, os respingos e todo aquele céu azul me fizessem esquecer — mesmo que só por um instante — meu pai, Dax, a faculdade e tudo mais.

Não funcionou. Eu me sentia sozinha e exposta, exatamente como aquele farol.

Minha mãe estava errada. Ir à Grécia não tinha mudado nada. Aquela viagem era mais uma promessa quebrada. Encontrei um lugar para me sentar numa rocha mais lisa, tirei meu caderno da mochila e comecei a desenhar.

Meus sentimentos clareavam à medida que o esboço tomava forma. A questão principal era que, apesar dos muitos pesares, eu ainda queria ter um relacionamento mais próximo com meu pai. Queria que ele fosse às minhas exposições de arte e jogos, pegasse no pé do meu namorado e me mandasse terminar meu dever de casa. Eu não queria qualquer pai. Queria o *meu* pai. Queria nossa velha amizade, a conversa fácil, todas as nossas aventuras e a maneira como ele tornava as coisas chatas — fazer compras, caminhar até a escola — interessantes. Queria tanto tudo aquilo que me sentia zonza, insegura e triste ao mesmo tempo. Sentir falta do meu pai *doía*.

Será que aquilo seria possível um dia? Por mais que tivesse lutado contra a enxurrada de cartões-postais tentando entrar em minha vida, eu sempre havia torcido para que fossem um sinal. De que ele sentia o mesmo, e que talvez conseguíssemos encontrar uma ponte ou algum ponto em comum, algo que nos reunisse. Por um instante, em nosso cruzeiro ao pôr do sol, acreditei que ele estivesse pensando a mesma coisa. Achei que ele seria capaz de voltar para a minha vida. Meu pai me pedira para acreditar nele, não pedira? Será que minha hesitação tinha fechado aquela porta? Em caso afirmativo, aquilo poderia mesmo ser considerado um convite?

Ergui os olhos em direção ao contorno nebuloso de Oia e senti a verdade se solidificar. Independentemente do que eu tivesse dito ou não no cruzeiro, uma reconciliação verdadeira nunca aconteceria. Aquela viagem tinha provado que meu pai não conseguia ser — ou talvez simplesmente não quisesse ser — alguém com quem eu pudesse contar. Nosso relacionamento era coisa do passado, e, quanto antes eu aceitasse aquilo, melhor.

As coisas em Seattle podiam não ser perfeitas, mas pelo menos eu sabia como funcionavam e como me encaixar. Pelo menos não ficava na expectativa de coisas que nunca iriam acontecer.

Agarrei meu lápis com força. Eu tinha desenhado um farol. Firme, funcional, mas solitário.

Capítulo 19

#19. DESENHO DO NOSSO SENHORIO, MACK

Este eu levei um tempo para encontrar. Estava escondido sob uma pilha de contas no que meu pai chamava de "gaveta precisa". Apesar da alusão a Harry Potter, era só uma gaveta de contas. Muitas e muitas contas. A gaveta vivia cheia, mas meu pai mantinha tudo arrumadinho, com elásticos prendendo as diferentes pilhas. Vermelho significava pagar imediatamente. Amarelo, pagar assim que possível. E verde, sem pressa, cuidamos disso depois. Nos meses anteriores à sua partida, ele parara de usar o sistema de elásticos e a gaveta transbordara.

Encontrei o desenho no verso de uma despesa médica e soube imediatamente quem era: nosso senhorio, Mack. Na imagem, ele está sentado em sua poltrona reclinável, os olhos grandes por trás dos óculos grossos, as mãos descansando sobre o peito. Aquele desenho parecia mais real do que se Mack

estivesse parado bem na minha frente. O que realmente me-
xia comigo era a expressão em seu rosto. Dava para ver que
as coisas não tinham dado certo para Mack da maneira que
ele esperava, e você desejava que ele tivesse tido mais sorte.

QUANDO VOLTEI ATÉ THEO, VI QUE ELE ESTAVA COMPLE-
tamente envolvido numa conversa com um homem calvo de
barba escura, usando calça esportiva e camisa cinza. Eu não estava com disposição para interagir, então fiquei perto da cerca
do farol, cuidadosamente fora de vista, até ouvir Theo gritando
por mim.

— Kalamata? Cadê você? Por favor, me diga que não se atirou
melancólica nas profundezas do oceano.

Meu suspiro foi engolido pelo vento. Aquele drama já estava
ficando cansativo, até mesmo para mim.

— Aqui, Theo.

Ele veio correndo com a mochila batendo nas costas, pulando
todos os pedaços irregulares de rocha. O homem estava fora de
vista.

— Kalamata! Você não vai acreditar nisso!

De todos os momentos de empolgação de Theo, aquele era o
maior que eu já tinha visto. Se eu o cutucasse com um alfinete, ele
provavelmente explodiria.

— Outra porta para lugar nenhum? — perguntei, inclinando-
-me para alongar as costas.

Talvez eu pudesse convencer Theo a me levar de novo ao Cinekamari naquela noite. Outro filme melhoria muito meu mau
humor.

— Aquele homem me perguntou o que estávamos filmando,
e, quando contei sobre o documentário, ele disse que preciso ir a

um restaurante chamado Vasilios. O proprietário afirma ter encontrado um pedaço de Atlântida.

Ele despejou as palavras num fluxo tão frenético que levei um instante para compreendê-las. Quando consegui, meu entusiasmo definitivamente não estava à altura do de Theo.

Endireitei o corpo.

— Um pedaço da Atlântida? O que isso quer dizer?

Fiz questão de usar um tom de voz com uma dose saudável de desdém. Por acaso aquela ilha estava repleta de pessoas delirantes?

Ele não se intimidou. Theo se balançava para a frente e para trás, entusiasmado.

— Ele disse que, na década de 1980, um pescador que mora nas proximidades mergulhou e encontrou alguns vestígios de uma cidade dourada. E que esse cara vem tentando fazer as pessoas o levarem a sério desde então.

Quem aquilo lembrava? Mordi o lábio, impaciente.

— E deixe-me adivinhar: você quer falar com ele?

Theo agarrou meus ombros, me sacudindo como se eu fosse um presente de Natal.

— Claro que quero. Na melhor das hipóteses, ele realmente tem algo para nós. Na pior, temos uma boa história e algumas imagens de um morador falando sobre sua própria caçada a Atlântida. Kalamata, é isso!

Eu estava um pouco de saco cheio de Atlântida no momento, mas voltar aborrecida para a livraria vazia não me parecia muito melhor.

Que mal faria, além de machucar meu já maltratado coração? Rá.

— Onde fica o restaurante? — perguntei, tirando cuidadosamente as mãos do Theo dos meus ombros.

Ele cheirava a água salgada. Por que eu nunca tinha percebido como aquele cheiro era bom?

— É uma taverna numa praia chamada Kambia. Ele diz que é um dos lugares mais procurados da região. Vai ser fácil de achar. A gente pega um ônibus. Vamos!

E lá se foi ele correndo novamente.

Kambia era uma praia tranquila e escondida que, de alguma forma, conseguira evitar as multidões da Praia Vermelha e de Acrotíri. Acabamos fazendo a maior parte do caminho a pé. Não era tão fácil de encontrar como o informante do Theo havia afirmado, mas, depois de encurralar várias pessoas inocentes para pedir informação, Theo encontrou alguém que nos indicou a praia correta, e deixamos a estrada, pegando uma escadaria meio torta até uma pequena enseada. Uma estreita doca de madeira passava pela praia rochosa, chegando à água límpida.

O calor do fim de tarde finalmente começava a diminuir, e havia apenas duas pessoas largadas nas rochas, completamente bronzeadas. *É isso o que você estaria fazendo na viagem de formatura do Dax*, minha mente me lembrou. Estaria relaxando. Não correndo atrás de pistas com centenas de quilos de equipamento nas costas e o coração partido.

—Então, *Kambia* significa lagarta — explicou Theo, no que eu passara a reconhecer como sendo sua voz de Transmitir Fatos Inúteis.

Ele apontou para as árvores e os arbustos atrás de nós.

— Interessante — respondi.

Ele ignorou minha falta de entusiasmo.

— Na primavera, milhares de borboletas eclodem de seus casulos nos pinheiros. É um desfile de borboletas.

Coloquei as mãos na cintura e olhei em volta, curtindo a brisa quente. Parecia que a enseada estava prendendo a respiração. Como se guardasse um segredo.

— Santorini sem multidões... Quem diria?

— Espere até o inverno — disse Theo. — Na minha primeira manhã de dezembro aqui, pensei que estivesse no set de um filme de apocalipse zumbi. O lugar todo esvazia.

Ele apontou para um ponto atrás de mim.

— Taverna.

— Hã?

Eu me virei e vi a pequena construção camuflada na rocha. Eu poderia facilmente ter passado direto por ela. As paredes da taverna eram incrustadas com rochas diferentes, mas da cor exata dos penhascos, e pelo menos metade da estrutura consistia em um pátio aberto. A grade era coberta por suculentas que se derramavam por cima dos vasos, e havia várias mesinhas vazias. Uma placa pendurada na entrada balançava suavemente com a brisa e dizia: VASILIOS.

Se eu tinha minhas dúvidas antes, naquele momento tive certeza do meu ceticismo. Não encontraríamos provas importantes em um cabana de pesca minúscula. Balancei o corpo para trás, me apoiando em meus calcanhares doloridos. Sandálias não tinham sido um bom calçado para o percurso do dia.

— E agora? A gente pergunta pelo Vasilios, o homem que afirma ter um pedaço de Atlântida?

— Ótimo plano — disse Theo por trás da câmera.

Se ele não desse certo como cineasta, deveria tentar a carreira de mágico. Ele conseguia fazer a câmera aparecer do nada.

Maravilha. Fiz uma careta para a câmera, desci o resto dos degraus e cruzei a areia até a varanda da taverna. Ao nos aproximarmos, uma mulher rechonchuda de bochechas rosadas apareceu na entrada aberta, um lápis atrás da orelha.

— Vocês estão aqui para jantar?

Sua voz era amigável, com um discreto sotaque grego, mas, quando viu a câmera do Theo, seu sorriso desapareceu.

— Como posso ajudar? — perguntou.

Theo me cutucou, e fiz o possível para demonstrar alguma empolgação.

— Oi. Somos documentaristas e gostaríamos de falar com o Vasilios. Ele está?

Ela ficou sem reação, e eu percebi que estava na defensiva.

— Meu pai está descansando. Do que se trata?

— Alguém nos disse que ele...

Parei, desejando de todo o coração não ter que falar o que estava prestes a falar para aquela mulher que parecia não ter tempo a perder.

— Alguém nos disse que ele tem informações sobre a cidade perdida de Atlântida. Adoraríamos conversar com ele sobre isso.

— Atlântida? — perguntou a mulher, e sua expressão se aguçou imediatamente. — Quem falou isso para vocês?

— Hã...

Um homem qualquer no farol não tinha o peso que aquele cenário exigia.

— Alguém que conhecemos mais cedo — respondi, enfim.

— Além disso, também gostaríamos de comer — acrescentou Theo, olhando para o polvo cor de coral pendurado nas vigas.

A mulher cruzou os braços.

— Vocês não podem falar com meu pai hoje. Ele não está se sentindo bem.

Eu sentia a animosidade emanando dela. Então minha ficha caiu. Sabia exatamente o que estava acontecendo ali.

— Meu pai também é um caçador de Atlântida e passou muito tempo desenvolvendo a teoria dele. Não estamos aqui para zombar do seu pai. Ou de você — acrescentei rapidamente. — Se ele não puder falar com a gente, tudo bem. Mas gostaríamos mesmo de falar com ele.

Foi um discurso e tanto. Theo me encarou com os olhos arregalados, depois também se pronunciou.

— É verdade. Somos colegas exploradores.

Ele devia ter ouvido Henrik usar aquela palavra.

A mulher suspirou, estudando-nos por um instante, mas, em vez de nos mandar embora como pensei que faria, apontou para uma das mesas.

— Sentem-se, por favor.

Atravessamos o deque, que rangia, e me sentei numa cadeira cinza-prateada já meio gasta, observando a toalha de mesa de crochê e o vaso de flores cuidadosamente arrumado. O cheiro de carne temperada que saía pela porta aberta do restaurante fez minha boca salivar. Theo se sentou à minha frente e se inclinou para perto, erguendo a mão.

— E aí, Kalamata?

Encostei minha mão na dele, juntando nossos dedos. Senti alguns calos em suas palmas, e os dedos dele eram pelo menos uns dois centímetros mais compridos que os meus.

— Acho que nunca vamos conhecer Vasilios, muito menos ver qualquer prova que ele tenha.

— Não, perguntei o que você quer *pedir*.

Ele pegou os cardápios do suporte ao lado da mesa e empurrou um para mim. Estava todo escrito em grego, sem nenhuma imagem para me ajudar.

— Pede alguma coisa para mim?

— Lula recheada com queijo feta? Ceviche de robalo?

Não fazia muito tempo que tínhamos comido os sanduíches, mas de repente eu estava morrendo de fome.

— Tudo isso — respondi.

Dei uma olhada no meu celular, meio na esperança de ver alguma mensagem do meu pai. Será que ele ao menos tinha meu número?

Theo ergueu as sobrancelhas.

— Você morre de medo do oceano, mas adora comer tudo o que vem dele.

— Essas duas coisas não têm a menor correlação.

Ouvi o som de passos em staccato vindo de dentro do restaurante e, quando levantei a cabeça, vi que um idoso com cabelos brancos esvoaçantes se aproximava de nós. Era baixo e encorpado, com óculos de armação de metal e um grande sorriso no rosto.

— Oi! — exclamou ele. — Olá, americanos! Adolescentes americanos!

A filha havia mentido sobre a saúde dele. Aquele homem parecia capaz de vencer o Theo em uma corrida.

Theo e eu nos levantamos rapidamente, trocando um olhar.

— Sou americana, mas ele é grego — falei, apontando para o Theo. — Você é o Vasilios?

O homem bateu no peito.

— Sim, sou Vasilios. Meu restaurante!

Ele sorriu para nós, depois apontou para o equipamento do Theo.

— Hollywood! Sim? Hollywood!

— Bem… — comecei.

Seu olhar curioso pousou em mim.

— Hein?

Theo disparou uma série de frases em grego, e o rosto de Vasilios se iluminou como uma luz estroboscópica.

— Atlântida! Sim, eu mostrar — disse, e apontou para mim. — *Você*.

Senti meu rosto ficar quente. Vasilios me encarava de forma muito intensa.

— Hã… você vai me mostrar?

— Sim. Você. Você espera!

Vasilios desceu depressa a varanda e seguiu em direção às escadas como um atleta em busca da medalha de ouro. Não era bem o velhinho sonolento que eu tinha imaginado pela descrição da filha. Ele parecia ser mais rápido do que Julius. Mais rápido do que *Dax*. E afiado. A questão com Santorini é que, depois de um tempo, não me surpreendia com mais nada.

— Quantos anos você acha que ele tem?

— No mínimo cento e sete — respondeu Theo. — É o ácido oleico derivado de todo o azeite de oliva que comemos aqui. Reduz a pressão arterial e nos mantém jovens. Você sabia que os gregos usam em média vinte e três litros de azeite por ano?

— Você não se cansa? — comentei, acompanhando Vasilios sumir de vista. — Todo mundo anda tão rápido assim na Grécia? Achei que o estilo de vida de vocês fosse mais relaxado.

Theo se inclinou para trás na cadeira.

— Relaxado? Quem falou isso? Por acaso você já conheceu um grego?

— Eu *sou* grega, lembra?

— Mais ou menos — disse Theo. — Você nem consegue tomar nosso café. Não vou nem comentar a meia xícara de açúcar que despejou no seu copo no ponto de ônibus hoje de manhã. Você quase teve que mastigar.

— Eu estava cansada. E deixa meu café com açúcar em paz.

Recostei na cadeira, sentindo uma pequena pontada de alívio. O barulho das ondas era relaxante, e minha mente precisava desesperadamente de umas férias de tudo relacionado ao meu pai.

Trinta minutos depois, Theo tentava roubar um pedaço de polvo na chapa do meu prato, e ouvimos os passos em staccato de novo, anunciando o retorno de Vasilios. Seu rosto estava vermelho-vivo, e sua camisa, ensopada.

— Hora da câmera — disse Theo, largando o garfo e tirando o aparelho da mochila.

Eu me levantei.

— Vasilios — chamei.

Ele respirava com dificuldade e, pelo rosto vermelho, parecia prestes a sofrer um infarte. Senti meus batimentos acelerarem também.

— Está tudo bem? — perguntei. — Você correu esse tempo todo?

Vasilios demorou um instante para recuperar o fôlego, curvado, as mãos nos joelhos. Então se ergueu rápido como um pão numa torradeira.

— Sou pescador. Eu pesco. Para taverna. Para família. Um dia na rede, eu ver. Encontrar...

Ele disse uma palavra em grego, olhando para Theo em busca de ajuda.

Theo arregalou os olhos e repetiu a palavra, e os dois conversaram pelo que pareceu uma eternidade, Theo disparando uma série de perguntas e Vasilios respondendo quase com a mesma rapidez. O rosto de Theo se iluminava mais a cada palavra e, contra a minha vontade, a expectativa formava um maremoto no meu peito. Quando não aguentei mais, agarrei o braço de Theo.

— O que foi? O que ele encontrou?

O rosto de Theo era uma mistura cautelosa de descrença e espanto.

— Kalamata, como era Atlântida?

Ele queria que eu explicasse tim-tim por tim-tim?

— Hã... Bem, era uma ilha, feita de anéis concêntricos. Terra e oceano alternados. E no meio havia uma estátua dourada de Poseidon. Tudo era coberto de ouro e havia centenas de estátuas.

— Coberto de *ouro*? — perguntou Theo. — Ou de outra coisa?

— Não.

Procurei lembrar, folheando mentalmente meu conhecimento sobre Atlântida. Eles tinham seu próprio metal precioso. Como era chamado? Oro alguma coisa? A palavra veio à minha mente.

— Oricalco!

— Sim, oricalco! — disse Vasilios, antes de começar a despejar palavras outra vez.

Theo traduzia, mantendo o olhar fixo em Vasilios.

— Oricalco é uma mistura de cobre, zinco, níquel, chumbo e ferro. Platão escreveu sobre isso nos seus textos antigos. Era a moeda da Atlântida. E as três paredes externas do Templo de Poseidon eram revestidas com ele.

Todos aqueles fatos se alinhavam com o que eu já sabia. Notei que me remexia, impaciente, as mãos agarrando a mesa.

— Foi isso que você encontrou? Theo, foi isso que ele encontrou?

Outra sequência agitada de palavras em grego. Theo traduziu de novo.

— Sim, foi isso que ele encontrou na rede. Um pedaço de oricalco.

Meu coração começou a bater tão forte que eu não conseguia ouvir as instruções do meu cérebro para *me acalmar*. Ponderar os fatos. A probabilidade de que Vasilios tivesse encontrado oricalco ia de quase impossível a completamente impossível. Podia ser apenas uma lata enferrujada ou o pedaço de um navio antigo. Podia ser qualquer coisa.

Como se respondendo à dúvida, Vasilios enfiou a mão no bolso e tirou um pequeno volume embrulhado em tecido vermelho. Então o estendeu para mim, receoso, e eu congelei.

— Kalamata — instigou Theo, mas eu não conseguia fazer nada além de olhar.

Minhas mãos tremiam. Ou seria a mesa que balançava? *Alguma coisa* estava tremendo.

— Hã... Ele está...? Isso é...?

— *Koitázo* — insistiu Vasilios.

— Abre. Espera! — Theo levou a câmera ao olho, firmando-a no ombro. — Agora abre.

Peguei o objeto da mão de Vasilios. Senti seu peso. Senti a importância daquilo focar minha visão e acalmar minha respiração. *Não é oricalco. Não pode ser*, me convenci, *mas talvez...*

Não me contive. Desembrulhei o tecido com pressa, quase deixando o objeto cair, e ali estava, livre, o tecido amontoado em minhas mãos trêmulas...

Pronto.

Aninhado no guardanapo xadrez vermelho e branco do Vasilios, havia um pedaço de metal retangular, do tamanho de um celular, arranhado e meio irregular, com um brilho metálico dourado e bordas arredondadas. Em uma das extremidades, havia várias linhas finas, restos de uma gravura desgastada pelo mar, e a outra ponta era denteada, como se tivesse se partido de algo maior. Algo *régio*.

Tudo pareceu se reduzir a um pequeno quadro, o restante do mundo desaparecendo, como o zoom da câmera de Theo.

— O que...? Como...? — comecei, mas não tinha ideia de onde queria chegar com aquela frase. — O que... Você tem certeza? Tem certeza que é de oricalco?

É, sim, meu coração insistia, mas o coração não entendia dessas coisas, não é mesmo?

— Sim, sim, sim! — exclamou Vasilios, animado.

Era mais pesado do que parecia e quente, como se estivesse vivo.

Um pedaço de Atlântida.

Liv, não se precipite. Eu precisava fazer perguntas. As perguntas *certas*. Aquelas que um verdadeiro arqueólogo, cientista, mitólogo ou seja lá quem fosse faria. As que Indiana Olive faria.

— Vasilios, como você sabe que isso é mesmo oricalco?

Minha voz soou calma, mas eu segurava o oricalco com tanta força que meus dedos doíam.

Vasilios lançou-se à explicação, e eu esperei pela tradução do Theo o mais pacientemente possível, meu olhar grudado ao metal.

AMOR & AZEITONAS

— Ele mandou testar com um amigo que é cientista em Thessaloniki. Não quis levar para as autoridades porque pensou que a tirariam dele. Mas seu amigo confirmou que tem as porcentagens corretas de metal para que seja oricalco.

Afundei na cadeira, meu coração em chamas. Como? Por quê? Poderia mesmo ser real?

— Onde você achou isso? — perguntei.

Vasilios derramou outra erupção de palavras. Só que daquela vez reconheci uma palavra. *Aspronisi*. A ilha vulcânica que meu pai tinha citado naquele primeiro dia na padaria. A que ele dizia ser o marco mais próximo do templo de Poseidon. O local que meu pai e a dra. Bilder haviam apontado como o centro mais provável de Atlântida. *Aquela* Aspronisi.

Na mesma hora, Theo e eu nos entreolhamos. Não sei quem parecia mais chocado.

— Ele disse *Aspronisi*? — perguntei.

Minha voz saiu num sussurro. Até mesmo Theo parecia abalado. Ele baixou a câmera, os olhos arregalados.

— Sim! — exclamou Vasilios, entusiasmado. — *Aspronisi.*

Vasilios falava e Theo traduzia.

— Ele o encontrou trinta metros a leste da ilha. Diz que lembra como se fosse ontem.

Senti uma explosão de confete no peito. Fogos de artifício. *Lava.* Todos os meus sonhos de criança estavam estourando dentro em mim, clamando por uma reviravolta, saltitando.

Eu estava segurando um pedaço de Atlântida. Da verdadeira Atlântida. Eu tinha certeza disso da mesma forma que tinha certeza de que a maré subiria e o sol se poria. *Prova concreta*, sussurravam as ondas.

— Liga para o meu pai — falei para Theo. — Liga para ele agora mesmo.

Capítulo 20

#20. CAIXA DE PARTITURAS, TÍTULOS EM GREGO

Nenhum de nós tocava piano ou qualquer instrumento, então, quando encontrei as partituras no armário dele, fiquei confusa. Será que pertencia a outra pessoa? Até que vi as anotações a lápis em grego bem fraquinhas nas margens e suspeitei que deviam ter a ver conosco.

Achei que minha mãe notaria se eu pegasse tudo, então dei uma olhada nas páginas amareladas e frágeis até encontrar uma com título em grego e em inglês — "Sonata ao luar" (Sonata para piano nº 14, Primeiro movimento) — e acrescentei à minha pilha crescente. A página era tão fina e quebradiça quanto uma folha no outono, e algo naquilo me deixou melancólica.

NÃO CONSEGUIMOS LIGAR PARA MEU PAI NEM PARA ANA, então acabamos mandando uma série de mensagens, de dez em dez minutos, até Ana responder avisando que eles estavam na balsa e que era para a gente esperar. Eles ainda levaram mais de quatro horas para chegar em casa e, àquela altura, eu estava com os nervos à flor da pele.

Aquilo tudo era tão implausível que me sentia tragada por um redemoinho. Quais eram as chances de alguém que já tivesse ouvido a história de Vasilios (a) ver o Theo filmando, (b) perguntar a ele o que estávamos gravando e então (c) nos indicar o único homem que tinha a mesma teoria que o meu pai? Nem mesmo a parte mais racional do meu cérebro conseguia dar uma explicação para aquela sequência de eventos. Acrescente a isso o fato de o encontro ter acontecido bem no lugar onde meu pai ouvira falar em Atlântida pela primeira vez.

O meu cérebro havia explodido.

Theo e eu ficamos esperando no terraço, de olho para ver se nossos pais se aproximavam, enquanto ele tentava editar a gravação daquele dia e eu rolava obsessivamente a tela do meu celular, pulando entre artigos e sites dedicados a Atlântida. Já fazia muito tempo que eu não lia sobre o assunto, e estava surpresa ao ver todas as novas teorias e especulações que surgiram ao longo dos anos. Fiquei particularmente interessada nos novos questionamentos sobre algumas das escolhas de palavras de Platão, e fiz uma série de anotações no meu fichário.

Depois de um tempo, Theo se deu por vencido e desistiu. Ele disse que era impossível se concentrar em reprodução e gradação de cor quando havia um pedaço de Atlântida bem ali nos quinze centímetros entre nós. Era difícil se concentrar em qualquer coisa.

Dax começou a me ligar antes do pôr do sol, mas ignorei as três chamadas. Eu não conseguia nem cogitar atender uma ligação dele naquele momento. Se eu atendesse, ele notaria minha empolgação, e que explicação eu daria?

342 JENNA EVANS WELCH

O sol tinha começado a se pôr quando Theo se levantou, protegendo os olhos com a mão para dar uma olhada na rua principal.

— Eles chegaram!

Theo pendurou a câmera no ombro e puxou meu braço para eu me levantar, e corremos pela rua para encontrá-los. Ana estava esgotada, o cabelo uma nuvem arrepiada em volta do rosto, os olhos cansados. Meu pai parecia ainda pior. Suas roupas estavam amarrotadas, e as olheiras tinham voltado, mas ele se mexia rápido, a energia emanando dele em ondas que eu conseguia sentir a vários metros de distância.

Quando nos viu, ele ultrapassou uma multidão que andava lentamente, o olhar concentrado em mim. O pôr do sol refletia em seu rosto, e ele parecia em chamas.

— Liv! Liv, é verdade?

— Pai!

Corri o último trecho até encontrá-lo. Eu tinha deixado meus calçados, caderno de desenho e pastéis a óleo todos jogados, mas segurava o oricalco com firmeza, andando descalça no pavimento de pedra quente e lisa. Meu coração estava errático como uma mariposa.

Theo havia dito que eu é quem deveria mostrá-la ao meu pai. Eu ainda não conseguia acreditar que Vasilios tinha nos deixado levar o oricalco para casa. É verdade que tinha sido fisicamente difícil para mim soltá-lo, e eu tinha *jurado por tudo o que era mais sagrado* que o devolveria em perfeitas condições, mas Vasilios não parecera preocupado. Parecera quase aliviado, grato por alguém estar tirando aquilo dele.

Era eu quem entregaria a prova ao meu pai. Não desperdicei um segundo. Peguei o guardanapo de pano e coloquei tudo junto em suas mãos estendidas. A rua estava lotada, e as pessoas não paravam de esbarrar na gente, mas nenhum de nós se mexeu. Só ficamos observando-o desdobrar o tecido. Eu, Ana e a câmera.

Eu mal conseguia respirar. Não conseguia fazer nada além de ver como o rosto dele se transformava. Meu pai parecia ter nove anos. Depois, vinte. Depois, quarenta. Ele se parecia mais com o meu pai do que nunca.

— Liv...

Meu coração parecia que ia explodir do peito. Eu não conseguia parar de pensar em quantas vezes ele tinha desenhado Atlântida. Que memorizara os anéis. Que sabia exatamente quantos traçar a partir do centro. Lembrei-me de todo aquele tempo que eu passara sentada ao seu lado, desenhando mapas... de todas as suas pilhas de livros. Tínhamos lido todos os livros sobre o assunto, e a bibliotecária nos deixara ficar com alguns dos antigos de tanto que os retirávamos.

Todas as horas que tínhamos passado lendo, pensando e pesquisando sobre Atlântida, tudo culminara naquele momento, uma pequena ilha de pessoas reunidas em torno de algo que eu nunca acreditei que aconteceria. De algo em que ninguém, além do meu pai, acreditava totalmente. Eu me sentia envergonhada. Grata, também.

Uma prova.

Uma prova concreta.

— Liv, como você...? Como?

Fiz um resumo rápido da história, sem me importar com a comoção ao nosso redor, nem mesmo com a câmera. Quando terminei, não olhava mais para o oricalco. Olhava para mim, as lágrimas brotando dos olhos.

— Isso é mais do que eu poderia pedir. Liv, isso é por sua causa. E, Theo, obrigado.

— Não foi nada, chefe — disse Theo, a voz um pouco embargada por trás da câmera.

Até Ana parou de torcer as mãos por um instante, apoiando-as nas costas do meu pai, o rosto iluminado. Independentemente do que aconteceria a seguir, aquele momento era especial.

Eu não queria quebrar o encanto, mas havia outro detalhe que eu precisava contar ao meu pai.

— Vasilios, o homem que encontrou isso, disse que nos levará ao local exato amanhã. Theo e eu conversamos e achamos que pode ser a cena final do documentário.

— Amanhã eu vou mergulhar — afirmou, quase para si mesmo, e Ana e eu trocamos um olhar antes de entender o que ele quis dizer.

— Você vai mergulhar no local? — perguntei. — Mas... Achei que você tivesse dito que precisaria de um equipamento melhor para isso.

— Se eu souber a localização exata, *exata mesmo*, então vale a pena tentar — insistiu. — E, se fizermos isso amanhã, teremos tempo de incluir a gravação no documentário. Certo, Theo?

Theo baixou a câmera lentamente, mas, em vez da empolgação que eu esperava, suas feições estavam marcadas pela preocupação.

— Certo. Mas não sou certificado, então não posso ir. Você vai ter que aprender a usar a GoPro e...

— Nico, *não* — interrompeu Ana. — É muito perigoso. Você não pode fazer isso sozinho. Sozinho não vai dar certo.

— Vai ser só uma olhada rápida — insistiu meu pai. — Não posso perder essa oportunidade. Já imaginou se eu encontrar alguma coisa? O que isso significaria para o documentário, o que significaria para *nós*?

Ele olhava para mim ao dizer isso.

— Não é uma boa ideia — repetiu Ana.

— Liv, você vai comigo!

Theo quase deixou a câmera cair e teve que se esforçar para segurá-la.

Toda a emoção, o nervosismo e a adrenalina que corriam pelas minhas veias se interromperam repentina e dolorosamente.

AMOR & AZEITONAS

— *O quê?*

Desviei o olhar do meu pai.

— Você tem certificado de mergulho... — continuou ele. — Sua mãe me contou! E você passou tanto tempo filmando com a gente que pode cuidar da câmera sem problema.

Minha mãe, outra vez. Ela tinha lhe contado? Será que tinha falado sobre os pesadelos também? Fiquei desnorteada.

— Não é uma boa ideia — reiterou Ana.

Theo interrompeu, hesitante.

— *Maman*, se um pescador pegou isso, então está dentro dos limites do mergulho recreativo. Desde que seja um dia ensolarado, a filmagem vai ficar ótima.

Eu precisava superar minha confusão mental e frear aquele trem antes que ganhasse mais velocidade.

— Pai... Eu não posso... — comecei.

Ana falou rapidamente em grego, sua voz se sobrepondo à minha.

Meu pai segurou o braço dela, começando a falar em grego e depois mudando para inglês:

— Sim, eu sei. Mas você entende? É isso. É *isso*. Esperei minha vida inteira por este momento, e agora minha filha está aqui para compartilhá-lo comigo. É um presente. Um presente de Poseidon, digamos assim. Ana, nós temos que mergulhar. — Ele se virou para mim. — Liv, vamos fazer isso juntos!

Foi como se ele tivesse apontado um holofote na minha direção. Por um instante, meu coração parecia cheio, transbordando. Como quando eu era pequena e tinha certeza do que Indiana Olive era capaz. Quando tinha certeza de que seria eu quem encontraria Atlântida. Mas então a luz ficou quente demais.

— N-não — gaguejei. — Não, não posso mergulhar. Aqui não.

Balancei a cabeça.

— Sou certificada, mas não mergulho mais.

Não aqui e, definitivamente, não com você.

Meu pai insistiu.

— Mas... você é certificada? Você tem experiência?

— Sim, mas...

Seu rosto parecia tão esperançoso que o pânico cresceu dentro de mim, tão frio e denso quanto a água do mar. Mergulhar em um resort com minha mãe e James era uma coisa. Mergulhar com meu pai... ali... bem, não iria rolar.

— Estou enferrujada — disparei.

Seu rosto se abriu em um sorriso aliviado.

— Santorini é um lugar fácil de mergulhar, e sou certificado como instrutor de mergulho, liberado até para levar iniciantes. Você pode confiar totalmente em mim lá embaixo.

— Pai, eu *não* vou.

Minha voz saiu alta demais, colocando um ponto final na conversa. Todos olharam para mim, surpresos. Parecia a cena do choro na festa de aniversário outra vez. Se eu quisesse justificar minha decisão, teria que contar a eles sobre os meus pesadelos.

— Eu não vou entrar na água — insisti. — Aqui não.

Theo fez um pequeno barulho com a garganta, mas, seja lá o que quisesse dizer, guardou para si mesmo.

— A decisão é sua — assegurou Ana, de maneira tranquilizadora.

— Mas... — começou meu pai, então se interrompeu rapidamente. — Claro, Liv. Não quero que você faça nada que não queira. Posso mergulhar sozinho. Você fica na superfície com o Theo. Até um burro velho como eu pode aprender a usar uma câmera subaquática.

Meu rosto ainda estava quente, mas assenti, baixando o olhar.

— Mas, Nico, e quanto à *asma*? — disse Ana, enfatizando a última palavra.

— Vou ligar para o meu médico. Ele tinha me dito que, desde que eu tomasse as precauções necessárias, poderia mergulhar.

— Mas...

Ana não parecia ter mais argumentos, então balançou a cabeça. Meu pai pousou a mão no ombro dela.

— Chega de discutir. Temos muito o que fazer esta noite e já está tarde — disse ele, então olhou para Theo. — Precisamos de um plano.

Ainda bem que meu pai tinha tantos favores acumulados pela ilha, porque precisaríamos de todos eles. O dono de uma loja de mergulho próxima reabriu para o meu pai conseguir o equipamento de que precisava. Theo localizou um fotógrafo local que era amigo do meu pai que concordou em nos emprestar uma câmera subaquática. Ana retorcia as mãos e descarregava em todo mundo em grego. Eu tinha sido encarregada de traçar o planejamento para o dia seguinte: onde e quando encontraríamos Vasilios? Que perguntas precisávamos fazer a ele durante a filmagem? O que meu pai diria e faria antes de mergulhar? Iríamos filmá-lo de cima ou deixaríamos que ele cuidasse disso? Como garantiríamos que ele conseguiria boas imagens enquanto estivesse lá embaixo?

Quando nos reunimos novamente na loja, já passava das onze horas, e eu estava tão cansada que me sentia elétrica. Havia uma carga no ar, nossa energia coletiva fazendo a livraria parecer os instantes que antecediam uma tempestade.

Meu pai já havia passado quase uma hora ao telefone com Vasilios. Ele pegou seus mapas e, em seguida, ligou no viva-voz para a egiptóloga com quem vinha trabalhando, para discutirmos a localização exata do mergulho. Eu tinha razão. O local que Vasilios nos falara ficava a cinco metros do que meu pai e a dra. Bilder haviam apontado. Meu pai insistira para que eu ficasse com o oricalco, e, enquanto ele falava, coloquei o metal sobre o mapa, onde ficava a ilha de Aspronisi. Ilha Branca. Entre as ligações, eu tinha pesquisado sobre ela e sabia que tinha oitocentos metros de comprimento, um pequeno cais, uma praia rochosa e pouquíssimos visitantes. De acordo com o que se dizia na internet, pertencia à mesma família havia sete gerações, mas ninguém parecia saber quem era a família ou mesmo por que tinham aquela ilha.

— As possibilidades de encontrarmos algo são obviamente muito tênues — disse a dra. Bilder, sem conseguir disfarçar a emoção na voz, por mais que tentasse. — Mesmo se acertarmos a localização, as chances ainda são pequenas. Mas devo dizer que a possibilidade é bastante empolgante.

— Concordo — falei, e meu pai olhou para mim e sorriu.

Foi como o sorriso na área de escavação. Espontâneo. *Natural.* Como poderia ser diferente? Sempre disséramos que faríamos aquilo.

— Lembrem-se de que a natureza é irregular — continuou a dra. Bilder. — O objetivo é procurar qualquer coisa que não pareça irregular. Linhas retas, formações circulares, esse tipo de coisa.

Minha imaginação produziu imediatamente uma variedade de imagens em água-tinta para eu explorar. A beira de uma estrada circular. O canto de uma porta dourada. Coisas que olhos destreinados deixariam passar, mas que talvez pudéssemos identificar...

Pois é. Eu também estava delirando. Por outro lado: *e se?*

Meu pai parecia estar imaginando a mesma coisa, e, quando desligou, seus olhos brilhavam.

— Agora precisamos dormir. Amanhã será um grande dia.

— Só mais uma coisa — disse Theo, que estava surpreendentemente quieto naquela noite, fazendo seu trabalho sem as brincadeiras de sempre. — Nico, todo herói precisa de uma história de origem. E precisamos filmar sua história pessoal, como havíamos planejado.

— Agora? — perguntou meu pai.

Eu estava tão incrédula quanto a voz dele deixou transparecer. Apesar de toda a minha animação, cada célula do meu corpo queria *dormir*.

— Theo, já está de noite. Onde filmaríamos isso?

— Exatamente — disse Theo. — Existe momento melhor para capturar o começo do amor de Nico por Atlântida do que na véspera de sua grande descoberta? Pensem no efeito dramático.

Theo falou "descoberta" como se fosse algo garantido — o que, claro, não era. Ainda assim, ele tinha razão.

— Poderíamos filmar aqui mesmo na livraria. Kalamata pode me ajudar a recriar o cenário que montamos da última vez que tentamos gravar. Nico, você topa?

— *Fysiká* — disse meu pai, assentindo.

Se ele topava, eu topava também.

Uma explosão de energia me fez levantar, e me virei, observando as sombras compridas dançando pelas paredes da livraria.

— Pai, vá trocar de roupa e se preparar. Pegue uma das suas camisas de cores mais vivas, algo que faça você se destacar. Theo, reúna todas as luzes. Vamos precisar do máximo que conseguirmos. Vou preparar o cenário. Queremos que fique perfeito.

— É pra já, capitã — respondeu meu pai, com uma pequena saudação.

— Você sabia que as azeitonas são os frutos mais mandões de todos? — disse Theo por cima do ombro, mas minha mente já estava concentrada no trabalho.

Precisávamos montar o cenário.

Primeiro, arrastei a escrivaninha antiga para a frente das estantes da minha seção favorita; depois, prendi alguns dos mapas antigos do meu pai na parede, arrumei uma pilha de livros antigos com capa de couro na mesa, posicionei algumas lâmpadas e enxotei alguns gatos. Quando terminei, recuei para ver tudo, satisfeita. Parecia o lugar em que alguém prestes a realizar a maior conquista de sua carreira se sentaria para refletir. O cenário adequado para um caçador de Atlântida. Perfeito.

Theo ajustava o tripé quando meu pai voltou, muito mais apresentável com uma camisa limpa e o cabelo penteado.

— Maquiagem? — perguntei.

Ele fez que não e seguiu até a mesa.

— Vamos contar a história real, não precisamos esconder nada.

Theo assentiu.

— Exatamente.

Meu pai se sentou, apoiando os cotovelos na mesa, enquanto Theo e eu olhávamos a cena através da lente da câmera.

— Perfeito — disse Theo.

— Não. Tem alguma coisa faltando. Espera aí.

Antes que eu me convencesse do contrário, corri até o quartinho onde havia escondido nosso mapa original na noite anterior.

— Você precisa usar isso — falei.

O mapa estava enrolado, e, quando meu pai o abriu sobre a mesa, vi o momento em que o reconheceu. Ele congelou e, por um segundo, pensei ter cometido um erro. Será que eu não devia ter lhe dado o mapa? Por fim, ele ergueu os olhos devagar.

— Você ainda tem isso.

Não era uma pergunta, mas ele queria saber mais. Dava para sentir. Aquela não era a hora de amenizar as coisas.

— Eu... — Cerrei os punhos, pressionando as unhas nas palmas das mãos. — Eu o guardei caso você precisasse dele de volta.

Os olhos dele brilharam.

— Não acredito que você o guardou por todos esses anos.

A câmera do Theo estava ligada, é claro. Ele farejava emoção como os tubarões farejavam sangue na água, mas sem metade do tato. No entanto, para minha surpresa, ele baixou a câmera de repente, desviando os olhos, respeitando o momento.

AMOR & AZEITONAS

Mesmo desejando esconder o que sentia, eu me forcei a continuar presente, porque aquele momento, o que quer que representasse, precisaria acontecer alguma hora. Melhor então que fosse logo, quando a possibilidade de encontrarmos algo ainda pairava no ar. O que será que o amanhã traria?

Encarei o mapa, me incentivando a criar coragem, a me tornar Indiana Olive, a garota que tinha tanta certeza das coisas. Fechei os olhos, e lá estava ela. Giz de cera na mão, o pai ao seu lado, ligando pontos e examinando pistas. Ela conseguiria lidar com aquilo.

Respirei fundo, abrindo os olhos.

— Pai... hoje mais cedo, pesquisei sobre aquilo que conversamos no cruzeiro ao pôr do sol. Sobre as inconsistências no relato de Platão. Li uns vinte artigos e acho que entendi.

Notei suas sobrancelhas erguidas e tive que desviar o olhar rapidamente para não perder a coragem.

— Antes de Platão, a história de Atlântida só havia sido transmitida oralmente, então é bastante provável que tenham acontecido muitos erros humanos antes mesmo de chegar a ele.

Ele parecia intrigado, então continuei.

— Platão disse que Santorini era maior do que a Líbia e a Ásia, o que obviamente não é verdade. Mas a palavra grega para "maior que" era "*mezon*", com *Z*, e a palavra para "entre" era "*meson*", com *S*. Santorini não é maior que a Líbia e a Ásia, mas fica *entre* elas.

O sorriso dele tomava conta da sala. Segui em frente.

— E, no que diz respeito ao período, Platão disse que Atlântida havia afundado nove mil anos antes, quando na verdade o vulcão de Santorini entrou em erupção cerca de novecentos anos antes. Mas os símbolos gregos para novecentos e nove mil são quase idênticos. Ele poderia facilmente ter recebido informações equivocadas.

Fiz o possível para ignorar Theo e seu olhar, que parecia queimar um buraco na parte de trás da minha camisa, e procurei me concentrar apenas no meu pai. Eu nunca me sentira tão vulnerável daquela forma. Estava prestes a dizer o oposto do que eu dissera no cruzeiro.

— Pai, por que Atlântida é tão importante para você?

Senti o olhar assustado de Theo. Ele vinha tentando me fazer perguntar aquilo desde o começo.

Se eu aprendera uma coisa com a lenda de Atlântida, era que histórias evoluíam. Elas eram transmitidas e distorcidas, às vezes seguiam fidedignas, e outras vezes o tamanho dos continentes quadruplicava ou linhas do tempo eram transportadas para séculos completamente diferentes. Se Platão tinha se enganado tanto, seria possível que eu também tivesse me enganado? Será que eu poderia descobrir algo que, mesmo não mudando toda a situação, poderia ao menos devolver suas nuances?

Talvez.

Os olhos do meu pai estavam reflexivos; o rosto, determinado.

— Vou contar o começo. — Ele olhou para Theo. — Gravando? — perguntou.

Theo pegou a câmera meio atrapalhado, o rosto ainda surpreso.

— Como quiser, chefe.

Meu pai se sentou e, com cuidado, abriu o mapa à sua frente. Sua linguagem corporal era calma e segura de si, mas ele esticou os dedos algumas vezes, um sinal que reconheci de todos aqueles anos antes. Estava nervoso.

— Pronto.

Theo fez um sinal de positivo para mim, e prendi a respiração. Meu pai olhava direto para a câmera.

— Meu nome é Nico Varanakis e cresci em Santorini. Sou filho do meu pai, Nico, e da minha mãe, Madalena. Morávamos

AMOR & AZEITONAS

em uma linda casa com vista para o mar, e ela era cheia de pessoas e coisas maravilhosas. Meu pai era inteligente e adorava literatura e filosofia. Minha mãe era gentil e uma pianista de formação clássica. Ela organizava muitos recitais lá em casa.

Ele parou por um instante, e esperei em silêncio, meu coração batendo como se tentasse compensar a quietude. Eu nunca soube nada sobre aquelas pessoas, nem mesmo seus nomes.

— Em vários aspectos, minha infância foi mágica. Tive muita liberdade e passava a maior parte do tempo remando em meu próprio barquinho, explorando cavernas e caçando tesouros nas praias. Mas, quando tinha dez anos, a vida mudou de repente.

Dez. Eu me imaginei aos dez anos. Parecia que já havia se passado uma vida inteira e, ao mesmo tempo, que só havia se passado um instante. Com aquela idade, eu já não via meu pai havia dois anos.

Ele continuou.

— Meu pai era dono de uma vinícola chamada Meraki, uma das mais conhecidas na história desta ilha. As vinícolas de Santorini são famosas por várias coisas. As cinzas vulcânicas e a lava formaram um tipo distinto de solo e, portanto, um sabor distinto de uva. E, por causa dos ventos fortes, as videiras crescem enroscadas perto da terra, e não em treliças. Além disso, como não chove muito, o solo vulcânico é mantido úmido pela brisa do mar. O trabalho na vinícola era todo manual e empregava muitas, muitas pessoas. Às vezes parecia que tínhamos um pequeno exército trabalhando para nós. Meu pai fornecia vinho para a maioria dos restaurantes e hotéis da ilha. Ele também tinha muitos investidores, todos moradores de Santorini. E estava constantemente aprimorando seu processo, ultrapassando os limites do que era capaz de criar. Mas então vieram as alegações.

Meu pai hesitou um pouco, mas ergueu o queixo, determinado a prosseguir.

— Ele foi acusado de cometer fraude de investimento e dever dezenas de milhares de dólares aos funcionários. No início, todos nós acreditávamos que ele era inocente, mas, com o passar do tempo, descobrimos que não era. Para evitar ser processado, meu pai saiu do país e nos abandonou. Perdemos tudo. Minha mãe perdeu a vida inteira. A família a deserdou, e ela não tinha dinheiro nem conexões para nos levar para outro lugar. Mesmo que tivesse, nosso sobrenome seria reconhecido. Estávamos encurralados. Ela vendeu tudo o que podia e tentou ganhar a vida dando aulas de piano. Mas Santorini é um lugar pequeno, e as pessoas acreditavam que ela estava envolvida no golpe. Ex-funcionários tinham perdido suas casas e as economias de uma vida por causa do meu pai. Ninguém queria se associar a nós.

A dor em sua voz era quase tangível.

— Por fim, ela arrumou trabalho como governanta para o faroleiro de Acrotíri, um homem chamado Giorgos que não tinha nenhuma ligação com a vinícola e era prático o suficiente para não se importar. Ela cozinhava e limpava para ele, e lavava a roupa de outras pessoas sempre que podia. Minha mãe trabalhava muito e estava profundamente infeliz. Não era o trabalho ou a perda de todas as coisas chiques que a incomodavam; mas o fato de ter vivido uma mentira.

Ele baixou o olhar para o nosso mapa, a voz mais fraca de repente.

— Se estivesse se sentindo generoso, Giorgos, o faroleiro, me deixava acompanhá-lo enquanto trabalhava. Um dia, ele me contou uma história. Platão, um homem inteligente e importante de quem eu nunca tinha ouvido falar, certa vez escrevera um relato sobre uma ilha bela e idílica que afundara no mar depois de irritar os deuses. Um paraíso perdido. O povo de lá tivera tudo um dia, mas o orgulho lhes custara caro. Fora a sua ruína.

Seu olhar correu até o meu.

— Reconheci a história na minha alma. Era a minha história. Eu também havia perdido um paraíso. Em algumas semanas, minha mãe e eu tínhamos perdido a segurança e a alegria em troca de uma vida de instabilidade e medo.

Seu olhar voltou para a câmera, e eu não conseguia desviar o meu.

— Fiquei obcecado com a história. Se eu encontrasse Atlântida, tudo se resolveria. Minha mãe pararia de chorar. Não sofreria mais com a dor. Durante anos, esperei meu pai voltar. Esperei que alguém viesse nos salvar. Mas ninguém nunca apareceu, e logo a tristeza da minha mãe se tornou algo maior. Quando descobrimos o problema, era tarde demais. A doença havia avançado muito. Abandonei a escola, tentei arranjar emprego e um médico para nos ajudar. Mas havíamos nos tornado párias na ilha. Eu só tinha dezesseis anos. Na época, já sabia onde meu pai estava e escrevi para ele pedindo ajuda, mas não consegui nada.

A voz do meu pai falhou.

— Minha mãe morreu alguns meses depois. Foi então que meu amor por Atlântida se tornou uma missão. Eu a encontraria e faria uma contribuição para o mundo. Jurei à minha mãe que encontraria a cidade. O paraíso seria restaurado. O que estava perdido seria encontrado. E agora acredito que foi.

Ele desviou o olhar da câmera para mim. Eu não conseguia me mexer. Mal conseguia respirar. Tinha esquecido que estávamos filmando. Tinha esquecido tudo, a não ser que meu pai um dia já fora uma criança que tinha sido magoada, assim como eu. Uma criança que esperara e esperara que seu pai voltasse para casa. Uma criança que quisera *consertar* as coisas.

Theo passou o braço pelos meus ombros, e me senti grata pelo peso, pela maneira como me manteve colada à Terra.

— Terminei — anunciou meu pai, então olhou para baixo, como se não suportasse ver minha reação.

Eu via um garotinho no farol. Depois que sua família se desintegrou, ele precisou de algo a que se agarrar, algo para ajudá-lo a enfrentar aqueles anos difíceis. Uma cidade mágica e pacífica com cem estátuas douradas e um deus que mantinha todos seguros lhe pareceu uma boa opção. Eu compreendia aquilo. Havia feito exatamente a mesma coisa.

A solidão do meu pai era um oceano. Uma vasta massa de água, tão pesada quanto assustadora. Quando ele foi embora, eu tive minha mãe e meus avós, e depois James e Julius, além de incontáveis amigos e vizinhos ao longo dos anos. Quando o pai dele foi embora, ele tivera a mãe, e depois mais ninguém. Apesar de ter me colocado em uma situação semelhante, ele não merecia passar por aquilo. Nenhum de nós merecia.

Eu soube, com uma ferocidade que me surpreendeu, que ele não daria o próximo passo sozinho. Não enquanto eu estivesse ali.

As palavras saíram sozinhas:

— Pai, vou mergulhar com você.

Capítulo 21

#21. CACHECOL ARTESANAL AZUL E DESENGONÇADO

Certa época, meu pai passou muito tempo na cama, e minha mãe me disse que, depois da escola, eu deveria ficar com a sra. Douglas, que morava no andar de cima. A sra. Douglas dizia ter sido professora da terceira série um dia, mas eu achava difícil de acreditar, porque ela não fazia ideia de como lidar com crianças. Depois de muita tentativa e erro, finalmente criamos uma rotina. Era a seguinte: comer biscoitinhos, assistir Jeopardy! e usar meu kit de tricô.

Ela encontrou o kit em um de seus armários abarrotados, e, quando vi a cor do fio enrolado lá dentro, me senti nas nuvens. Tricotar não era fácil, e a sra. Douglas não era lá muito paciente, mas depois de três semanas eu tinha uma criação que lembrava vagamente um cachecol.

Consegui esperar duas semanas até o aniversário do meu pai, e, quando lhe dei o presente, fiquei tão animada que *tive que rasgar o papel junto com ele. Assim que meu pai o ergueu, eu disse:*

— É para manter seu pescoço aquecido! Assim você não vai mais ficar doente e eu não vou ter que ir para o apartamento da sra. Douglas!

Houve um longo silêncio depois daquilo. Eu sabia que tinha entendido errado, mas não sabia como.

NÃO DEVO TER DORMIDO MAIS DO QUE DUAS HORAS. Toda vez que fechava os olhos, a água subia ao meu encontro e eu lutava para voltar à superfície, meu corpo agitado pela adrenalina. Por fim, desisti de dormir e fiquei encarando o teto escuro, minha mente zumbindo.

Minha mãe me dissera certa vez que é difícil para os filhos enxergarem seus pais como algo além de coadjuvantes em seus próprios filmes, e no meu caso era verdade. Eu ficara tão envolvida em minha história com meu pai que não parara para pensar em qual seria a história dele. Tantas coisas se encaixavam — tudo, desde os serviços constantes que meu pai fazia para os vizinhos na ilha (como forma de compensar as pessoas que seu pai tinha prejudicado?) até o motivo para ele ter deixado Santorini tão abruptamente.

Mas para cada momento *a-há*, havia também um *como assim?!*. Porque, se meu pai sabia o que era sofrer com o abandono de um pai, como podia ter feito a mesma coisa comigo? Se Santorini tinha sido tão terrível a ponto de fazê-lo fugir, o que o convencera a voltar?

Uma coisa não parava de me perturbar. Sua história explicava por que ele amava tanto Atlântida, mas não por que construíra e depois abandonara uma família em outro continente.

AMOR & AZEITONAS

Suas palavras antes da filmagem voltaram à minha mente. *Vou contar o começo.* O começo não era a história completa. O começo era só... o começo. A infância do meu pai não era tudo. Eu tinha quase certeza.

Liguei para minha mãe outra vez, mas a ligação foi direto para a caixa postal, então deixei uma mensagem vaga. *Mãe, tenho uma coisa importante para te contar; me liga de volta.*

O que eu realmente tinha eram perguntas. Algo continuava enterrado.

Theo desceu cambaleando do quartinho por volta das seis da manhã e deu um tapinha desajeitado no meu rosto antes de ir para a caverna. Nós dois nos preparamos em silêncio, e meu pai e Ana aparecerem logo depois, com tudo arrumado, seguidos por Geoffrey, que estava com os olhos inchados após ter passado a noite discutindo com Mathilde por telefone. Emocionalmente perturbado ou não, ele cuidaria da loja sozinho naquele dia.

Enquanto Ana dava as instruções do dia para Geoffrey, Theo foi implorar por café na padaria da Maria, deixando meu pai e eu sozinhos no terraço, uma pilha de bolsas aos nossos pés. Depois da filmagem da noite anterior, eu não soubera o que dizer, nem ele, e no momento parecia que tudo estava ali amontoado entre nós.

— O dia da Indiana Olive finalmente chegou — disse ele, abrindo um sorriso.

De acordo com seu rosto, ele tinha dormido tão pouco quanto eu.

— Pai, noite passada... — comecei, mas ele colocou a mão de maneira reconfortante no meu ombro.

— Conversaremos mais tarde. Hoje vamos nos concentrar na missão.

Fiz que sim, um nó se formando na minha garganta.

Theo apareceu com um café que era duas vezes pior do que de costume, e depois era mesmo hora de ir.

Yiannis nos levou até lá, e, após algumas tentativas malsucedidas de entender suas conversas em grego, me virei para a janela, observando a ilha acordar, o sol se derramando na água antes de chegar à terra.

Eu não conseguia parar de olhar para o meu pai. Aquele devia ser o dia mais importante da sua vida. Como ele parecia tão calmo? Às vezes ele me pegava olhando e dava uma piscadela. O dia também importava para mim.

O plano era encontrar Vasilios no cais em frente à taverna. Usaríamos seu barco, e ele nos conduziria ao local exato. Eu estava um pouco receosa de que ele não aparecesse, mas, quando chegamos à escada que descia à enseada da taverna, Vasilios estava no cais com um suéter grosso, chapéu flexível de pescador e um sorriso capaz de iluminar toda a caldeira.

— Nico! — berrou no ar silencioso da manhã.

Meu pai desceu correndo, e os dois apertaram as mãos, depois se abraçaram e deram tapinhas nas costas um do outro, tornando-se imediatamente amigos, porque é isso que buscar por Atlântida faz com as pessoas, imagino.

A praia estava vazia, e, além da água, os únicos sons vinham de nós. Ana decidiu ficar no cais em vez de passar as horas seguintes "enjoada e inútil", como ela mesma disse, e, enquanto colocávamos o equipamento no barco do Vasilios, segurou minha mão com força.

— Tome cuidado, Liv. Vocês são muito especiais para mim.

Fiz que sim, mas seu olhar gentil fez minha visão se turvar nos cantos. Eu estava com tanta saudade da minha mãe que me sentia meio sem chão. Não tinha prática em sentir saudade da minha mãe — ela sempre estivera ao meu lado. Fazer aquele mergulho sem que ela ao menos soubesse parecia muito errado. Eu teria tanta coisa para lhe contar, incluindo o fato de que ela estava certa sobre a certificação de mergulho — era mesmo útil.

No cais, vesti a roupa de mergulho que meu pai havia conseguido e subi meio trêmula no barco, Theo e meu pai logo atrás.

Se eu estava pronta? Definitivamente não.

Ana acenou, nós acenamos, o motor ligou, e fomos embora.

Se eu acreditasse em um deus dos mares capaz de arruinar planos e agitar o oceano com um enorme tridente, seria exatamente o que pensaria que tinha acontecido ali. Em vez do esmeralda luminoso e gratificante com o qual me acostumara, a água tinha uma coloração mais escura e sombria, e a superfície estava agitada. Revolta.

Furiosa.

Meu estômago era um imenso nó. Não estava tão frio, mas eu não conseguia fazer meus dentes pararem de bater. Eu estava animada, sim, mas a sensação vinha misturada ao medo. Sabia que podia desistir a qualquer momento, mas também sabia que não me permitiria fazer isso.

Enquanto Vasilios e meu pai passaram o trajeto envolvidos em uma conversa ruidosa, fiquei o tempo todo repetindo tudo o que eu sabia ser verdade. *Meu pai é um mergulhador experiente. Vasilios é um pescador de longa data. O mergulho não é muito profundo.* Theo parecia saber exatamente o que se passava na minha cabeça, porque se sentou ao meu lado e me presenteou com fatos ainda menos relevantes do que o normal. *Uma oliveira leva de três a doze anos para produzir azeitonas. Na Roma Antiga, as mulheres usavam azeite de oliva como protetor solar e perfume. As azeitonas têm de ser curadas em salmoura ou sal para se tornarem comestíveis.*

Eu me aproximei dele, afastando todos os pensamentos sobre o Dax. Minha vida normal parecia tão enevoada e distante quanto uma cidade dourada.

Santorini encolhia cada vez mais a distância, o oceano agitado sob o barco, e, quando chegamos a Aspronisi, fiquei surpresa em ver como era pequena. Parecia mais um acidente do que uma ilha: uma rocha caída no centro de um vasto oceano, o topo nivelado formando um planalto. O local contava claramente a história do vulcão de Santorini, como um bolo de camadas geológicas, cinza-escuro no fundo, cortesia da lava, e branco como giz no alto, graças à pedra-pomes. Meu pai tinha razão. Havia evidências de Atlântida por toda parte.

Vasilios nos conduziu habilmente até o lado leste da ilha, então desligou o motor, levando-nos até um cais improvisado.

Estava acontecendo.

Eu me sentia tão nervosa que minha cabeça parecia separada do corpo. Precisávamos ir logo. Imediatamente. Comecei a reunir meu equipamento. *Pés de pato, máscara, regulador, colete equilibrador.* Minhas mãos tremiam tanto que era difícil segurar qualquer coisa.

— Liv, tudo bem? — chamou meu pai, a preocupação enevoando seu rosto.

— Estou com frio, mas vou me aquecer.

Sustentei seu olhar por alguns segundos, e ele acreditou em mim, ou viu minha determinação. Tremendo ou não, nós iríamos mergulhar.

Calcei os pés de pato, depois meu pai me ajudou a vestir o colete com o dispositivo de controle de flutuabilidade e prendeu meu cilindro de ar enquanto Theo nos filmava. Eu já tinha feito aquilo muitas vezes, mas começava a me sentir zonza, e meu pai teve que ficar me lembrando como fazer tudo. Finalmente, eu estava pronta. Endireitei o corpo, jogando os ombros para trás, e olhei para o meu pai. Ele estava sorrindo.

— Você nasceu para isso, Liv. Tem um talento nato.

Ele sorria, mas não parava de flexionar os dedos.

AMOR & AZEITONAS

— Você também — respondi baixinho.

— Pronta? — perguntou Theo, me passando a GoPro.

Na noite anterior, ele fizera um rápido tutorial sobre filmagem subaquática. Era tudo uma questão de luz. Quanto mais luz tivéssemos, mais cor. Olhando para aquele denso turbilhão cinza, eu achava difícil conseguir imagens que valessem a pena usar.

— Faça o seu melhor — disse Theo, lendo minha mente. — A filmagem não vai ficar ótima, mas tenta conseguir uma boas imagens do seu pai. Na pior das hipóteses, a gente volta outro dia.

Nós dois sabíamos muito bem que não tínhamos outro dia. Não se quiséssemos enviar a filmagem para a National Geographic a tempo.

Theo foi até a frente do barco falar com Vasilios, e, assim que ficamos sozinhos, meu pai se inclinou em minha direção, o rosto sério.

— Liv, quero que você fique perto do barco. Sei que já mergulhou antes, mas a visibilidade não está boa hoje. Muito sedimento.

— Mas, pai... você não deveria ficar junto de seu colega de mergulho?

"Colega de mergulho" parecia fofo, mas era a primeira regra que nosso instrutor nos ensinara. *Nunca mergulhe sozinho.*

Ele colocou a mão no meu ombro.

— Normalmente, sim. Mas pretendo ficar lá embaixo o máximo possível e não quero colocá-la em risco. Fique perto da superfície, e, se eu quiser que você desça, vou acender minha lanterna. Fique de olho. Está bem?

Eu queria protestar. Reagir. Dizer a ele que eu daria conta daquilo. Deixá-lo orgulhoso, mas... minhas mãos. *Por que não paravam de tremer?* A segunda regra mais importante do meu instrutor de mergulho me veio à mente. *Um mergulhador nervoso é um mergulhador em risco.* E se eu o colocasse mesmo em perigo?

364   JENNA EVANS WELCH

— Pode ser — falei.

— Vamos — chamou meu pai.

Em seguida, sentou-se na beira do barco, ajustando o equipamento até ficar pronto. Então, depois de apertar minha mão com entusiasmo, rolou para trás. O que significava... minha vez.

Por um instante, achei que minhas pernas não fossem se mexer. Theo se aproximou de mim, sua câmera pousada no ombro do Vasilios.

— Você é a próxima, Kalamata.

Sua voz foi como um tiro de largada. *Eu consigo*. Segui desajeitadamente até a beira do barco e me sentei, tentando ajeitar a máscara. Eu já estava um pouco zonza, mas precisava me acalmar. Pelo meu pai. Theo me entregou o regulador de ar e me ajudou a ajustar os óculos.

Ele estava com um casaco de moletom grosso por cima do calção de banho, o boné virado para trás sobre o cabelo emaranhado. Estava tão perto que eu poderia ter contado cada um de seus longos cílios se quisesse.

Parte de mim queria.

Quando eu estava pronta, ele segurou minha mão direita, esfregando-a entre as dele.

— Você está tremendo. Está se sentindo bem?

— Só estou com frio. E nervosa. E... — Abaixei a cabeça, forçando minha respiração a se acalmar. — Isso é muito importante.

Ele se aproximou, suas pernas nuas roçando as minhas.

— Não, Kalamata. Muito importante seria vir a uma ilha em que você nunca esteve para encontrar alguém que não via há nove anos. Isso? — Ele apontou o queixo para a água. — Isso não é *nada*.

Consegui abrir um sorriso agradecido em meio ao pânico.

— Você tem razão.

— É claro que tenho — disse Theo, segurando minha outra mão. — Lembre-se de se mexer quando estiver na água. Se ficar encolhida, vai sentir cada vez mais frio. E essa é literalmente a única dica de mergulho que conheço.

Ele levou as mãos à minha cintura, me ajudando a ficar de pé. Mesmo nervosa, senti o calor se espalhar pelo meu corpo e, quando olhei para ele, vi como seu rosto estava perto do meu — tão perto que eu poderia beijá-lo.

Não era hora de pensar naquilo.

— Ei, Kalamata, vai ficar tudo bem. Se precisar de alguma coisa, é só subir que eu ajudo. E lembre: seu pai sabe o que está fazendo. Ele já mergulhou várias vezes, isso não é *nada*.

Theo estava basicamente me falando o oposto do que Ana dissera. Eu queria agradecer, abraçá-lo, dizer que ele me dava segurança — mais do que qualquer equipamento de emergência ou protocolo de mergulho seria capaz —, mas não sabia nem por onde começar.

Uma hora eu teria que lidar com aquela situação com o Theo. Mas, primeiro, Atlântida.

Ele hesitou.

— Depois disso... depois de hoje. Nós devíamos conversar.

Seu olhar encontrou o meu, e fiquei completamente vermelha. Ele estava se referindo ao que eu achava que estava se referindo?

— Seria bom.

Ele olhou para o meu traje de mergulho, abrindo um sorriso.

— Qual é a graça? — perguntei.

— Não vi você entrar no mar nenhuma vez, e agora você vai mergulhar. É meio extremo. Além disso, você parece uma sereia.

— Não pareço, não.

Fiz um gesto indicando onde meu pai havia pulado.

— E de onde você acha que vem meu lado extremo? — perguntei.

— Bem observado. Está pronta?

— Pronta.

366   JENNA EVANS WELCH

Cheguei para trás na beira do barco e coloquei o regulador na boca. Theo apertou minha mão uma última vez, e olhei para cima, vislumbrando brevemente as nuvens pesadas e cinzentas enquanto rolava para trás, o oceano me envolvendo em um abraço gelado.

Olá, Poseidon.

Capítulo 22

#22. RECIBO DO PEDÁGIO DO MEMORIAL JANE ADDAMS

Eu achava que todos os pais viajavam. De tantos em tantos meses, meu pai me sentava para dizer que precisava pegar a estrada para fazer algumas pesquisas e me pedia para ajudar a mamãe até ele voltar. Então ele saía de carro e não o víamos por um tempo. Normalmente eram alguns dias, mas uma vez foram duas semanas. Minha mãe também nunca sabia quando ele ia voltar; toda vez que eu perguntava, ela só respondia que seria em breve. Nunca era em breve o suficiente.

Uma vez, eu estava brincando na casa de uma vizinha e perguntei aonde o pai dela ia quando viajava. Ela não tinha ideia do que eu estava falando. Essa foi a primeira vez que percebi que nem todos os pais sumiam assim. Então, por que o meu fazia isso?

A PRINCÍPIO, ME SENTI COMO SEMPRE ME SENTIA QUANDO estava com equipamento de mergulho — tão tranquila e graciosa quanto um elefante de patins. Minha máscara parecia apertada demais, e os pés de pato, muito frouxos. Tentei ajustar a máscara e as tiras do calcanhar. Seria de imaginar que o mar fosse um lugar silencioso, mas não é. Quando eu estava tirando meu certificado, James me explicara que as ondas sonoras viajam muito mais rápido debaixo d'água do que no ar, e isso ficava ainda mais claro para mim ali em Santorini do que no México. Ruídos crepitantes, estalos e rangidos vinham de todas as direções e, para combatê-los, concentrei-me no som da minha respiração movendo-se pelo regulador. O som sibilante contínuo, por fim, colocou os outros sons em seus devidos lugares.

Respirar fundo não ajudou apenas meus ouvidos. Depois de alguns minutos, meu corpo se ajustou, dando-me a sensação de apoio e movimentação sem esforço que os mergulhadores adoram. Meu pai apareceu ao meu lado, uma nuvem de bolhas sobre sua cabeça, e fez sinal de *OK*. Retribuí o sinal, e ele apontou com os dedos, um na frente do outro. *Você vai na frente, eu sigo.*

Ficamos ali sem pressa por alguns minutos, filmando a área enquanto eu me acostumava, chutando com movimentos longos e firmes, os dedos dos pés apontados para trás. Eu tinha esquecido que estar debaixo d'água era como estar em outro planeta. A água curvava a luz, colorindo tudo em tons intensos de azul-esverdeado, que eu sabia que ficariam mais escuros à medida que fôssemos mais para o fundo. Pequenos pedaços de alga marinha e resíduos oceânicos se espalhavam ao nosso redor como confetes. Os peixes ficavam tímidos com a câmera, fugindo das nossas luzes. A visibilidade não era ótima, mas não era tão ruim quanto a superfície sugeria, e, além das criaturas marinhas desinteressadas, tudo era frio, azul, parado e — a melhor parte — bem menos tumultuado do que quando visto lá de

AMOR & AZEITONAS

cima. Se eu não me conhecesse, poderia até pensar que estava *curtindo* o oceano.

Meu pai nadou até mim, e olhamos nos olhos um do outro através das máscaras. Dava para ver que ele estava sorrindo. Ele acendeu sua luz de mergulho, apontando-a para baixo, então fez sinal de *descer* com o polegar para baixo e outro OK. Fiz OK de volta. Em seguida, ele fez um *V* de cabeça para baixo com a mão, apoiando as pontas dos dedos na palma da mão oposta. Levei um segundo para perceber o que ele queria dizer. Não era um sinal de mergulho. Era o *nosso* sinal. Era um vulcão, código para "I lava you". Ele tinha inventado aquilo quando eu entrara para o ensino fundamental e passara a ser muito constrangedor ele dizer que me amava na frente dos meus amigos.

Minhas mãos imediatamente fizeram o sinal de volta, e senti um nó na garganta. Meu pai, então, bateu com as pontas dos dedos nos meus. Virei a GoPro para ele, que acenou algumas vezes antes de mergulhar na escuridão.

Pai. Tantas coisas tinham mudado, mas tantas outras, não.

Não demorou muito para a figura dele desaparecer de vista, e pouco depois eu já não conseguia ver sua luz. Desliguei a GoPro e me concentrei em manter a calma. O barco era uma presença reconfortante lá em cima, e eu fazia questão de vê-lo pelo canto do olho.

Esvaziei um pouco meu dispositivo de controle de flutuação, baixando uns dois metros, mas mantive o barco na minha linha de visão enquanto nadava em pequenos círculos cautelosos, aproveitando a sensação do meu corpo se movendo pela água. Não era tão ruim, afinal.

Depois de um tempo, desejei ter um relógio. De acordo com os cálculos do meu pai, ele levaria menos de dez minutos para se deslocar lentamente até o fundo e, uma vez lá embaixo, poderia ficar o tempo que seu ar permitisse, o que provavelmente seriam mais trinta ou quarenta minutos. Isso significava cerca de cem círculos antes de ele voltar à superfície.

Será que retornaria com uma prova? Meu coração disparou ao pensar nisso. Será que, mesmo que houvesse algo, ele conseguiria enxergá-lo? Por alguns segundos felizes, me permiti imaginar como seria se ele encontrasse uma prova. Eu duvidava que fossem ter homenagens na Casa Branca e nossos nomes escritos no céu, mas e se realmente encontrássemos algo sólido o suficiente para ligar Atlântida a Santorini de uma vez por todas? Um pedaço de oricalco podia não ser suficiente, mas se houvesse mais?

Verifiquei meu tanque de oxigênio. Ainda tinha bastante. Poderia ficar ali o dia todo se quisesse. Virei o corpo para cima, voltando minha atenção para o barco. Vasilios instalara uma luz de mergulho, ou seja, uma luz estroboscópica presa ao fundo que me passava mais segurança. Era só eu nadar alguns metros para cima e estaria com Theo.

Theo... Aquela pausa subaquática estava sendo ótima para deixar de pensar nele. Ignorei o friozinho na barriga, mesmo ali embaixo. Sobre o que ele queria conversar? Seus olhos tinham parecido tão sérios quando ele falara aquilo. Só de pensar, senti um arrepio correndo pelo meu corpo.

Como sempre, pensar nele me desconcertava.

Eu me virei para baixo de novo, o olhar concentrado no espaço para onde meu pai tinha ido. A luz dele piscava na escuridão, um vaga-lume reconfortante me informando que estava tudo bem. Mais do que bem. Mergulhei um pouco mais fundo, deixando a água me levar, me apoiar naquele momento. Eu estava em Santorini com meu pai. Estávamos procurando por Atlântida. As coisas não estavam só bem. Estavam boas.

Esse foi o último pensamento que tive antes de, assim como nos meus pesadelos, o oceano escurecer.

Por um instante, congelei, meu corpo instintivamente se enroscando numa bola, o coração disparado enquanto minha mente tentava acompanhar. *A luz de mergulho.* O oceano não tinha escurecido. Só não estava mais iluminado pelo barco. Vasilios tinha acabado de desligar a luz de mergulho ou talvez ela tivesse desligado sozinha. Sem ela, a água parecia muito mais turva do que antes. Ajustei minha máscara, estreitando os olhos. Senti a água mais densa. Era como dirigir num nevoeiro. Tinha sido mesmo apenas a luz de mergulho? Ou algo mais mudara? Será que meu pai tinha uma visibilidade boa?

Examinei o chão lá embaixo, procurando a luz do meu pai, mas... nada. Onde eu o tinha visto pela última vez? Girei, olhando de um lado para outro, minha preocupação aumentando cada vez mais. Ele não teria desligado sua luz, certo?

Cadê ele? Um pânico terrível tomou conta do meu peito, mesmo que eu tentasse me convencer a relaxar. Tudo lá embaixo estava tão escuro. Escuro *demais*. O que poderia ter feito meu pai desligar a luz, ainda mais com a água ficando mais densa a cada segundo?

Talvez eu devesse procurá-lo. Ou pedir ajuda? Todos aqueles meu giros tinham me deixado desorientada, a água salpicando o interior da minha máscara, e, quando olhei para cima, um pensamento se cristalizou. *Cadê o barco?*

Foi então que perdi o controle. Eu me debatia. Girava. O desespero se apossou de mim na escuridão. Meu corpo não parava de se mexer, e eu não sabia para onde ir. *Em que direção é para cima?* Bolhas. Eu devia observar a direção das bolhas, mas não conseguia ver nada nem desacelerar minha mente o bastante para procurá-las. Meu traje de mergulho parecia apertado demais em volta do pescoço. Estava me comprimindo, me apertando. Minha cabeça estava tão confusa que eu não conseguia pensar. Apenas *sentir*.

Cadê o meu pai? Eu tinha perdido o meu *pai*. Cadê o barco? Eu tinha que sair dali. Subir. Mas a superfície estava tão distante... Eu me debatia, agitada, soluçando por trás da máscara. Então meu regulador soltou. Inalei água salgada, minhas mãos tentando desesperadamente encontrar o bocal, mas só havia água. Cada momento daquela viagem, cada momento da minha vida tinha culminado naquilo. Eu me afogando, tão perto de Atlântida. Tão perto do meu *pai*. Tentei gritar, mas não adiantava.

Fechei os olhos e deixei o oceano me engolir.

Capítulo 23

#23. MAÇO DE CIGARROS MARLBORO SMOOTH

Sei que cigarros são bastões mortais que fazem coisas horríveis aos pulmões, matam unicórnios e tudo mais, mas eu adoro o cheiro de Marlboro Smooth. Logo depois que minha mãe e eu nos mudamos para Seattle — o que pareceu um milênio depois que meu pai foi embora —, estávamos descendo a rua Pike quando alguém passou fumando um. Na mesma hora, fui transportada para nosso minúsculo apartamento em Chicago, e meu coração doeu tanto que tive que parar para recuperar o fôlego.

Papai tinha trabalhado em um bar naquele verão e, na maioria das noites, só chegava em casa entre uma e duas da manhã. Minha mãe me colocava na cama às nove, mas todas as noites eu ficava acordada até a porta da frente se abrir e eu sentir o cheiro da fumaça do cigarro dele vindo do pátio. Só então eu conseguia pegar no sono.

Na época, eu precisava de tão pouco para me sentir segura.

OLIVE. OLIVE.

Minha cabeça doía tanto que parecia que estava sendo passada numa peneira. Onde eu estava? Por que eu sentia meu peito tão pesado?

OLIVE.

Abri os olhos. Eu estava deitada no fundo do barco. Theo estava agachado sobre mim, sem camisa, o cabelo pingando água, o rosto em pânico. Eu me sentei, e o que parecia um barril de água salgada saiu do meu estômago, e vomitei no barco todo, meu corpo arfando. Eu não conseguia respirar.

— Tira isso de mim! Tira! — gritei, lutando com meu traje de mergulho.

Tentei me desvencilhar do Theo, a cabeça muito confusa. Ele estava me ajudando ou me machucando?

— Cadê o meu pai? Theo, cadê o meu pai?

— Olive, presta atenção em mim!

Ele segurou meus ombros, me forçando a olhar em seus olhos.

— Respira, tá? — pediu. — Olive, só respira. Acho que você teve um ataque de pânico. Houve um problema com a luz de mergulho do barco, e aí parte do seu traje subiu até a superfície. Então eu mergulhei. Olive, você está bem. Você está bem agora.

Lágrimas brotavam de seus olhos, fazendo seus cílios brilharem.

— Eu não sabia se você iria acordar. Mas agora preciso falar com você sobre o seu pai, tudo bem? Porque temos que decidir o que fazer. Vocês dois se separaram?

Balancei a cabeça, me esforçando para pensar, o cérebro ainda enevoado. Se nos separamos? Não tínhamos ficado juntos, não é?

Vasilios também estava agachado ao meu lado, falando rapidamente ao telefone. Finalmente, comecei a lembrar.

— Ele desceu sem mim. Queria que eu ficasse perto do barco e me faria um sinal se quisesse que eu descesse.

— O quê? — perguntou Theo, e o tom agudo de sua voz fez meu coração subir à garganta. — Como assim? Achei que vocês dois fossem ficar juntos.

Fiz que não.

— Antes de mergulhar, ele me disse para ficar perto do barco. Você não ouviu?

A expressão do Theo mudou na mesma hora. Ele parecia tão apavorado que achei que meu coração fosse explodir.

— Theo, o que houve? Qual é o problema?

— Olive, ele não devia estar lá. Não devia estar mergulhando. Seu pai teve alguns problemas de saúde. Os rins dele...

Theo expirou, o olhar fixo no meu.

— É por isso que minha mãe não queria que ele mergulhasse — explicou. — Ele está com insuficiência renal.

— *Insuficiência renal?*

Fiquei de joelhos na mesma hora, tentando me levantar, mas pontos pretos obscureceram minha visão, me deixando tonta, e Theo me segurou depressa pelos ombros, gentilmente me fazendo sentar de novo.

— Do que você está falando? — exigi saber.

— É por isso que ele tem ido tanto ao continente. No início do verão, ele se preparou para fazer diálise em casa com a minha mãe para poder estar pronto quando você chegasse aqui. Tudo estava correndo bem, mas esta semana os números dele pioraram. Ele precisou ir à clínica várias vezes. Seu pai me fez prometer não contar para você. Eu só descobri o quanto era sério ontem à noite, e agora...

Meus ombros tremiam violentamente.

— Theo, a luz dele apagou.

Ele se concentrou no que eu falava.

— Apagou? Ou você a perdeu de vista?

Eles mentiram para mim. Todos eles. Até *Theo.* O peso daquilo me atingiu quase com a mesma força do pânico quando a luz de mergulho do meu pai despareceu.

— Por que você não me contou? — gritei, me afastando.

Se meu pai estava tão mal assim e algo deu errado durante o mergulho...

— Theo, eu tenho que voltar para a água. Preciso checar se ele está bem.

— Olive, não — disse Theo, os olhos arregalados. — Você acha mesmo que conseguiria manter a calma para procurar por ele? E se acontecer de novo? Kalamata, você está tremendo.

Ele tinha razão. Infelizmente. Eu tremia tanto que mal conseguia formar palavras. Vasilios disse algo em grego, e Theo rapidamente traduziu.

— A ambulância aquática está a caminho. Só por precaução. Aposto que ele está bem, mas...

Theo estendeu a mão como se quisesse me tocar, e eu me encolhi, a adrenalina me fazendo recuar.

Nós devíamos conversar.

— Theo, era isso que você precisava me falar? Que meu pai está doente? — perguntei.

Ele hesitou, mas, quando me encarou, a culpa em seus olhos disse tudo. Não era sobre nós dois. Era sobre o meu *pai.* Expirei bruscamente. Se alguém tivesse me contado antes, não estaríamos naquela confusão. Eu não teria colocado o meu pai em perigo.

Theo se aproximou de mim, as mãos para o alto em sinal de rendição.

— Olive, aposto que ele está bem. Seu pai é um ótimo mergulhador. Ele provavelmente só desligou a luz para explorar algo.

AMOR & AZEITONAS

E, talvez, quando a luz do barco apagou, você tenha entrado em pânico e o perdeu de vista e…

— A luz dele estava *apagada*.

Eu estava tendo dificuldade em controlar o volume da voz. Como eles tiveram coragem de fazer aquilo comigo? Eu teria convencido meu pai a desistir, pensado em outra coisa. Como eles tiveram coragem de mentir assim?

— A ambulância aquática vai chegar já, já — repetiu Theo, e Vasilios assentiu nervosamente atrás dele.

Achei que eu soubesse o que era uma longa espera. Eu já passara por exames e más notícias. Esperara por anos que meu pai ligasse ou aparecesse. Mas nenhuma experiência se comparava com o que eu sentia naquele momento. Vasilios não parava de bater nas minhas costas, sem jeito, e murmurar coisas em grego que tenho certeza de que seriam reconfortantes, mas eu não conseguia nem tentar entendê-las.

Não sabia ao certo se eu estava chorando copiosamente ou se era água salgada escorrendo do meu cabelo no meu rosto. Seja lá o que fosse, não parava de jeito nenhum. Se meu pai estava tendo problemas lá embaixo, cada segundo era crucial. Eu me sentia completamente entorpecida. Como era possível sentir tanto medo de perder algo que eu já havia perdido anos antes?

Theo permaneceu perto de mim, mas sem me tocar. Eu não conseguia nem olhar para ele. *Ele sabia o tempo todo.*

Depois do que pareceu um milhão de anos, a ambulância aquática apareceu, sua frente larga e pontuda movendo-se rapidamente em nossa direção, um homem de pé na frente. Vasilios gritou para eles, e em pouco tempo um homem de bermuda vermelha e chapéu subiu em nosso barco e começou a nos fazer perguntas em grego, depois em inglês, quando percebeu que eu não conseguia entendê-lo. Respondi da melhor forma que pude, mas tudo o que eu sabia informar era que meu pai estava mergulhando, sofria de insuficiência renal e podia estar em apuros.

— Há quanto tempo ele está lá embaixo? — perguntou o homem.

Ele devia ser da idade do Geoffrey, tinha a pele marrom--escura e a voz calma.

Dias? Décadas?

— Quanto tempo? — perguntei ao Theo.

Ele olhou no relógio.

— Cerca de trinta e cinco minutos.

— Tudo bem — disse o homem. — Um mergulhador normal com um tanque padrão consegue nadar por quarenta e cinco minutos. Não há com o que se preocupar. Ele estava bem de manhã?

Theo e eu nos entreolhamos, pensando nas olheiras profundas do meu pai, no rosto inchado. Os sinais estiveram evidentes desde o início; eu que andara preocupada demais com minhas próprias questões para notá-los. O pouco autocontrole que restava me abandonou, e as lágrimas escorreram pelo meu rosto.

— Acho que não.

O homem colocou uma das mãos gentilmente em meu braço.

— Chamei um mergulhador profissional. Ele está a caminho. Vamos nos preparar para um mergulho de resgate, está bem? Não precisa se preocupar. É só por precaução.

Eu já estava mais do que preocupada. Estava atônita. Só conseguia sentir o braço do Theo em volta do meu ombro. Quando aquilo tinha acontecido?

— Por favor, encontre meu pai — implorei.

— Aqui! — gritou Vasilios de repente. — Estar aqui!

O alívio me lançou para a frente, e todos corremos para a lateral do barco. Lá embaixo, enxerguei um orbe de luz. Meu pai estava subindo.

— Ajudem ele, ajudem ele! — gritei.

Theo e o socorrista o puxaram a bordo. Meu pai parecia um pouco zonzo, porém mais preocupado do que qualquer coisa, e passou direto pelos outros para chegar até mim.

— Olive, você está bem? Vi a GoPro cair. Eu pensei que...

Ele segurou meu rosto com força, como se tentasse se convencer de que eu estava mesmo ali.

Eu nem tinha percebido que havia deixado a câmera cair.

— Pai, estou bem. Tive um ataque de pânico, mas o Theo me pegou. Sua luz se apagou... — Balancei a cabeça, tentando enxergar em meio às lágrimas. — Pai, por que você não me contou que estava com problemas de saúde? Por que não...

As bordas da minha visão se fecharam. Theo tentou me ajudar a sentar, então senti calor, depois frio, depois calor de novo. Braços me pegaram, e eu tive um último vislumbre do céu antes de não conseguir ver mais nada.

As duas horas seguintes se passaram em um borrão.

A ambulância não conseguia decidir quem precisava mais de ajuda: meu pai, que estava com a pressão baixa e começou a vomitar logo depois que subiu no barco, ou sua filha, que desmaiava toda vez que tentava se levantar. Nós dois fomos levados para o hospital em Fira, onde ficamos em quartos separados para observação — meu pai no andar superior, onde checariam seus níveis sanguíneos após o mergulho, e eu no andar principal em um quartinho inócuo, onde monitoraram minha pressão e níveis de oxigênio me dizendo várias vezes que eu ficaria bem. Era só a reação do meu corpo ao *estresse*.

Estresse não era a palavra certa. Traição? Abandono? Culpa? Essas chegavam um pouco mais perto.

Após o mergulho, meus pensamentos eram tão coesos e concentrados quanto um punhado de confetes, mas consegui pescar a maior parte da história no caminho para o hospital. Pelo que pude entender da conversa em grego que Theo tivera com os profissionais de saúde, meu pai estava com insuficiência renal havia quase cinco anos. Embora ele viesse tratando a doença ativamente com diálise, no ano anterior sua saúde sofrera um declínio considerável. Ele tivera de fazer várias viagens de emergência a um hospital em Atenas na semana anterior, o que tornava sua decisão de mergulhar ainda mais perigosa.

Enquanto ouvia, senti meu corpo ficar cada vez mais tenso. Eu tinha o direito de saber todas aquelas informações, não só como sua visitante e colaboradora em Santorini, mas como sua filha. E não fora só meu pai quem me decepcionara, mas também Ana e Theo. Talvez até Geoffrey, o Canadense. Durante todas as conversas que tivéramos, todos aqueles dias na água, eles sabiam. A raiva tomou conta, até que se voltou contra mim. Se não estivesse tão distraída com Theo e meu desejo de fugir dali, teria notado que meu pai estava doente?

Talvez.

Além disso, havia o luto. Ele cercava a minha raiva, trazendo à tona o peso que eu carregara comigo durante a infância. Foi por isso que eu me empenhara tanto em manter meu pai afastado. Perder alguém uma vez é terrível. Perder a mesma pessoa duas vezes é cruel.

Enquanto prendiam uma braçadeira de pressão arterial em mim, uma dúvida horrível me ocorreu. Será que minha mãe sabia? Seria esse o motivo de ela ter sido tão inflexível com relação à minha vinda para cá? *Não*. Ela não faria aquilo comigo, faria? Meus pensamentos mergulharam na escuridão. Alguém teve o cuidado de deixar meu celular comigo e, assim que fiquei sozinha, tentei ligar para ela, mas caiu direto na caixa postal. Outra vez. Por que ela não atendia minhas ligações? Por que não as retornava? Liguei para James. Nada.

Éramos só eu, um rodízio de enfermeiras tentando se comunicar comigo em uma mistura de grego e inglês, e o ninho de vespas furiosas que tomara conta do meu corpo.

Eu já enfrentara luto, tristeza e solidão. Conseguira lidar com a raiva. Mas não havia precedentes para o que eu sentia naquele momento.

Horas depois, quando as enfermeiras decidiram que eu estava estável o bastante para receber uma visita, Theo entrou no quarto minúsculo, sem se dar ao trabalho de bater à porta. Minha expressão o deteve, e ele congelou no meio do caminho, com uma expressão preocupada.

— Você está bem, Kalamata?

Sua voz soou arrependida, o que só me deixou com mais raiva. Ele tinha passado a semana tentando me convencer a dar uma segunda chance ao meu pai, mas soubera o tempo todo que meu pai estava mentindo para mim. Isso sem falar que *ele* também havia mentido para mim. Deve ter rendido ótimas filmagens.

Fechei a cara.

— Cadê sua câmera? — perguntei.

Meu tom não foi nada amigável, mas ele interpretou a pergunta como um convite, fechando a porta e vindo em minha direção.

— Confiscada. Não posso filmar aqui. — Theo arrastou ruidosamente uma cadeira para perto de mim e se sentou. — Não que eu fosse fazer isso. Então…

Cruzei os braços. Não estava nem um pouco a fim de facilitar as coisas para ele.

Ficamos sentados em um silêncio constrangedor, a máquina ao meu lado apitando de vez em quando. Tinham me feito vestir uma bata hospitalar azul-clara que deixava minhas pernas nuas. Minhas unhas do pé estavam lascadas, com o esmalte desbotado, e só Deus sabia como estavam meu cabelo e meu rosto, mas pela primeira vez eu não me importei. Minha respiração continuava ofegante. O ar parecia pesado.

Theo cruzou o tornozelo sobre o joelho, balançando o pé, aflito.

— Imagino que você tenha algumas perguntas para mim?

Senti a tensão entre as minhas sobrancelhas, e minhas palavras dispararam como flechas.

— Tipo, como você se sentiu mentindo para mim esse tempo todo?

Seu queixo caiu em uma expressão que parecia ser de genuína surpresa.

— O quê? Eu não menti para você. Seu pai me pediu para não contar. Eu precisava respeitar os desejos dele.

Respeitar os desejos dele? Senti meu coração disparar, e a máquina a que eu estava ligada nos alertou disso na mesma hora.

— Isso é normal? — perguntou ele, apontando para a tela.

— Só ignore.

Lutei com os fios para me sentar, olhando bem nos olhos dele.

— Theo, você passou todos esses dias tentando me convencer de que meu pai é um cara incrível e que ele mudou. Mas ele estava mentindo o tempo todo, e você também. Ele só me trouxe aqui porque está morrendo, não é?

Aquela suspeita estava à espreita já havia algum tempo, turva e sombria. Meu pai quis se reconectar comigo porque seria sua última oportunidade. Se ele não estivesse doente, será que teria entrado em contato? Cogitar aquilo fazia meu corpo doer da cabeça aos pés.

Para variar, Theo ficou em silêncio, seus olhos escuros me observando.

— Ele não está morrendo — disse, mas faltava firmeza em sua voz.

Parte dele já estava de luto. Eu sabia disso porque também estava.

Levantei meu celular.

— Mas as pessoas só costumam viver de cinco a dez anos em diálise. E na ambulância você disse que já se passaram cinco anos.

— Tem pessoas que vivem muito mais tempo, quando as coisas vão bem — respondeu Theo.

Minha respiração saía quente e rápida, meus punhos estavam cerrados. Por que ele não conseguia apenas dizer a verdade?

— Mas, Theo, as coisas *não* estão indo bem.

Foi como se eu tivesse dado um tapa em seu rosto, e, ao observar sua expressão indignada, entendi o que se passava. Theo estava em negação. Ele nunca tinha vivenciado a perda de Nico Varanakis. Eu já. Senti um novo aperto no peito, por ele.

Ele estendeu a mão para pegar a minha, mas se conteve, agarrando a grade da cama.

— Kalamata, você *pode* confiar em mim. Não contei sobre a doença do seu pai porque ele me pediu para não contar. Ele não queria que sua viagem fosse ofuscada por isso ou que você sentisse qualquer pressão extra porque ele não está bem. — Theo me estudou novamente, a boca contraída. — Você está com raiva dele por estar doente? — perguntou.

Todo o meu sentimento de solidariedade desapareceu em uma nuvem de fumaça. Se eu estava com raiva do meu pai por ele estar doente? Quem Theo pensava que era? Agarrei os lençóis com força, meu estômago revirando.

— Não, Theo. Estou com raiva por ele não ter me contado nada disso esse tempo todo. Estou com raiva por ele ter colocado nós dois em perigo por causa de uma pista idiota sobre Atlântida. Estou com raiva do meu pai por ter escolhido me manter fora da sua vida até o último segundo.

Theo estendeu a mão para mim outra vez, mas logo mudou de ideia.

— Mas esse era o objetivo da viagem. Ele queria ter você aqui antes que fosse tarde, antes que ele estivesse doente demais para passar esse tempo com você.

A lava se acumulava em meu peito, meu coração martelando enquanto eu olhava para ele. Sim, a situação era complicada em certos aspectos, mas em outros era bem simples. Meu pai me trouxera de volta bem a tempo de perdê-lo outra vez. Seria engraçado se não fosse horrível.

— Theo, já era tarde demais.

Minha voz saiu aguda e falhada, mas eu não pude me conter. Como ninguém enxergava aquilo? Como ninguém entendia que *meu pai*, o Sol em torno do qual eu orbitara, havia me deixado em uma escuridão que nenhum ser humano deveria ser forçado a suportar? Eles realmente esperavam que eu o recebesse de braços abertos em minha vida, só porque aquela poderia ser minha última chance de fazê-lo? O período em que meu pai e eu poderíamos ter nos reconciliado e tentado nos reaproximar havia passado. O trem não tinha acabado de partir da estação. Tinha saltado dos trilhos e ido para o outro lado do mundo.

Eu queria explicar tudo aquilo, mas de que adiantaria? Sim, parte de mim um dia acreditara — desejara — que Theo entendesse como era a experiência de perder meu pai. Como era ser deixado com pedaços de algo que nunca formariam um todo. Mas ele não entendia. Ninguém nunca entendia, e eu precisava aceitar isso.

— Theo, eu...

Não consegui terminar a frase. Estava com tanta raiva que sabia que diria coisas que não poderia apagar. Talvez eu não quisesse apagá-las. Mas o olhar escuro dele encontrou o meu, e senti uma pontada no peito. Eu gostara tanto daqueles olhos. Confiara neles. Já que estava tudo às claras: sim, eu me *apaixonara* por aqueles olhos, apesar das várias razões pelas quais não deveria ter feito isso. E foi tudo mentira.

Ele baixou o olhar.

— A National Geographic não quer mais o documentário. Disseram que não temos material original suficiente.

Senti um peso ao ouvir aquelas palavras. Eu não queria me sentir assim, mas havia me envolvido. Estava na hora de deixar tudo aquilo para trás.

— Bem, o que esperávamos? A gente não tinha a menor chance de encontrar nada.

O rosto dele foi dominado pela tristeza, e tive que lutar contra o arrependimento. Era verdade, não era?

— Sinto muito mesmo — disse Theo em voz baixa. — Nunca quis magoar você. Eu nunca magoaria você. Eu... eu...

Seu olhar encontrou o meu, à procura de algo. Na expectativa de algo. Eu sabia o que ele queria, porque eu já quisera a mesma coisa. E ali estávamos.

— Se tudo isso não tivesse acontecido... — disse ele, acenando a mão vagamente em direção ao quarto do meu pai. — Talvez...

Uma onda de raiva invadiu meu peito.

— Mas *aconteceu.*

Ele desviou o olhar. Dançávamos em torno daquele assunto havia uma semana, mas a segurança que eu sentira com Theo começava a diminuir aos poucos. Ele vinha mentindo, assim como o meu pai.

— Acho melhor você ir embora.

Dava para ver que a dor o dilacerava por dentro, e logo baixei o olhar para os seus ombros, tentando ignorar a mesma sensação em mim.

Theo aguardou um instante com a expressão de quem me implorava para voltar atrás. Para pedir para ele ficar. Não pedi.

— Tchau, Liv — disse ele baixinho.

Liv.

Aquilo me atingiu como uma bomba. Ele atravessou o quarto e desapareceu porta afora. Enquanto via Theo sair e me deixar ali sozinha, percebi a verdade. Nem sempre podemos confiar nas pessoas em que gostaríamos de confiar: elas acabam nos decepcionando.

Capítulo 24

#24. CD DEMO DE UMA BANDA CHAMADA CAVALO DADO AINDA NO PLÁSTICO

O dinheiro deveria ser usado para comprar comida.

Os armários da nossa cozinha estavam quase vazios. Meu pai passava várias horas à procura de emprego e não tinha tempo de fazer compras, então estávamos sobrevivendo à base de sanduíches de manteiga de amendoim com geleia. Naquela noite, ele me prometera fazer espaguete com pão de alho.

Quando chegamos à rua, meu pai parou para ouvir um trio de artistas que havia colocado uma plaquinha escrito CAVALO DADO. Ninguém mais prestava atenção neles, mas meu pai disse que eram ótimos e comprou vários CDs para distribuir para as pessoas que passavam. Em seguida, me levou ao Píer da Marinha e me deixou andar no carrossel três vezes seguidas.

Eu vivia implorando para ir ao carrossel, mas aquele dia não foi como os outros. Os olhos do meu pai brilhavam muito, e ele falava alto demais com o funcionário, e eu soube que não haveria pão de alho à noite.

CHOREI PELO QUE PARECIA SER A BILIONÉSIMA VEZ DESDE que recebera o cartão-postal do meu pai e me enrosquei na cama com o celular na mão, passando os dedos pela tela. Recebi uma mensagem do Dax: Tá viva? Se eu não estivesse tão infeliz, teria rido. Eu me forcei a responder. Superocupada. Te ligo de noite?

O hospital insistiu que eu passasse a noite lá, o que achei ridículo, mas era melhor do que ficava num quartinho com Theo. Assim que conseguisse falar com minha mãe, eu iria acertar tudo para voltar para casa. Só precisava que ela atendesse. Tentei ligar para ela de novo, depois para James, deixando provavelmente minha centésima mensagem de voz. Por fim, desisti e tentei dormir.

Fiquei me revirando na cama dura, ouvindo bipes e negando visitas. Perto da hora do jantar, Ana quis me ver, mas eu disse às enfermeiras que precisava descansar. Elas me falaram que meu pai tinha perguntado se poderia descer ao meu quarto para conversar, mas eu não estava nem um pouco disposta. Theo não tentou me visitar de novo, mas não senti nenhum alívio. Eu sentia saudade dele. Muita mesmo. O que não fazia o menor sentido, dado o fato de que ele esteve na minha vida por um tempo tão curto... e doloroso.

Foi quase impossível dormir, e acordei muito cedo. Uma luz cinza e pálida entrava por baixo das cortinas da minha janela minúscula, e o murmúrio de várias vozes em frente à porta do quarto chegava até a cama...

Os músculos dos meus braços e costas estavam doloridos de toda a agitação do dia anterior, e eu cheirava a oceano. Será que me deixariam tomar um banho?

— Olá? — chamei, e a conversa parou.

Minha voz saiu meio rouca, e levei a mão à garganta.

Eu me sentei enquanto a porta se abria.

— Bom dia — disse uma nova enfermeira, que eu ainda não tinha visto. — Estamos prontos para te dar alta do hospital. Mas primeiro...

— Liv?

A voz que interrompeu a enfermeira me fez congelar. Será que eu estava delirando? Confusa? Então ela entrou, parecendo cansada e muito, muito grávida. *Mãe.*

Quase desmaiei de novo, só que de alívio. Ela chegou até mim em três passos gigantes, e eu logo estava agarrada com ela, seu cabelo no meu rosto, seus longos braços em volta de mim. O alívio me inundou e me levou às nuvens. Voltei a chorar, abraçando-a com a mesma força com que ela me abraçava.

— Conta tudo — pediu minha mãe.

Eu contei. Contei sobre o documentário, Theo, a livraria, o oricalco de Vasilios, e como mergulhamos, embora as condições estivessem terríveis. Ela mal conseguiu me deixar terminar quando cheguei à parte em que tive um ataque de pânico debaixo d'água e Theo me salvou.

— Pelo amor de Deus. Pelo amor de Deus, Liv — disse ela, várias e várias vezes. — E se Theo não estivesse lá? E se...

— Ele estava lá — interrompi. — E papai não me deixou ir muito fundo, então eu com certeza teria conseguido subir e voltar à superfície.

Eu não tinha tanta certeza assim, mas não adiantava assustá-la. Não quando tudo já havia se resolvido.

— Você está respirando? — perguntei.

Ela pareceu atordoada. Depois enfurecida. Depois atordoada de novo.

— Não é com a *minha* respiração que estou preocupada. Acho que preciso me sentar…

Ela procurou uma cadeira em volta, mas aparentemente decidiu que estava muito longe e subiu na minha cama.

Eu precisava fazer A Pergunta. Cuja resposta eu não tinha certeza se queria saber. Eu me agarrei aos cobertores.

— Mãe, você não sabia que o papai estava doente, sabia? Porque, se você sabia e não me contou…

— Eu não fazia ideia da insuficiência renal — disse ela rapidamente, e meu coração desacelerou. — Teria contado para você se soubesse. Mas eu sabia que havia algo errado. Quando você me falou que ele andava saindo quase todo dia… alguma coisa não bateu. Liguei para a Ana, e ela não quis me contar, mas, bem… — Ela passou a mão pelo rosto cansado. — Digamos que foi minha intuição materna, mas senti que precisava estar aqui para o caso de estar certa. Não contei que estava vindo porque não queria preocupar você. Mas eu conheço seu pai. Ele não ia deixar você assim, a menos que houvesse algo de errado.

Senti um zumbido nos ouvidos, um peso que nem minha mãe podia fazer desaparecer.

— Ele já fez isso antes — disparei.

Na mesma hora, me senti vulnerável, exposta. Ela ficou séria.

— Você já conversou com ele sobre isso?

— Bem…

Minha mente retomou os últimos oito dias, e prendi a respiração ao lembrar do cruzeiro. Ele tinha tentado, mas eu não deixara.

— Não. Não conversei.

Ela pousou a mão na minha, séria, me encarando.

— Liv, vou contar uma coisa e preciso que escute, porque acho que vai mudar algumas coisas para você. Depois, quero que vá falar com seu pai, está bem?

Fiz que sim, mas senti um nó tão grande na garganta que coloquei a mão no pescoço, para garantir que ainda estava ali. Meu coração estava disparado. O que ela poderia me contar que mudaria as coisas?

Minha mãe afastou meu cabelo do rosto, seus olhos azuis cintilando.

— Seu pai não foi embora para procurar Atlântida.

Esperei que todo o ar sumisse do quarto, que a descrença me tomasse, mas nada disso aconteceu. O que senti foi… alívio? Por quê? *Por reconhecer*, meu cérebro completou. *Você sabe disso*. Eu não sabia. Como meu cérebro podia saber algo que minha memória não lembrava?

— Como assim?

Meu coração parecia um tambor, marchando constante para a frente.

Minha mãe inspirou, depois expirou devagar, levando a mão à barriga.

— Você se lembra de quando ele foi parar no hospital? Você estava no primeiro ano do fundamental.

Fiz que não, mas na mesma hora uma série de imagens emergiu em meu cérebro: um longo corredor brilhante cheio de portas, um carpete com hexágonos interconectados, minha mãe segurando minha mão com força. Meu pai estava atrás de uma daquelas portas. Eu só não sabia qual. Ou por quê.

Ela observava meu rosto com atenção.

— Ele foi parar lá duas vezes, a primeira por duas semanas, a segunda, por quase um mês. Você lembra?

Eu não lembrava, mas meu corpo, sim. Havia um hematoma sensível, e um emaranhado de emoções floresceu e cresceu no instante em que o encarei. Por que meu pai tinha ido parar no hospital?

— Ele já estava tendo problemas renais na época? — perguntei.

Minha mãe apertou minha mão, e o movimento fez a cama ranger.

— Não. Lembra como o papai estava sempre muito pra cima ou pra baixo? Nunca havia um meio-termo. Havia dias em que ele estava no topo do mundo, e outros em que mal conseguia sair da cama. Ele foi diagnosticado com transtorno bipolar durante essa primeira internação. Ele tinha tido... — Minha mãe hesitou. — Uma crise. Ele perdeu o emprego e gastou a maior parte do nosso dinheiro comprando um carro, que acabou batendo. Ele foi preso e hospitalizado. Você lembra?

Uma onda de frio subia pelo meu corpo, uma maré bem lenta. Minhas mãos tremiam, o sangue correndo em meus ouvidos.

— Não me lembro disso — falei, mas minha voz tremia e, enquanto as palavras saíam da minha boca, eu já sabia que aquilo não era verdade.

Parte de mim lembrava. Eu podia não ter a lembrança acessível em meu cérebro consciente, mas a experiência tinha ficado gravada no meu DNA. Eu podia sentir a instabilidade, a confusão. O medo. *Ele já tinha ido embora antes*. Várias vezes. Mas estava sempre em busca de Atlântida, não estava?

Minha mãe me observava com atenção.

— Muitas pessoas só começam a apresentar sintomas aos vinte e poucos anos. Seu pai foi uma delas. No início, ele só sentiu o que é chamado de hipomania... tinha vezes que passava a noite toda acordado trabalhando em projetos, pinturas ou marcenaria. Mas então as crises começaram a ficar mais graves. Ele passava dias seguidos sem dormir, e seus projetos se tornaram cada vez mais extremos. Você se lembra de quando ele tentou reconstruir os armários da cozinha?

A lembrança me veio à mente, imagens soltas que iam se encadeando. Um dia, cheguei em casa da escola e encontrei meu pai discutindo com o proprietário. Meu pai insistia que poderia construir armários melhores do que os que estavam no apartamento, mas, depois que os tirou, nunca instalou novos.

Minha mãe me deixou ficar em silêncio, sem me apressar.

— Lembro — respondi finalmente.

Outra lembrança me puxou, insistindo para que eu desse uma olhada nela. Algo com relação ao carro também. Ergui o queixo.

— Ele costumava sair em... explorações — falei.

A palavra *explorações* surgiu espontaneamente na minha língua. Era a palavra que meu pai usava para aqueles dias e semanas em que desaparecia. Durante um momento de descuido, pude ver a dor nos olhos da minha mãe, vi como a experiência devia ter sido para ela.

— Isso. Era o que ele dizia quando estava numa fase ruim. Ele saía com o carro e morava nele por alguns dias. Dirigia até o oceano, e eu nunca sabia onde ele estava ou quando voltaria — contou, e sua voz falhou. — Você ficava sentada perto da janela por horas, esperando ele chegar.

Ela fechou os olhos por um instante.

— A situação foi piorando, e ele passou a ter problemas em público, brigas com balconistas, coisas assim. Comecei a me preocupar em deixar você sozinha com ele. Após o diagnóstico, ele pôde se medicar e ficou estável por um tempo, mas era difícil se manter assim. Na época, notei um padrão: sempre que ele ficava obcecado por Atlântida, eu sabia que outra crise de mania se encaminhava.

As lembranças me invadiam, preenchendo-me e esvaziando-me. Meu pai falando rápido demais. Pessoas gritando com a gente na rua. As mãos dele tremendo. Pacotes cheios de mapas de Atlântida e suprimentos que se acumulavam na varanda, comprados com dinheiro que não tínhamos.

Minha mãe soltou o ar, deslizando os dedos entre os meus, o olhar sério.

— E então houve o incidente do vestido de Páscoa.

O pânico crescia lentamente em meu peito, faíscas de lembranças passando pela minha mente. Pessoas gritando... comigo? Com meu pai? Buzinas soando e, acima de tudo, os *olhares*.

— Eu me lembro um pouco dessa história.

Para, para, PARA, ordenava meu cérebro. Mas eu precisava rever aquilo, precisava lembrar.

— O que...?

Foi só o que consegui dizer, mas ela entendeu e prosseguiu.

— Era véspera de Páscoa, e ele a levou para comprar um vestido. Vocês dois estavam atravessando a rua, quando um táxi quase os atingiu na faixa de pedestres — falou devagar, o olhar cuidadosamente focado no meu. — O carro parou a tempo, mas assustou seu pai, e ele perdeu a cabeça. Ele vinha tendo altos e baixos há semanas, e o estresse fez com que explodisse. Seu pai começou a gritar e chutou o carro várias vezes até amassar a porta. Uma multidão se formou, e alguém chamou a polícia. Seu pai foi preso.

Eu estava respirando, mas nenhum oxigênio parecia chegar ao meu cérebro. Eu me sentia tão zonza quanto estivera debaixo d'água, e igualmente sem chão. Lembrei-me do vestido, que era amarelo, quando na verdade eu queria um rosa, e com babados demais para qualquer ocasião. O que tinha acontecido com aquele vestido? Será que eu o deixara cair na rua? Acima de tudo, me lembrei da confusão que senti. Meu pai estava cuidando de mim, mas eu sabia que havia algo de errado na maneira como ele o fazia. Eu percebia pelos olhares que as pessoas lançavam para nós.

— O que aconteceu depois? — perguntei, ainda desconcertada.

Ela apertou minha mão.

— Dessa vez, ele passou várias semanas no hospital. Tentei explicar por quê, mas você disse que eu estava errada. Então levou todos os mapas dele para a escola no dia da novidade e disse a todos que seu pai tinha ido ao deserto do Saara procurar Atlântida.

Senti um nó na garganta. Eu tinha levado um mapa-múndi, que passara a noite toda desenhando com canetinhas em uma cartolina. A professora interrompera minha apresentação, e eu ficara tão chateada que atirara o cartaz no chão. Ela tinha dado a entender que não acreditava em mim. Porque não acreditava. Obviamente.

Percebi que estava trincando os dentes, mas não parei, porque a pressão na minha mandíbula diminuía um pouco a dor no peito. Eu havia sido uma criança tentando dar sentido ao mundo, e minha mente criou explicações que doíam menos do que as que me foram apresentadas. Por mais dolorosa que tivesse sido a ideia de ele partir para procurar Atlântida, tinha sido menos sofrido para mim quando criança do que aquilo que acontecera de fato — meu pai, a pessoa em quem eu mais confiava no mundo, vinha lutando com algo dentro dele. Algo que eu não entendia.

Você já sabia o tempo todo.

O pensamento surgiu silenciosamente, e o encarei por um longo tempo. *Verdade.* Porque eu não estava descobrindo tudo aquilo. Eu estava *aceitando.* Talvez eu não soubesse de todos os detalhes do transtorno mental do meu pai, mas lá no fundo uma parte de mim sabia que ele não tinha partido para encontrar Atlântida.

Baixei a cabeça, pressionando as têmporas com os dedos. Minha mente estava girando, momentos e lembranças se encaixando. Então pensei na minha mãe. Uma pergunta me perturbava, pressionando meu peito. Levantei a cabeça e olhei para ela.

— Por que você não me contou a verdade? Por que me deixou acreditar nisso?

Eu não queria sentir raiva dela, mas sentia. Eu era criança na época; ela, adulta. Era função da minha mãe me ajudar a navegar por aquela experiência.

Seus lábios se contraíram com pesar.

— Não lidei bem com nada disso, Liv. Você estava tão convencida sobre o que queria acreditar. E, depois de um tempo, comecei a pensar que talvez fosse melhor você ter sua história para ajudá-la a enfrentar aquela situação. Quando foi ficando mais velha, achei que seria importante saber a verdade. Mas então você começou a ter os pesadelos...

Ela suspirou.

— Para ser sincera, tive dificuldade com o estigma de um transtorno mental. Eu não queria que você o visse de maneira diferente ou que os outros nos vissem de maneira diferente. Hoje eu sei que estava errada. Transtornos mentais não têm nada a ver com o tipo de pessoa que alguém é. Não ser aberta sobre as dificuldades do seu pai foi um erro e lhe causou dor, e eu sinto muito mesmo por isso.

Os olhos dela transbordavam de lágrimas, e os meus também. Era muita coisa para digerir e assimilar. Mas sabia que ela estava sendo sincera.

— Não sei o que dizer — falei.

— E como saberia?

Ela enxugou meu rosto com a palma da mão, o que só fez mais lágrimas se derramarem. Um pensamento terrível me ocorreu. Eu passara anos obcecada por Atlântida, assim como meu pai. Sempre que um artigo ou filme aparecia na internet, eu ia correndo ver.

— Mãe, isso é hereditário? Você disse que Atlântida era o gatilho do meu pai. Eu também tenho transtorno bipolar?

Ela balançou a cabeça.

— Segundo Ali, você nunca teve nenhum dos sintomas iniciais. Sua obsessão por Atlântida... era só saudade do seu pai.

Assenti, deixando a informação assentar no meu peito. Levantei os joelhos, abraçando-os com força. Era como se minha mãe tivesse virado um holofote para o meu pai, fazendo-o entrar em foco. Eu me sentia desorientada, aliviada e culpada ao mesmo tempo, as emoções se chocando e competindo umas com as outras no meu coração. Eu havia interpretado tudo errado.

— Ele sabe que eu não sabia? — perguntei.

— Sabe — respondeu minha mãe com firmeza, então chegou mais para dentro da cama, me pressionando com sua barriga. — E ele entende. Esse era parte do motivo para esta viagem. Ele queria cumprir algumas promessas antigas e mostrar que era alguém em quem você podia voltar a confiar. E quanto a não contar para você sobre a insuficiência renal... — Ela suspirou. — Meu palpite é que ele não queria decepcionar você de novo.

Era terrível, mas fazia muito sentido. Mesmo assim, confiar no meu pai outra vez... Será que isso aconteceria um dia? *Poderia* acontecer?

Olhei para a aliança da minha mãe. Era bem maior do que a que ela usava quando era casada com meu pai, mas eu sabia que ela guardava a primeira em seu porta-joias. Eu tinha conferido várias vezes ao longo dos anos.

— Você se arrepende de ter se casado com o papai? — perguntei, cerrando os dedos.

Ela não hesitou nem por um segundo.

— Nunca. Lamento muitas coisas que fiz depois, mas nunca vou me arrepender do seu pai e, claro, nunca me arrependi de você. — Ela fez uma pausa, reflexiva. — Eu amo o James e sinto muito pela dor que você passou. Mas se eu tivesse que fazer tudo de novo... me casar com um grego inteligente e peculiar poucos meses depois de conhecê-lo? Eu faria tudo em um piscar de olhos.

Deixei-me impregnar pelas palavras dela, as lágrimas inundando meus olhos. Eu precisava ouvir aquilo, que ela não considerava nossa vida juntos um erro. Eu tinha um milhão de perguntas, mas uma específica não parava de vir à minha mente.

— Mãe, se ele não foi embora para procurar Atlântida, então por que estamos procurando Atlântida agora?

— Essa é uma pergunta para ele. Acho que está na hora de você conversar com seu pai.

— Agora?

Pensar naquilo já deixou meu peito em chamas. Olhei em pânico para a fraca luz da manhã.

— Talvez ele nem esteja acordado ainda. E se...

— Agora — cortou ela com firmeza.

Não havia discussão com minha mãe. Foi exatamente como quando recebi o convite para vir para a Grécia. Além do mais, eu sabia que podia ser corajosa. Já vinha sendo havia muito tempo.

Respirei fundo.

— Em qual quarto ele está?

O quarto de hospital do meu pai era ainda menor do que o meu — nada além de uma cama, uma cadeira de balanço velha e um monte de máquinas. Encontrei-o deitado, de olhos fechados, mas não estava ligado a nenhuma das máquinas, o que me assustou. Não deveriam estar monitorando seu coração e oxigênio? E os rins dele? Como mediam aquilo?

Meu pai provavelmente sentiu meu olhar, porque seus olhos se abriram de repente e ele se sentou depressa.

— Liv! Como você está se sentindo?

Ele tinha passado de um sono profundo direto para querer saber como eu estava. Eu não conseguia decidir se era para rir ou chorar, e o que saiu foi uma mistura dos dois. Seu rosto estava mais corado do que no dia anterior, mas continuava inchado, assim como suas pernas e seus tornozelos. O que mais notei, entretanto, foi como ele parecia cansado. Visto que meu pai não estava mais tentando escondê-la, eu notei a profunda exaustão em seu rosto, as luzes fluorescentes do hospital destacando cada linha de expressão. Durante minha viagem, ele passara incontáveis horas filmando ao sol. Será que cada minuto tinha sido um sacrifício?

Enquanto o observava, notei que sua expressão mudou para preocupação.

— Liv? Você está bem? Parece nervosa.

Correto. Ele tentou sair da cama, mas estendi a mão para detê-lo.

— Estou bem. Posso me sentar?

— Claro.

Ele apontou para a cadeira, caindo pesadamente na cama. Por um instante, fiquei olhando para baixo, tentando descobrir que perguntas precisavam ser feitas, mas eram tantas, e por onde começar?

— Pai… Queria perguntar umas coisas.

— Sim — respondeu, sua voz aliviada.

Ele abriu um sorriso discreto, apontando para a cama do hospital.

— Pode ir com calma. Não vou para lugar nenhum.

Retribuí o sorriso, mas estava nervosa demais para olhar para ele por muito tempo. Eu precisava ser forte. Minha mãe tinha me dado um bom empurrão, mas eu precisava de uma ajudinha a mais para subir e chegar do outro lado daquela montanha. Talvez não houvesse uma maneira certa de fazer aquilo. Talvez eu só precisasse começar.

— Pai… — *Respire fundo*. — Você não… Você não foi embora para encontrar Atlântida.

Pronto.

— Não. — Ele balançou a cabeça, seu olhar procurando o meu. — Sempre adorei lhe contar histórias.

Meu pai torceu os dedos, a hesitação pairando em torno dele, estabelecendo-se entre nós e pesando o ambiente.

— E... gostaria de lhe contar o resto da minha — completou.

— Por favor.

Arrastei a cadeira de balanço um pouco para a frente, sentando-me ao alcance do braço. Era difícil olhar para ele, mas olhei mesmo assim, me preparando para o que estava por vir.

Ele cruzou as mãos no colo, o rosto tranquilo.

— Depois que minha mãe morreu, passei vários anos sozinho em Santorini, trabalhando e estudando. Era solitário, e nada me alegrava, a não ser meus estudos sobre Atlântida, mas isso parecia um beco sem saída. Então, no verão em que fiz vinte anos, decidi que era hora de deixar a ilha. Eu não tinha futuro aqui, então fui para os Estados Unidos só porque ouvira que era um bom lugar para se começar a vida.

Seus olhos franziram nos cantos.

— Quando conheci sua mãe, acreditei que era verdade.

A fotografia deles naquele primeiro verão me veio à mente, e senti uma leveza e um peso ao mesmo tempo.

— Eu nunca acreditara em amor à primeira vista, mas foi exatamente o que aconteceu. Nós nos casamos, e aqueles primeiros anos foram melhores do que eu imaginara. Claro que tivemos nossos problemas. Como imigrante, era sempre difícil arrumar trabalho, e a família dela não gostou de me conhecer. Esperavam alguém mais parecido com eles. E comecei a ter problemas de estabilidade.

Ele estendeu os braços, como se tentasse se equilibrar.

— Eu era aquele homem andando em uma corda, sabe, no circo?

— O equilibrista na corda bamba. — Assenti, com um nó na garganta.

Suas dificuldades tinham começado muito antes do que eu imaginara.

— Durante anos tive problemas para dormir e para manter um emprego. Mas eu conseguia dar conta das coisas. E então você chegou.

Sua mão foi até a tatuagem em seu braço. Minhas coordenadas.

— Eu amava muito sua mãe, mas nada nunca importara tanto quanto você. Você era tão perfeita. Prometi a mim mesmo que faria de tudo para me manter estável. Eu ainda não sabia o nome para isso, só sabia que precisava me manter estável. Mas, por mais que eu tentasse, foi ficando cada vez mais difícil. Eu não conseguia dormir. Não conseguia ficar muito tempo em um emprego. Havia dias em que, por mais que quisesse, eu nem conseguia sair da cama. E então, quando você tinha apenas seis anos, sua mãe perdeu um neném. Lembra?

Fiz que sim. Eu me lembrava dela no hospital, do meu pai ao meu lado e das suas lágrimas que não paravam de cair. Eu não pensava naquilo havia muito tempo.

— As coisas ficaram extremamente difíceis depois disso. Comecei a ter crises, a fazer coisas que eu acreditava estarem certas no momento. Em um segundo, parecia que eu estava no céu. Nada me abalava. E, no seguinte, via o que tinha feito, como magoara você e sua mãe, e achava que não conseguiria seguir em frente.

As lágrimas enfraqueceram sua voz.

— Sua mãe não conseguia estudar. Nossas contas começaram a se acumular. Eu não conseguia enxergar uma saída. Só conseguia sonhar, e esses sonhos eram sempre sobre Atlântida. Escapei para Atlântida na minha mente e levei você comigo. Nosso futuro juntos, o que faríamos depois que encontrássemos a cidade perdida… Era o único lugar que ainda parecia real para mim.

Sua voz falhou outra vez, mas ele esfregou os olhos, determinado a continuar.

— Depois, comecei a ouvir mentiras na minha mente e passei a acreditar que vocês duas ficariam melhores se eu não estivesse por perto e que precisavam se libertar de mim.

A lógica daquilo feriu meu cérebro. Meu pai acreditara mesmo que ficaríamos melhores se ele fosse embora? Senti um calor correr pelo meu pescoço e meu rosto ficar vermelho.

— Pai... — comecei, e ele assentiu, prevendo minha objeção.

— Não era verdade, eu sei. Esse é o problema dos transtornos mentais. É como se olhar em um espelho embaçado. Não se vê claramente. Liv, você se lembra dos anos antes de eu partir?

A dor se movia em ondas pelo meu corpo, e em pouco tempo eu me tornara um navio se enchendo de água, as lembranças me inundando tão rápido que eu mal podia suportar.

Eu me lembrei de acordar no meio da noite e encontrá-lo preparando refeições de três pratos ou tocando música alto demais. Eu me lembrei de um vizinho à minha espera na saída da escola, porque minha mãe não sabia onde meu pai estava e tinha medo de que ele não fosse aparecer para me buscar. Também tinham as outras histórias que eu recordara ao conversar com a mamãe — ele discutindo com desconhecidos ou vizinhos por pequenas coisas. Coisas que eu não tinha entendido, que tentara esquecer porque não combinavam com o outro lado do meu pai — o que me levava ao parquinho e entrara em uma aula de trança para aprender a arrumar meu cabelo. Como ele podia ser as duas pessoas ao mesmo tempo?

— Eu...

Respirei fundo. Eu queria lhe dizer para parar, que não precisávamos reviver os momentos difíceis, mas eu vinha carregando tudo aquilo por muito tempo. Precisava saber o que tinha acontecido.

— Eu lembro. Pelo menos um pouco.

Ele assentiu, curvando os ombros.

— Eu não aguentava mais ver o que estava fazendo a você e sua mãe. Achei que deveria recomeçar no lugar onde tudo se iniciara. Se eu voltasse ao começo, talvez pudesse consertar as coisas. No início, foi tudo igual. Eu perdia empregos. Tinha dificuldade em me manter bem. Mas todos os dias prometia a mim mesmo que resolveria aquilo. Por fim, conheci uma médica em Atenas, que me ajudou a encontrar o equilíbrio certo de medicamentos. Então, pouco a pouco, encontrei minha estabilidade. *Paz.* Mas nunca me pareceu completo, não sem você.

Minha garganta estava se fechando, como sempre, e meus olhos ardiam com as lágrimas.

— Pensei em voltar. Mas sempre que tentava, me lembrava de você sentada comigo, vendo nossos mapas. Pensava em como você confiava em mim e em como eu não tinha sido quem você precisava que eu fosse. Sempre que eu sentia saudade, lia sobre Atlântida. E então, no início do ano, encontrei um artigo escrito por uma egiptóloga chamada dra. Bilder, que compartilhava muitas das minhas ideias. E pensei que *talvez*, talvez eu finalmente pudesse dar Atlântida para você. Mas, Liv...

Sua voz estava embargada, e ele esperou que eu olhasse em seus olhos.

— Esse tempo que passamos juntos... Sei que tem sido difícil, mas muito obrigado. Não estou pedindo que me perdoe, mas preciso dizer que te amo. E gostaria de poder voltar ao início.

Baixei a cabeça nas mãos, meu hálito quente nos pulsos.

Eu precisara acreditar que meu pai me trocara por uma cidade dourada perfeita que só ele poderia encontrar porque a alternativa — que ele estava enfrentando momentos difíceis e se sentindo inseguro — era assustadora demais para minha mente infantil dar conta. Mas eu não era mais uma criança. Ele não precisava ser perfeito para que eu estivesse segura.

— Eu também — falei, por fim. — Quer dizer, também gostaria que pudéssemos voltar ao início. Esta viagem tem sido...

— Difícil — completou ele.

— Bem, sim — admiti.

Era verdade, estava sendo difícil, mas outras lembranças inundavam minha mente. Os pores do sol, a festa de aniversário, a Livraria Perdida de Atlântida, todas aquelas horas suando enquanto ouvia suas histórias. Algo que minha mãe me disse uma vez me veio à mente.

— Difícil não é o oposto de bom.

— Não, não é — concordou.

Seus olhos estavam marejados.

— Pai, tinha alguma coisa lá embaixo? — A pergunta abriu um buraco no meu peito. — Na água. Você viu alguma coisa?

Ele baixou a cabeça, parecendo mais triste com aquilo do que com todo o resto.

— Nada, Liv. Eu sinto muito.

Esperei que a notícia se infiltrasse em meu subconsciente, que a imagem passasse de distorcida a nítida. *Não a encontramos*. Levou apenas alguns segundos. Abri as mãos, e a cidade reluzente — seus anéis concêntricos, suas estátuas e paredes douradas — caiu delas. Caiu tranquilamente, afundando na escuridão como se nunca tivesse existido.

— Tudo bem — falei.

Quando olhei para ele, meus pesadelos saltaram à mente, as imagens formando algo que nunca tinham formado antes. Em todos aqueles sonhos, eu não estava procurando por Atlântida. Estava procurando pelo meu pai. E ali estava ele. Não era dourado ou impermeável, mas estava *ali*.

Eu não sabia o que dizer, então peguei suas mãos — frias e ásperas — e apertei-as com força. Ele apertou de volta. Foi o suficiente.

Uma leve batida ecoou na porta, desviando nosso olhar, e, quando minha mãe entrou no quarto, meu pai respirou fundo.

— Ellen.

Foi um momento longo e tenso enquanto os dois se encaravam. Minha mãe parecia triste, mas esperançosa, e meu pai... Se eu já me perguntara se ele sentia saudade dela, bem, tive minha resposta. Ele parecia ter levado um soco. Estava destroçado.

— Oi, Nico — cumprimentou minha mãe calmamente, com lágrimas começando a se formar nos olhos.

O ar entre eles parecia carregado, elétrico, e por um terrível segundo me perguntei se aquilo terminaria mal. Até que meu pai se levantou e foi depressa até ela, e os dois se abraçaram, chorando, com a cabeça loira da minha mãe pressionada ao ombro dele, sua barriga grávida fazendo tudo parecer estranho e desconjuntado. Mesmo assim, duas vidas inteiras se reuniram naquele abraço. Eu tinha esquecido como eles ficavam juntos. Como ela era ligeiramente mais alta do que ele, como os ombros dele relaxavam na presença dela.

Parecia que meu coração ia explodir. Aquelas duas pessoas tinham realmente, verdadeiramente se amado — ainda se amavam. A vida e todas as suas armadilhas se intrometeram. Isso acontecia às vezes.

Eu parecia estar na disputa pelo primeiro lugar na história das velas. Limpei a garganta, mas nenhum dos dois pareceu notar.

— Ela é incrível. É tão incrível. Você fez um ótimo trabalho. Obrigado, Ellen — disse ele, várias e várias vezes.

— De nada — respondeu ela, os olhos fechados com força.

Os dois se soltaram, mas não desviaram o olhar. Minha mãe enxugou os olhos, rímel e lágrimas se espalhando pelo seu rosto em um arco-íris cinza.

— Você continua igualzinho.

— E você está... completamente diferente — disse meu pai, pegando uma mecha do cabelo curto da minha mãe, e os dois começaram a rir e se abraçaram de novo.

Vê-los juntos era tão estranho e, ao mesmo tempo, tão *normal*. Como minha mãe podia estar ali, casada com outra pessoa e grávida, e ainda o amá-lo tanto? Era a colisão de duas dimensões completamente diferentes. Eu me lembrei das palavras dela. *Quando se ama alguém de verdade, você nunca deixa de amar.*

— Quando o bebê chega? — perguntou meu pai, olhando para a barriga dela.

Minha mãe apoiou a mão na lombar.

— Daqui a dois meses. Fiquei com medo de que não me deixassem entrar no avião. James veio comigo. E Julius. O voo foi um pesadelo. — Ela sorriu para mim. — De vez em quando, tínhamos que dar intervalos-ninja para Julius nos corredores.

Meu coração deu um pulo.

— Julius está aqui?

— James se hospedou em um hotel em Fira para Julius poder dormir um pouco. Eles vão nos ligar assim que acordarem.

O olhar dela pousou em mim por um único instante antes de voltar ao meu pai.

— Nico, quero ouvir tudo.

— Olha, passou muito tempo — disse ele, sorrindo.

O quarto pareceu apertado, abarrotado com todas as coisas que eles precisavam se dizer para se reconciliarem. O momento já não era mais meu. Era deles.

— Hã, eu vou só… — falei, e saí do quarto em tempo recorde.

Depois que falei com a enfermeira e vesti minhas roupas normais, encontrei Ana acampada no saguão com uma pilha de romances de aparência tórrida e um copo de café ainda mais tórrido. Ela quase derrubou os dois quando me viu.

— Sua mãe encontrou você? Ela está com o seu pai?

Fiz que sim, ainda atordoada com todos os acontecimentos das últimas horas.

— Acho que eles dois precisam de um tempo para conversar.

— É claro. Ah, Liv.

Ela se inclinou para a frente como se estivesse se preparando para me envolver em um dos seus fortes abraços, mas, se ela fizesse aquilo, eu tinha certeza de que iria me desmanchar novamente e não sabia se meus dutos lacrimais aguentariam outra sessão de choro. Além do mais, vê-la ali me lembrou da minha última conversa com Theo, e eu não estava nem um pouco preparada para acrescentar aquilo à pilha de preocupações em minha mente.

Segui em direção à porta.

— Acho que preciso de um tempo sozinha.

— É *claro* — disse Ana novamente. — Vou ficar aqui com seu pai e sua mãe. Os níveis dele estão melhores, mas a equipe disse que seria bom ele passar mais um dia em observação. Theo foi buscar um café da manhã decente para nós e volta logo.

Meu coração disparou.

— Acho que vou… voltar para a livraria. Posso pegar o ônibus.

— Theo acompanha você! — sugeriu Ana.

Precisei de muito autocontrole para não correr em direção à porta.

— Obrigada, mas não precisa, consigo encontrar o caminho sozinha.

— Vou pedir para o Theo ir ver como você está mais tarde — disse ela.

— Não precisa — repeti.

A caminhada até o ponto de ônibus foi longa. Eu estava exausta e grudenta, ainda com a bermuda e a camisa que tinha vestido para ir a Acrotíri. Precisava com urgência tomar um banho e dormir de verdade, mas minha mente estava agitava demais. Eu não parava de pensar na história da minha família e em como eu tinha distorcido as coisas para incluir a cidade perdida de Atlântida, quando, na verdade, a questão nunca tinha sido Atlântida.

O que eu realmente não conseguia superar era o quanto meu pai se esforçara. Lutara por sua vida. Para ficar saudável. Construíra uma livraria para mim na ilha mais mágica que eu já tinha visto e pensara em uma maneira de me compensar por todas as aventuras que planejáramos. Acima de tudo, ele havia *tentado*. Mesmo quando a possibilidade de rejeição era incrivelmente alta.

Será que conseguiríamos encontrar o que tínhamos perdido?

Eu precisava pensar. *Desenredar.* Tinha tantas peças para juntar e ideias para elaborar, mas o que eu tinha acima de tudo era uma história. A minha história.

Era uma vez uma ilha tão perfeita e bela que despertou a ira dos deuses.

Era uma vez uma ilha.

Era uma vez.

Eu precisava arranjar uma forma de processar aquilo. De registrar. Talvez eu precisasse contar ao meu pai meu lado da história, da mesma forma que ele me contara o seu. *O que estava perdido foi encontrado.* Meus pensamentos correram para a caixa de sapatos, todos aqueles itens montando uma narrativa.

Foi então que tive a ideia.

Capítulo 25

***#25. A ÚLTIMA PÁGINA DE TIMEU E CRÍTIAS, DE PLA-
TÃO, ARRANCADA DO LIVRO, COM O TRECHO FI-
NAL DESTACADO***

"Zeus, o deus dos deuses, que governa de acordo com a lei e é capaz de ver além, percebendo que determinada raça honrada estava em uma situação lamentável e querendo infligir-lhes punição, para que pudessem ser castigados e evoluir, reuniu todos os deuses em sua moradia mais sagrada, de onde, por ficar no centro do mundo, contemplava-se todas as coisas criadas. E, quando os chamou, ele disse o seguinte..."

O texto é interrompido em seguida; o restante das palavras de Platão se perdeu. Nunca saberemos o que Zeus disse a todos aqueles deuses. Acho que o resto cabe a nós.

CORRI DE VOLTA A ANA E FALEI QUE, PENSANDO BEM, IRIA precisar, sim, da ajuda de Theo, e pedi que ele me encontrasse na livraria. Então corri para o ponto de ônibus e fiz o que deve ter sido minha viagem mais longa e atribulada em Santorini até então. Minha cabeça estava cheia de ideias. Quanto tempo eu teria para executá-las? Um dia? Dois? A limitação de tempo era absurda, mas, se eu convencesse Theo a me ajudar, talvez funcionasse.

A livraria estava fechada e passava uma sensação de solidão, mas, quando entrei, ignorei aquilo, peguei meu caderno de desenho, os pastéis a óleo e me instalei bem no meio da loja. Prendi uma fileira de papéis na parede principal da livraria, dividi todos eles em pequenos quadrados e me dediquei a preenchê-los, desenhando, depois escrevendo, então desenhando um pouco mais, até que finalmente minha ideia começou a tomar forma. Ao terminar, cerca de duas horas depois, meu braço inteiro ardia e minha cabeça zumbia de exaustão, mas eu podia ver a luz no fim do túnel.

Quando ouvi Theo à porta, meu coração disparou em um misto de empolgação e pânico. Talvez ele dissesse não, e eu teria que aceitar, mas, se ele dissesse sim...

Eu estava verificando meu celular no quartinho e desci rapidamente, no estilo macaco-aranha.

— Theo?

— AAAH!

Ele tropeçou para trás, levando a mão ao peito.

— Desculpa, desculpa, desculpa — falei depressa. — Não queria assustar você. Embora eu ache que agora estamos quites?

— Minha mãe disse que você precisava de ajuda.

Seu cabelo estava todo arrumado. Ele enfiou as mãos nos bolsos, um movimento projetado para parecer casual, mas que, em todo o tempo que passáramos juntos, eu não tinha visto ele fazer nenhuma vez. Theo não estava olhando diretamente para mim, mas falava comigo, o que eu contaria como uma vitória.

— Theo...

Respirei fundo.

Para aquilo dar certo, teríamos que começar imediatamente. Não tínhamos tempo de lidar com o enorme desconforto entre nós dois. Com sorte, haveria tempo depois.

— Theo, tive uma ideia. É para o meu pai, e preciso fazer tudo bem rápido. Você me ajuda?

Apontei para os meus desenhos, e ele se aproximou para inspecioná-los. Theo os encarou pelo que pareceu uma eternidade, seguindo de peça em peça pelo projeto. Quando se virou, ainda parecia distante, mas também impressionado.

— Estou dentro — anunciou.

Revisamos o que pareceram noventa horas de filmagem. Talvez cem? Era difícil assistir às minhas interações com meu pai, porque ressaltavam como eu o julgara errado. Entretanto, eu não estava nem um pouco preparada para me ver através da câmera do Theo — através do olhos dele.

Desde o momento em que começara seu interrogatório no aeroporto, Theo realmente me enxergara, me capturando de uma forma tão crua e sem filtros que era doloroso de assistir. Eu me achava tão invencível, com minha franja lisa e meu delineador habilmente aplicado, mas dava para ver meu medo e minha preocupação, toda a vulnerabilidade que eu arrastava junto com minha mala abarrotada. Foi ainda mais surpreendente assistir à forma como as minhas imagens evoluíram. Era como testemunhar uma borboleta se transformando ao contrário. Aos poucos, fui deixando de lado minha persona perfeitamente construída, tanto física quanto emocionalmente. Com o passar dos dias, fui deixando de parecer tão perfeitinha e comecei a parecer mais comigo mesma. Era como se eu enfim tivesse me dado permissão para ser quem era.

Na hora do jantar, Bapou nos trouxe um prato coberto de spanakopita e dois kataïfi doces feitos com massa filo desfiada.

Ele e Theo trocaram algumas palavras, e, em seguida, Bapou afagou minha cabeça.

— Bela. Bem-vinda a Santorini.

A voz de Bapou estava surpreendentemente moderada, e entendi o significado em seus olhos. *Lamento que seu pai esteja doente.*

— Obrigada, Bapou — falei, e ele segurou meu rosto com a mão antes de seguir para a porta.

Trabalhamos durante o pôr do sol, a luz que entrava pelas janelas passando de dourada por várias gradações rosadas até ficar tudo preto, e, por fim, só restava uma última coisa a ser feita. A mais importante. Àquela altura já estava de madrugada, então fui à caverna jogar um pouco de água no rosto para parecer mais desperta. Em seguida, acendemos todas as luzes possíveis e carreguei minha caixa de sapatos até a mesa que havia arrumado para o meu pai uma eternidade antes. Minhas mãos tremiam um pouco. Se eu não fizesse aquilo direito, então o resto não adiantaria de nada.

Theo apontou a câmera para mim, pelo que provavelmente seria a última vez.

— Pronta?

— Quase — respondi.

Fechei os olhos e pensei na minha lista: *26 Coisas que Meu Pai Deixou para Trás, por Indiana Olive.* Pensei nos meus mapas e em todos os pesadelos. Pensei em *o que estava perdido foi encontrado.* Por fim, abri os olhos, olhei para a luz piscando e comecei a falar.

Quando terminamos, eu estava acordada havia uma quantidade alarmante de tempo. Meus globos oculares pareciam enrugados, e, se eu tivesse de encarar a tela de um computador por mais um minuto, me desintegraria em uma pilha de poeira. O produto final tinha ficado bom. Não perfeito, mas *bom*, e em certo momento soube que estava finalizado.

— Pré-estreia? — perguntou Theo.

AMOR & AZEITONAS

Assistimos a tudo em silêncio: eu, Theo e Gatticus Finch. Ou seria David Focinhoster Wallace? Eu não tinha certeza. Havia cerca de um milhão de coisas que queria corrigir no vídeo, mas também sabia a mensagem que eu estava tentando passar. Eu tinha conseguido. E não poderia ter feito aquilo sem o Theo.

— *Obrigada* — falei.

Minhas palavras eram insignificantes em comparação com o que ele fizera por mim, mas eram tudo o que eu tinha para dar.

— Não foi nada. — Theo apontou para a tela, onde uma imagem do meu pai estava congelada. — Você é que nem ele. Um talento nato.

Ele se virou para mim, e meu olhar se fixou em seus lábios grossos, seus olhos escuros... Desde que eu me permitira ver como Theo era lindo, quase doía olhar para ele.

Theo bocejou, estendendo os braços sobre a cabeça. Não parecia nada exausto, só um pouquinho cansado, mas ainda assim era novidade para mim. Eu queria desabar em cima dele ou pelo menos deitar minha cabeça em seu ombro, mas sabia que não podia.

De acordo com as dezenas de mensagens de texto trocadas com a minha mãe, meu pai estava muito, muito melhor, e o alívio combinado com a exaustão deixava meu corpo inteiro pesado e entorpecido. Mas a noite ainda não havia acabado para mim.

Apontei para o quartinho.

— Vai lá dormir um pouco. Vejo você lá em cima?

Theo balançou a cabeça de leve, então se levantou devagar.

— Vou dormir na casa da minha mãe. Talvez trabalhe um pouco mais. Quero rever a abertura mais uma vez.

— Certo. Claro.

Fiquei muito decepcionada por não ter uma última festa do pijama no quartinho, mas provavelmente era melhor assim. Eu me levantei depressa.

— Você liga para sua mãe? — pedi. — Para ela acertar os detalhes?

— Ela já começou. Minha mãe ama um evento. Não sei quem vai gostar mais disso, ela ou seu pai.

— Os dois?

Ele juntou o restante das coisas, então caminhou até a porta e eu o segui, avistando meu reflexo na janela de vidro. Meu cabelo estava meio preso para cima, expondo minhas orelhas em toda a sua glória saliente, e minha pele parecia seca e esticada por causa da água salgada. Não havia um pingo de maquiagem em meu rosto. Mesmo assim, meus olhos estavam claros. Focados. Como a garota que eu tinha visto na filmagem.

— Theo, mais uma vez, muito obrigada.

Daquela vez, ele olhou nos meus olhos e sorriu. Era como o sol reaparecendo por trás das nuvens. Eu não tinha percebido o quanto era quente até ter sumido.

Theo sustentou meu olhar por um instante, e senti uma faísca muito parecida com esperança se agitar dentro de mim, acelerando minha pulsação e me fazendo endireitar o corpo.

— Fico feliz em ajudar — respondeu ele com cautela. — Qualquer coisa pelo seu pai.

A faísca se apagou na hora. Entendido. *Não fiz isso por você. Fiz pelo seu pai.* Engoli em seco minha decepção.

— Vejo você amanhã?

— Eu não perderia por nada. Boa noite, Kalamata.

Então ele foi embora.

Sua ausência deixou o ar pesado. Eu queria muito subir para o quartinho e dormir, mas havia mais um obstáculo que eu tinha de transpor. Peguei meu celular e fui até a poltrona da livraria. Aquela ligação não seria fácil, mas precisava acontecer. Para ser sincera, eu sabia, mesmo antes de vir para Santorini — antes de escalar um vulcão, invadir uma piscina, assistir a um filme ao ar

AMOR & AZEITONAS

livre em Kamari, mergulhar em busca de um pedaço de Atlântida —, que aquela decisão era inevitável. Às vezes, seguir adiante é tão simples quanto admitir o que já sabe.

Reuni o que ainda me restava de determinação, fui até o número de Dax e apertei o botão de ligar.

Quando finalmente acordei, não tinha ideia de que horas eram. Olhei meu celular e vi mais de vinte chamadas perdidas e mais ou menos o mesmo número de mensagens, quase todas da minha mãe. Cinco da tarde. AI, MEU DEUS. Eram cinco horas mesmo? Eu tinha dormido quase um dia inteiro.

Saí da cama aos tropeços, quase caindo em cima do Theo, que estava lá embaixo vestindo... aquilo era um terno? Seu cabelo estava penteado, ele usava sapatos chiques e estava tão dolorosamente bonito que eu queria me atirar nas profundezas do oceano.

— Theo! Uau, você está...

Incrível. Devastador.

— ... ótimo — concluí, meio sem jeito.

— Obrigado.

Ele arqueou as sobrancelhas, e jurei ter visto um vislumbre do velho Theo, aquele que eu não tinha *magoado*.

— Eu já ia te acordar. Yiannis vai buscar seu pai no hospital, e eles vão nos encontrar em Kamari. Falei com ele que a gente ia de ônibus, mas isso significa que temos que sair daqui a uma hora. Tudo bem por você?

— Uma hora? Isso não é nada.

Ele abriu um sorriso bem discreto, mas ainda assim era um sorriso.

Antes que eu passasse ainda mais vergonha na frente dele, disse que voltaria logo e corri para a caverna. *E agora o meu próximo truque: ficar apresentável!*

Lavei meu cabelo três vezes, desenterrei todos os produtos de beleza que tinha trazido e comecei a trabalhar. Quando enfim saí da caverna, Theo estava sentado sob um círculo de luz no canto, um livro aberto na mão. Ao me ver, ele se levantou todo atrapalhado, um pouco boquiaberto. Eu não conseguia entender o que sua expressão significava.

— Estou bem? — perguntei, acanhada de repente.

Será que eu tinha exagerado? Estava usando o único traje mais elegante que trouxera, um minivestido floral preto com decote quadrado e corpete franzido, sandálias de tiras douradas e meu batom vermelho preferido. Até tinha experimentado um penteado novo, deixando o ondulado natural aparecer e prendendo um dos lados para expor — uau! — minha orelha esquerda.

— Mais do que bem.

Parecia que ele ia dizer mais alguma coisa, mas mudou rapidamente de assunto.

— Minha mãe cuidou dos convites. Quase todo mundo confirmou presença, o que é bem impressionante, já que só avisamos com um dia de antecedência. Devemos ter uma boa plateia hoje.

Ele tropeçava nas palavras, e senti a esperança ricochetear dentro de mim. Talvez também pudéssemos ter uma chance de começar de novo?

— Então acho que estamos prontos — falei.

Seu olhar estava fixo no meu. Seria pedir demais que continuassem assim para sempre? Mas eles desviaram.

Atrás de mim, o sino da porta da livraria tocou.

— Olá? — chamou uma voz feminina.

— Me desculpa, estamos fechados — disse Theo.

— Na verdade, estou procurando uma pessoa. Um funcionário.

Nós dois nos viramos, e fiquei surpresa ao ver uma mulher de quase um metro e oitenta de altura, com um pescoço elegante, pernas longas e volumosos cabelos pretos presos em um rabo de cavalo alto. Ela sorriu, exibindo maçãs do rosto perfeitamente esculpidas.

— Olá, meu nome é Phaedra.

Theo e eu trocamos um olhar rápido. A livraria não tinha tantos funcionários assim.

— Você é amiga da Ana? — chutei.

Ela abriu ainda mais o sorriso e endireitou os ombros, enfatizando sua postura perfeita.

— Não, estou procurando o Geoffrey. Sou a namorada dele. Ou... — hesitou ela, franzindo a testa. — Ou pelo menos espero que ainda seja. Andamos discutindo um pouco.

Discutindo? Theo e eu nos entreolhamos outra vez, e dei um passo à frente, a cabeça a mil.

— Mas... você disse que seu nome é Phaedra?

Ela deu uma risadinha.

— Ah, ele me chama de Mathilde. Por causa de um personagem do meu conto favorito.

— *Souvlaki. Que. Caiu!* — exclamou Theo.

Só que não foi exatamente isso o que ele disse.

Assim que levantamos nossos queixos do chão, era hora de ir. Geoffrey já estava no Cinekamari, ajudando a arrumar as coisas, enquanto Ana buscava meu pai no hospital. Então, Phaedra foi com a gente de ônibus, respondendo às nove mil perguntas que tínhamos, principalmente relacionadas ao fato de que sim, ela realmente existia, e sim, ela estava ali para tentar reconquistar Geoffrey (Ela! Tentando reconquistá-lo!) porque ele era o amor da sua vida e ela não suportava pensar em viver sem ele.

Eu não devia ter ficado tão surpresa. Geoffrey era mesmo um bom partido. E sim, Phaedra estava no site da Ópera Nacional da Grécia. Ela era a primeira bailarina e se preparava para o papel principal na apresentação de *Coppelia* da companhia.

Theo e eu trocávamos olhares surpresos toda hora, e foi... legal. Contato visual e tudo mais. Pareceu familiar, um pouco como éramos antes. Mathilde disse que sabia quem eu era e por que estava em Santorini, mas precisamos lhe explicar o restante, incluindo o evento para o qual seguíamos em disparada. Por disparada, quero dizer rastejando, enquanto cada burro de Santorini nos ultrapassava vagarosamente.

Nos arredores de Fira, ficamos presos no trânsito, e depois houve uma grande agitação quando o motorista do ônibus repreendeu um grupo de turistas que vinha da praia e tentava embarcar com roupas molhadas. Quando finalmente chegamos a Kamari, eu sentia um nó no estômago, mas já era quase hora do show.

Enquanto o ônibus entrava na cidade, eu começara a ter medo de que ninguém fosse aparecer, mas, ao chegarmos, o Cinekamari estava lotado. Reconheci muitos dos rostos: Maria, a dona da padaria; Hugo, o artista; Kostas, o capitão de iate tocador de saxofone; Vasilios — parecendo consideravelmente menos debilitado — e sua filha; até mesmo Henrik e Hye estavam lá, e mais umas cem pessoas. Até os convidados que eu não reconhecia pareciam me reconhecer. As pessoas davam tapinhas em meu braço e diziam coisas em grego que eu não entendia, e eu sorria e respondia coisas em inglês que elas não entendiam. O clima era ainda melhor do que eu imaginara — festivo e comemorativo, uma noite que gritava "Nós fizemos alguma coisa!". A tela estava iluminada pelo título simples que Theo e eu déramos ao documentário: ENCONTRANDO ATLÂNTIDA.

— Eles já chegaram? — perguntei a Theo, que olhava o celular.

— Em três minutos.

Ele inclinou a cabeça em direção ao bar, lançando um sorriso travesso para mim.

— Quer um lanche? Posso trazer um de cada — ofereceu.

Fiz que não.

— Estou nervosa demais para isso.

De repente, uma coisa pequena e quente pulou nas minhas costas, bagunçando meu cabelo e quase me derrubando no chão.

— Eu sou o ninja sobre o qual te alertaram!

— Julius!

Segurei seus braços e o puxei para a frente, apertando-o com força. Ele estava de tênis e camiseta com gravata, e, quando o vi, meu coração transbordou. Eu estava louca de saudades de casa. Estava louca de saudades do Julius.

— Julius, estou tão feliz por você estar aqui! Senti tanta saudade.

— Você está ME ESMAGANDO — gritou ele, escapando dos meus braços. — Sabia que eu vi um burro e um montão de barcos hoje? E preciso te contar uma coisa importante.

Eu o coloquei no chão, e ele olhou para mim com ar sério.

— Liv, acho que um cara mau entrou no seu quarto, derrubou sua sombra brilhante, e ela quebrou. Não sei quem foi!

Segurei o riso.

— Obrigada por me contar. Podemos descobrir isso mais tarde. Estou muito feliz em ver você.

— Eu também — disse ele, com alívio. — Mamãe falou que seu pai mora aqui. Ela foi buscar umas flores para você, mas é surpresa, então não diz para ela que eu te contei.

— Pode deixar, eu prometo — falei.

— Você deve ser o Julius — disse Theo, e se aproximou de mim, seu braço roçando no meu.

Julius olhou para ele com desconfiança, observando o terno de Theo e seus sapatos reluzentes.

— Quem é você?

— Sou amigo da sua irmã. Meu nome é Theo. — Ele se agachou para ficar da altura de Julius. — Ei, Julius, do que você chama um ninja zangado?

Julius franziu o rosto, concentrado.

— Do quê?

— De nada. Você sai correndo.

O rosto de Julius se iluminou como uma árvore de Natal.

— Vamos lutar, Theo. Tá bem? Você contra mim. Eu vou ser o mocinho. Você pode ser o vilão. Agora *luta*.

Na mesma hora, ele começou a dar golpes e chutes de caratê com seus sapatos cheios de terra, e eu o levantei depressa antes que ele sujasse o terno do Theo.

— Vamos fazer isso depois do filme, está bem? Que tal você encontrar seu pai e pedir pipoca? — sugeri.

— Prepare-se para uma batalha épica — disse Theo.

— Sim!

Julius deu mais um chute giratório na direção de Theo, então saiu para encontrar James.

— Obrigada. Eu tinha esquecido *como* ele é agitado.

Vi a cabeça do Julius desaparecer na multidão.

— Ele é exatamente como prometido. Aposto que vai me achar um oponente digno — disse Theo, e então olhou por cima da minha cabeça. — E veja só quem chegou. O homem do momento. Está pronta?

— Pronta.

Quando me virei, meu coração começou a bater acelerado. Lá estava ele. Meu pai 2.0. Ana fizera um belo trabalho. Meu pai tinha cortado o cabelo e usava um terno azul-marinho que combinava perfeitamente com ele. Sem as roupas largas de costume, ele parecia magro e forte, e por um instante me esqueci que estava doente. As pessoas já começavam a se agrupar à sua volta. Senti meu coração doer.

— Você disse mais de dez anos?

Não tive que explicar ao Theo a que estava me referindo.

— Tem pessoas que vivem de vinte a trinta anos em diálise. E, conhecendo seu pai, ele vai dar um jeito de viver o equivalente a vinte ou trinta mil anos nesse tempo.

— É — sussurrei.

Meu peito estava pesado, mas eu precisava me mexer. Já era hora de começar aquele espetáculo. Levei um tempo para conseguir passar pelas pessoas, mas, assim que meu pai me viu, seu rosto se iluminou.

— Liv! — falou, e apontou para a tela. — É verdade? Vocês terminaram mesmo o documentário?

— Bem... — falei.

— Querida, você está linda. Tão linda.

As lágrimas começaram a brotar de seus olhos, e dos meus também. Se não tomássemos cuidado, acabaríamos inundando aquela ilha inteira.

— Boa noite a todos os nossos ilustres convidados — ressoou a voz grave de Geoffrey ao microfone. — Gostaríamos de pedir que se sentassem, para que a nossa apresentação possa começar.

— Vamos levá-los aos seus lugares — disse Theo, aparecendo ao meu lado. — Prontos?

As luzes do jardim piscaram uma vez, depois duas. Eu sentia a agitação em meu interior.

— Venha, pai. Vamos.

Levamos meu pai depressa aos assentos centrais da primeira fileira marcados com uma corda que dizia RESERVADO. Atrás de nós, havia um zum-zum-zum de empolgação. Então vislumbrei James, que estava com Julius nos ombros, e ele acenou para mim, fazendo um sinal de positivo. Acenei de volta.

— Liv! — chamou minha mãe da entrada do cinema.

Ela segurava um enorme buquê de flores rosa e apontou para Julius e James.

— Vou me sentar com os meninos — falou. — Boa sorte!

Joguei um beijo para ela, que o pegou com uma das mãos.

Eu me sentei ao lado do meu pai, ajeitando o vestido e cruzando as pernas com cuidado, e meu pé ficou a centímetros do pé de Theo. Eu e ele trocamos sorrisos nervosos. Eu estava tão animada que parecia que fogos de artifício explodiam dentro de mim.

— Você conseguiu enviar o documentário para a National Geographic? — perguntou meu pai.

— Você vai ver — respondeu Theo.

Assim que a plateia estava mais ou menos acomodada, Geoffrey prosseguiu com a apresentação, segurando o papel que havíamos imprimido para ele.

— Bem-vindos, amigos e família, inimigos e amigos, a uma noite muito especial em homenagem a um homem muito especial. Como muitos de vocês sabem, Nico Varanakis é um ardoroso caçador de Atlântida há vários anos. Ele superou diversos obstáculos, e esta noite queremos celebrá-lo. Então, sem mais delongas, por favor apreciem *Encontrando Atlântida*, uma produção Kalamata.

— Pronta? — perguntou Theo em meu ouvido.

— Pronta.

Ele olhou nos meus olhos por alguns segundos, fazendo meu coração acelerar e meu corpo se arrepiar. *Depois, Liv*, procurei me lembrar. Depois parecia um tempo terrivelmente longo e terrivelmente curto.

As luzes se apagaram, e a tela se iluminou. Theo tinha feito uma segunda tela de título com as palavras ENCONTRANDO ATLÂNTIDA, ESTRELANDO NICO VARANAKIS sobreposta ao meu mapa e ao do meu pai. Tinha ficado incrível, e todo mundo parecia concordar, porque vários gritos de *uau!* se misturaram aos aplausos.

— Perfeito — falei, com um arrepio.

— Obrigado — disse Theo.

O volume começou alto demais. Tínhamos escolhido uma música instrumental impactante para começar o filme, e quem quer que estivesse controlando a exibição levou um tempo para acertar o som, mas por fim todos ficaram quietos.

A primeira cena abria com meu pai, na véspera da minha chegada a Santorini. Ele estava em seu barco, atracado na baía de Ammoudi, e seu cabelo balançava ao vento. Eu já tinha visto aquilo, claro, mas vê-lo em seu barco parecendo tão esperançoso e tão *ele* me comoveu mesmo assim.

"O que tem amanhã?", perguntou a voz do Theo, atrás da câmera.

"É o dia em que a Olive chega", respondeu meu pai, com um sorriso tão grande que mal dava para ver seus olhos. "E então vou poder levá-la em uma aventura."

Ouvi meu pai suspirar.

— Mas, Liv, esse não é o documentário para a National Geographic…

— Só assiste — sussurrei de volta.

Tínhamos usado muitas filmagens que Theo fizera do meu pai que não tinham nada a ver com Atlântida, como ele e Ana na cerimônia de inauguração da Livraria Perdida de Atlântida, e ele e Bapou tomando café na padaria da Maria. Havia até algumas entrevistas improvisadas do Theo perguntando ao meu pai sobre o lugar em que ele crescera e o tempo que vivera nos Estados Unidos. Se eu não tivesse acompanhado o processo, suspeitaria que Theo na verdade vinha planejando aquele filme o tempo todo.

O documentário também mostrava os meses que antecederam à minha chegada. Theo tinha razão. Meu pai havia mesmo se dedicado muito à pesquisa e ao trabalho, investindo toda a energia para encontrar uma maneira de tornar Atlântida real para mim. Theo tinha filmagens desde o dia em que meu pai me mandara o primeiro cartão-postal até quando receberam a notícia de que a National Geographic tinha aceitado a proposta do documentário. Naquela hora, meu pai na tela chorava e dizia a Theo que precisava ir escrever um cartão-postal. Em quase todas as cenas, independentemente do que estivesse fazendo — passeando de barco pela baía, estudando outra tradução do *Livro dos mortos* egípcio —, meu pai explicava por que o fazia: *para dar Atlântida a Olive.*

Eu já tinha assistido àquilo tudo umas dez vezes, mas não conseguia segurar as lágrimas.

Com cerca de dez minutos de filme, eu aparecia, confusa e irritada, no aeroporto. Minha clara desconfiança do Theo rendeu boas risadas. Em certo momento, o verdadeiro Theo estendeu a mão e apertou meu braço, o que aliviou um pouco a tensão em meu peito.

Foi muito doloroso reassistir a várias partes do filme: o quanto eu estava apavorada de rever meu pai, e todo o constrangimento daquele reencontro, nós dois congelados no terraço. Também a parte em que eu chorava na minha festa de aniversário, a dor e a impotência do meu pai tão evidentes em retrospecto.

De lá, passamos à procura por Atlântida. Na nova versão do nosso documentário, cortáramos a maior parte das filmagens que tínhamos nos empenhado tanto em conseguir. Em vez das explicações do meu pai sobre Platão ou a civilização minoica, preferimos nos concentrar nas tomadas periféricas: eu maquiando meu pai, ele olhando para a água, nós dois admirando o quadro de Hugo na torre veneziana.

Isso me lembrou de quando eu fazia biscoitos com Julius — era como se, em vez de usarmos as formas cortadas da massa, usássemos as sobras e, assim, mostrássemos a história real. O documentário não era sobre encontrar uma cidade dourada. Era sobre *nós*.

Eu olhava furtivamente para o meu pai o tempo todo. Ele estava com o olhar fixo na tela, o corpo inteiro focado e alerta.

Por fim, a última cena, filmada na noite anterior. Começava comigo sentada à mesa da livraria, os mapas do meu pai abertos à minha frente, minha caixa de sapatos em destaque. Eu parecia nervosa e cansada, e claramente não tinha me ocorrido pentear o cabelo ou vestir algo que não parecesse ter saído do fundo de uma mala, mas meus olhos estavam concentrados, como os do meu pai sempre estavam em cena.

Minha voz ressoou pelo cinema.

"Quando meu pai foi embora, deixou vinte e seis coisas para trás. Muitas eram lixo, mas guardei tudo mesmo assim."

Minha voz soou estranha para mim, e, ao me ver em cena, me senti mais vulnerável do que nunca. Era um espelho sobre o qual eu não tinha o menor controle, todos os meus movimentos ampliados. Notei a maneira como eu mexia no cabelo sempre que estava constrangida ou como mordia o lábio inferior quando tentava não chorar.

No filme, mostrei nossos mapas, todos os cantos em que eu tinha desenhado, todas as coisas com que eu me importava porque meu pai tinha se importado com elas primeiro. Falei sobre como tinha sido quando ele foi embora, como eu tinha ficado confusa e magoada, e sobre as vinte e seis coisas que meu pai havia deixado para trás, cada uma documentando um pedaço da nossa história.

Quando cheguei ao item número vinte e seis, as palavras ficaram mais difíceis. Todos os vinte e seis estavam dispostos na mesa à minha frente e, quando olhei para a câmera, me esforçava para conter as lágrimas.

"O último item da lista sempre foi o mais difícil de aceitar, porque era pessoal e era algo que eu sabia que importava para ele, talvez mais do que qualquer outra coisa. Era fácil identificar os defeitos nos outros itens. Eu entendia por que ele os deixara para trás. Mas este era diferente."

Então eu levantava minha lista, e Theo dava um zoom para que pudessem ler o que estava escrito. #26. EU.

Eu continuei a falar na tela.

"O número vinte e seis era eu. Eu não entendia por que ele havia me deixado para trás com todas as outras coisas. Ele achou que precisava se afastar. E eu entendo isso agora. Achei que tivéssemos perdido um ao outro. Mas às vezes coisas perdidas podem ser encontradas."

Então, inesperadamente, o filme cortava para o meu pai. Ele estava em pé à beira-mar, as mãos nos bolsos, como se não tivesse percebido que Theo o espiava.

Eu me virei para Theo, intrigada.

— Você acrescentou uma cena?

Ele deu de ombros, um sorriso travesso se formando em seus lábios.

— Estava faltando alguma coisa.

"Nico", chamou Theo em cena. "Você procurou a cidade perdida durante toda a sua vida. Em um artigo recente, você disse: 'Atlântida significa coisas diferentes para diferentes pessoas. Ilha ou não, é um símbolo das coisas que mais importam para nós.' Então me diga uma coisa, Nico. Qual é a *sua* Atlântida?"

Na tela, meu pai se virava e sorria, o braço estendido mostrando sua tatuagem.

— Olive. Ela é minha Atlântida.

Eu não conseguia mais enxergar a tela, meus olhos estavam embaçados. A mão do meu pai estava na minha, e eu nem tinha notado quando ele fizera isso.

E então a última fala do filme, a que eu tinha escolhido. Eu olhava para a frente, como se pudesse ver a plateia, como se pudesse ver o meu pai.

"Nós encontramos, pai. Finalmente encontramos Atlântida."

Capítulo 26

#26. EU

QUANDO A TELA ESCURECEU, MEU PAI ME ENVOLVEU EM um abraço esmagador, com o braço da cadeira me machucando, e ficamos assim por um bom tempo, encharcando o ombro um do outro de lágrimas.

— Uau — disse ele.

— É verdade? — perguntei. — O que você disse ali?

— Sempre foi verdade. — Ele se afastou, enxugando os olhos. — Bem, nós encontramos Atlântida. E agora, o que vamos fazer?

Eu ri, limpando as lágrimas e a maquiagem que escorriam pelo meu rosto.

— Agora acho que você deveria cumprimentar seus fãs. É o seu grande momento.

Apontei para a parte de trás do cinema. O pessoal do bufê arrumava pratos elaborados, supervisionados por Bapou — todo mandão e elegante em seu terno de três peças — e Geoffrey, que tinha uma certa bailarina agarrada ao braço. Os alto-falantes do cinema crepitaram, e luzes coloridas iluminaram o jardim enquanto uma música estilo *big band* começava a tocar. O momento perfeito.

— Uau — repetiu meu pai.

Seus olhos brilhavam e, enquanto eu o observava absorver aquilo, as emoções me invadiram, todas misturadas. Eu estava feliz, mas também era muito avassalador. A energia das pessoas era palpável. Todos não viam a hora de nos cumprimentar e mostrar seu carinho e admiração. Eu me sentia grata por isso, mas já estava no limite. Uma gota a mais, e transbordaria. Eu precisava de ar. Ou de água. De algo.

Também havia mais uma coisa na minha agenda para aquela noite. Uma coisa importante. Antes que eu perdesse a coragem, segurei a manga do terno de Theo.

— Podemos ir a algum lugar? Eu e você?

Seu olhar encontrou o meu, e estremeci ao perceber a surpresa nele.

— Aonde?

Apontei para a saída do cinema.

— Lá fora?

Ele hesitou, dando uma olhada ao redor. As pessoas começavam a vir em nossa direção. Mais dez segundos, e estaríamos em suas garras, e nunca conseguiríamos escapar. Então reparei na bolsa de sua câmera e tive uma ideia brilhante.

— Quero gravar uma última entrevista.

— Está bem — concordou Theo, a voz demonstrando interesse.

Eu sabia que ele não recusaria uma entrevista. Fui inundada de alívio e suspirei, prendendo os dedos na saia do vestido.

— Vamos.

Saímos pela entrada lateral, escapando de toda aquela luz e caos em direção à quietude fria da noite de Kamari.

Achei que saberia exatamente o que dizer no segundo em que deixássemos a comoção para trás, mas eu não fazia ideia.

O clima ficou silencioso e constrangedor, e Theo me encarava ansioso.

— Onde você quer gravar a entrevista?

— Que tal perto da água? — sugeri.

Saí depressa pela rua escura, sem olhar para trás, porque não sabia como reagiria se Theo não viesse comigo.

Felizmente, ele me seguiu.

Foi uma caminhada longa e silenciosa, e eu estava nervosa demais para tentar puxar conversa. Kamari não tinha muita iluminação pública e, quando chegamos à praia, o céu escuro se mesclava perfeitamente ao roxo do oceano, as estrelas firmando o céu. Os restaurantes à beira-mar estavam movimentados, mas tudo além do calçadão estava escuro e quieto. Minhas mãos tremiam.

— Quer continuar? — perguntou ele, olhando para a minha roupa.

— Sim.

Tirei as sandálias, enrolei a ponta do vestido na mão e pisei na areia fria. Eu precisaria do oceano.

Enquanto caminhávamos até a água, olhei para as estrelas. Cada uma delas parecia minúscula, mas essencial em seu próprio trabalho. Aquela noite seria importante. Eu sabia que sim. Era bem provável que eu me arrependesse do que estava prestes a fazer, mas também sabia que com certeza me arrependeria se *não* fizesse. Eu não aguentaria levar aquelas palavras de volta para Seattle comigo. Tinha que arriscar.

Quando finalmente cheguei à beira d'água, joguei minhas sandálias para o lado e me virei para ele. Theo também tinha tirado os sapatos e enrolado as pernas das calças. Como sempre, o luar lhe favorecia. Se olhasse para ele por muito tempo, acabaria perdendo a coragem. Portanto, encarei a água borbulhando ao redor dos meus pés descalços e me lembrei de respirar.

AMOR & AZEITONAS

— Tem certeza de que quer filmar aqui? — perguntou Theo, abrindo o zíper da bolsa da câmera. — Está muito escuro.

Minhas mãos tremiam, mas eu assenti.

— Acho que vai ser perfeito. Quando você quiser.

— Está bem.

Ele ajoelhou e pegou a câmera, ligando-a antes de colocá-la no ombro.

Vou mesmo fazer isso? Posso mesmo pedir por uma única noite?

Mas eu só tinha aquela noite. Depois, voltaria para o hotel com minha mãe e, no dia seguinte, iria embora, e aí qualquer chance que eu tinha com Theo evaporaria. Precisava ser *ali*. Eu tinha de agir.

— Três… dois… um — disse Theo, e o tempo para decisões acabou.

Uma onda fria atingiu minhas panturrilhas, e respirei fundo o ar salgado. Eu não tinha planejado fazer aquilo diante da câmera, e só me restava ir no improviso mesmo. Eu precisava começar a falar. Então começaria com… azeitonas. Por que não?

Limpei a garganta, meu coração martelando no peito, e encarei a lente da câmera.

— Existe uma história sobre como as oliveiras chegaram à Grécia. Faz parte de uma lenda. Quando a cidade de Atenas se formou, houve uma competição entre os deuses. Quem desse ao povo o melhor presente teria a honra de ser o protetor da cidade. Poseidon foi o primeiro. Ele bateu em uma rocha com seu tridente, e a água jorrou. Se o escolhessem, eles teriam o poder do mar.

Eu tinha afundado até os tornozelos na areia, a água batia nas minhas pernas, mas estava nervosa demais para me mover. Theo alternava o peso do corpo de um pé para o outro, visivelmente intrigado. *Por que estamos aqui fazendo isso?*

Porque eu precisava. *Me acompanha, Theo.*

— Atena, a deusa da sabedoria, foi a próxima. Ela bateu em uma rocha com sua lança, e uma oliveira apareceu. Era um símbolo de paz e riqueza. Os cidadãos escolheram o presente dela e nomearam a cidade em sua homenagem. Reza a lenda que todas as oliveiras na Grécia são descendentes dessa primeira árvore.

— Que informação interessante — comentou Theo por trás da câmera.

Eu estava nervosa demais para sorrir. A parte difícil vinha a seguir. Bem naquele momento, a lua saiu de trás das nuvens e brilhou na água como um holofote.

Não estava ajudando.

Tirei um pé da areia, segurando as pontas do meu vestido.

— Esta é a parte mais importante. Vou me apresentar de novo, está bem?

Theo tirou o rosto de trás da câmera.

— Eu sei quem você é, Kalamata.

— Eu sei. Isso é para mim.

A água estava tão fria que meus tornozelos começaram a ficar dormentes, mas procurei me controlar, e fiz minha voz soar alta e clara.

— Meu pai se chama Nico Varanakis. Ele é grego e estuda a cidade perdida de Atlântida. Ele também enfrenta dificuldades por conta de um transtorno mental. Quando eu tinha oito anos, ele deixou minha mãe e a mim e voltou para a Grécia. Depois disso, minha mãe e eu penamos um pouco. Tínhamos que nos mudar constantemente, e eu me sentia tão sozinha e desolada que decidi que a única maneira de sobreviver era me tornar outra pessoa.

Fui tomada por um afeto avassalador ao pensar naquela garota. Ela fizera o necessário para sobreviver.

— Mas eu estava fingindo, às vezes até me esquecendo das coisas que realmente importavam para mim. Gosto de desenhar, de filmes antigos e de maquiagem. Odeio correr. *Odeio*. Quero cursar faculdade de arte. E aprendi a gostar de rap francês.

Ouvi um risinho por trás da câmera.

— O que quero dizer é: oi, meu nome é Olive. Você pode me chamar assim de agora em diante. Além disso...

Enfiei os dedos dos pés na areia, desejando que as palavras certas saíssem.

— Conheci alguém aqui em Santorini. Alguém que sabe muitos fatos sobre azeitonas e sempre encontra os piores momentos para enfiar uma câmera no rosto de uma pessoa. Mas eu gosto desse alguém. Muito. Ele não acredita em relacionamentos a distância, o que significa que seria só por esta noite, mas tenho que dizer isso para ele mesmo assim. Gosto muito desse alguém e quero ficar com ele.

Pronto, eu tinha falado. Mais ou menos. Uma onda me atingiu na altura da canela, me parabenizando, mas me mantive firme mesmo durante uma...

Longa.

Longa.

Longa.

Pausa.

A câmera baixou devagar, e nós dois nos encaramos. O calçadão iluminado era o cenário perfeito para ele, o luar suavizando suas feições. Pela primeira vez, não consegui ler sua expressão. Theo estava surpreso? Chateado? Tentando descobrir como me rejeitar? Meu coração parecia prestes a sair do peito.

— Eu meio que já estava chamando você de Olive, considerando que Kalamata é uma azeitona e tudo o mais — respondeu ele, por fim.

Não era bem o que eu tinha em mente.

— Theo — falei, com um gemido. — Você não vai comentar a outra parte do que eu disse?

— Vou chegar lá — garantiu ele.

Cobri meu rosto com as mãos. Aquilo era um desastre. Talvez uma confissão não tivesse sido uma boa ideia, mas já era tarde. Eu precisava continuar. *Não pensa, só fala.*

Baixei as mãos, me forçando a encarar seu rosto perfeito. Havia uma dúvida ali. Qual era?

— Dax e eu terminamos — disparei.

Ele se encolheu. Ai, talvez eu devesse ter contado aquilo de forma um pouco mais delicada.

— Ontem à noite — continuei. — Nós terminamos ontem à noite depois que você foi embora.

— Ah — disse ele, relaxando os ombros ligeiramente. — Sinto muito.

Mais uma vez, nenhum incentivo. *Continue.*

— Fui eu que terminei com ele — anunciei, mudando o peso para a ponta dos pés e me recompondo. — Ele não me conhecia de verdade. E, sinceramente, não era culpa dele. Eu tinha criado uma nova versão de mim mesma para me encaixar. Como uma tática de sobrevivência.

— Às vezes isso ajuda.

Seu olhar finalmente encontrou o meu, e senti um calafrio. Eu não aguentava mais.

— Theo! No que você está pensando?

Ele avançou um pouco, um movimento que mais senti do que vi.

— É normal gritar com as pessoas durante esse tipo de coisa? — perguntou ele.

Grunhi.

— Não. Talvez. Nunca fiz isso antes.

— Hum — disse ele.

Duas ondas vieram e se foram. Mais dez segundos daquele silêncio, e eu seria obrigada a me jogar na água e deixar que ela me levasse embora. Eu precisava que ele me desse *qualquer coisa.*

— Theo? — chamei.

— Me conta mais sobre esse outro cara — pediu ele por fim.

Uma grande onda avançou ao meu redor, e quase caí de alívio.

— Nunca conheci ninguém como ele. Eu estranhei no começo. Ele era meio intrometido e persistente de um jeito irritante. Mas ele também é muito inteligente e corajoso e muito, muito leal. Além de ser bem engraçado.

Aquilo foi um sorriso? Eu não tinha certeza. Theo enfiou no bolso a mão livre.

— *Muito* engraçado?

— Não tanto quanto ele pensa que é — falei depressa.

— Hum. E a aparência física? Ele é bonito?

— *Irritantemente* bonito.

— Ele parece... irritante.

Theo mordeu o lábio inferior, e agarrei meu vestido com mais força.

— Às vezes — falei. — Mas em geral de um jeito bom. Ele não me deixa evitar as coisas, e, por mais que eu odeie isso, acho que precisava de alguém assim na minha vida.

— Hum — disse ele outra vez. — Você não está me convencendo muito sobre esse cara. E o cabelo dele? É bonito?

— Precisa de um trato.

— Abdômen? Físico geral? — Theo estendeu o braço. — Ele é estiloso?

— Não força a barra.

Eu sorri, e meu pânico se transformou em outra coisa. Esperança? Nós nos olhávamos fixamente. Como se desafiássemos um ao outro. Expirei devagar.

— Mas tem um grande problema. Esse cara mora na Grécia, e eu, nos Estados Unidos, e ele tem umas regras bem rígidas sobre como viver a vida, e definitivamente não namora a distância, o que significa que, para rolar alguma coisa entre nós, ou ele vai ter que abrir uma exceção, ou eu terei que me contentar com...

Fiz questão de fingir que consultava meu celular.

—... as quarenta e oito horas que me restam.

— Quarenta e oito horas é bem pouco tempo. — Theo me olhou, pensativo. — Obviamente estou só especulando, mas é possível que esse cara tenha criado essas regras antes de conhecer você. E não importa o quanto pense que sabe de tudo, ele não sabe. Estamos na *era da internet*, Olive. Ele pode pegar um avião. Ou visitar você nas férias. Talvez você até comece a passar mais tempo em Santorini com seu pai, embora eu duvide que seus pais voltem a deixar você ficar no quartinho. Na pior das hipóteses, vocês podem escrever cartas um para o outro e definhar de tristeza como todos os outros casais em um relacionamento a distância. Não é *tão* ruim assim.

Minha risada ficou presa na garganta. Ele estava dizendo tudo o que eu queria ouvir, mas ainda não tinha se mexido. Por que estava tão distante?

— Então... — instiguei.

Ele pegou a câmera.

— Tudo bem se fizermos mais uma entrevista?

Meu queixo caiu.

— *Agora?*

— A última.

Ele apontou a câmera para o meu rosto.

— Olive. Como é ser filha de um caçador de Atlântida e namorada de um famoso cineasta da National Geographic?

Desde a última vez que Theo me fizera uma pergunta semelhante, parecia que uma vida inteira tinha se passado. O alívio tomou conta de mim, eliminando todo o medo que restara. Aquilo estava acontecendo de verdade.

— É...

Eu me esforcei para manter meu rosto sério, mas, mesmo mordendo o lábio, não consegui conter meu sorriso. O oceano suspirava profundamente atrás de mim, e eu ali, bem na beirada. Ainda demoraria para chegar ao fundo, mas eu tinha tempo. Tempo merecido.

A brisa aumentou, soprando as pontas do meu cabelo no meu rosto. Olhei para Theo.

— É bom. Agora, por favor, desliga esse troço.

Ele veio ao meu encontro na água. E de repente minha boca estava na dele, e eu senti seu sorriso enquanto me beijava, e eu sorri também, porque nunca tive ideia de como seria beijar alguém sendo Olive, muito menos como seria beijar *Theo* sendo Olive. Ele passou os braços pela minha cintura e me levantou até as pontas dos meus pés saírem do mar. Eu queria beijá-lo pelos próximos onze mil anos, até um vulcão entrar em erupção e uma civilização inteira afundar no mar.

Minha mão encontrou a dele, e nossos dedos se entrelaçaram — e se encaixaram. Nós não nos soltamos nem quando arrastamos espreguiçadeiras até o mar para ficar vendo a lua, ou quando a maior onda da noite tentou nos arrastar, nem quando subimos, pingando, de volta à festa para nos juntarmos à minha família recém-reunida.

Eu ainda tinha muitas descobertas a fazer. Nem tudo o que estava perdido fora encontrado, mas de uma coisa eu tinha absoluta certeza: eu continuaria procurando. O que quer que acontecesse, eu continuaria procurando até que todas as partes fossem encontradas.

Olive sempre foi boa nisso.

Nota da autora

POSSO DIZER COM SEGURANÇA QUE PASSEI MUITO MAIS tempo pesquisando Atlântida do que era necessário, e com isso quero dizer que fiquei completamente obcecada durante uns três meses e até passei um breve período dizendo a todos ao meu redor que não só a cidade perdida existia, como também eu tinha quase certeza de que sabia onde ficava.

Tenho amigos muito amáveis e muito pacientes. Além dos balconistas do Trader Joe's.

Embora eu tenha consultado uma quantidade realmente chocante de informações (obrigada, internet!), havia algumas fontes às quais eu voltava quase diariamente, e eu seria negligente se não as listasse aqui para expressar minha eterna gratidão e afeição. Eu não poderia ter lançado meus personagens em sua caçada a Atlântida sem o seguinte material:

"Can Santorini Be Atlantis?" é um vídeo postado no YouTube por Harry Coote, em 2015. Se você verificasse em meu computador o número de vezes que assisti a esse vídeo charmoso e informativo, se preocuparia comigo. Assista aqui e perceba que Nico Varanakis realmente sabia do que estava falando: https://www.youtube.com/watch?v=vbuHQR7URe0

"Lost City of Atlantis" é um documentário da série *World of Mysteries* e o único programa a que assisti duas vezes seguidas (em uma cafeteria) enquanto fazia anotações frenéticas em um caderno. Tenho um amor profundo por esse documentário. (A geologia! A arqueologia! A moda do final dos anos 1990!) Adorei em especial as contribuições de Don Pastras. Não consegui localizá-lo, mas, se alguém conhecer o Don, pode, por favor, me falar, para que eu possa lhe enviar meu livro e talvez um buquê de ramos de oliveira? Obrigada. Se quiser assistir ao documentário, você pode encontrá-lo aqui: https://www.youtube.com/watch?v=MScbhEYUgB0.

Meet Me in Atlantis: Across Three Continents in Search of the Legendary Sunken City, um livro de Mark Adams. O sr. Adams estava claramente sofrendo da mesma febre por Atlântida que eu, e seu livro foi não só extremamente educativo, como muito divertido. Leitores, vocês deveriam ler o livro dele em seguida.

Claro, se quiser ir direto à fonte, você deve ler Platão. Em inglês, sugiro *Timaeus and Critias* (Oxford World's Classics), com uma nova tradução de Robin Waterfield, e posso sugerir que o acompanhe com uma xícara bem grande de café e seus moletons mais confortáveis?

Às várias outras pessoas que escreveram em blogs, postaram em fóruns e publicaram artigos sobre Atlântida, meu muito obrigada. Fiquei completamente encantada e intrigada com a sua comunidade, e fico muito feliz que estejam à procura de magia. Espero que encontrem suas cidades douradas, mas, se não, espero que se divirtam muito procurando.

Agradecimentos

SE VOCÊ ESTEVE A UM RAIO DE QUINZE QUILÔMETROS DE mim ao longo de 2019, então sabe que o fato de este livro existir é um milagre pessoal. Obrigada por testemunhá-lo.

Um agradecimento do tamanho de um vulcão ao meu pai, Richard Paul Evans, pela hora que passamos em minha cafeteria conversando sobre aonde essa história estava tentando chegar — eu não poderia ter escrito isso sem você. Obrigada por sempre acreditar que eu conseguiria.

Meu muito obrigada também a:

Atlantis Books, em Oia, por ser tão absolutamente mágica e por me mostrar seu quarto escondido.

Nicole Ellul, por todo o entusiasmo e sugestões incríveis, e por me impedir de usar a palavra "apenas" quinhentas vezes no rascunho final.

Equipe da Simon Pulse, por ser minha primeira casa editorial e por todo o trabalho e cuidado que dedicou aos meus livros. Isso inclui Rebecca Vitkus, Nicole Russo, Caitlin Sweeny, Alissa Nigro, Jessi Smith, Sarah Creech, Tom Daly, Thandi Jackson, Savannah Breckenridge, Elizabeth Mims, Penina Lopez, Sara Berko e Karina Granda, pela arte de capa.

Mara Anastas, por ser adorável e dedicada e alguém com quem adoro conversar. Há cinco anos, você apostou em mim e nunca vou me esquecer disso.

Laurie Liss, pelas centenas de ligações e secagem de lágrimas a distância.

Garrett Despain, por me ajudar a entrar de penetra em um set de filmagem.

Anastasia Berco, por me dar um vislumbre de como é a vida de um adolescente grego.

Chrystal Checketts, por toda a sabedoria e amor e aquele charuto fedorento, e especialmente pela noite da nossa cerimônia da lua no quintal onde tudo ficou muito claro.

Amanda Davis, por me contar a história perfeita e por amar nosso amigo.

Dra. Bilder, por ver o que ninguém mais viu.

Rachelle, do Scuba Utah, por responder a várias perguntas intensas quando provavelmente só queria que eu me concentrasse em respirar pelo meu regulador.

A comunidade fabulosamente interessante de pessoas que escrevem artigos e livros sobre como encontrar Atlântida.

Os amigos e familiares que formaram a rede que tornou este livro possível durante um momento extremamente difícil. Vou tentar mandar menos memes do sapo Caco desesperado para vocês no futuro. (Não prometo nada.)

David. Sei que isso não foi, de forma alguma, nem um pouquinho fácil para você. Obrigada por cada sacrifício que fez para me ajudar a criar este livro. Quando estiver lendo isto, teremos oficialmente cruzado a marca de ter passado mais tempo da nossa vida juntos do que separados. Uau!

Sam e Nora, cidades douradas por si só.

Meus leitores, sua existência é outro milagre pessoal. Dei mais do que tinha para dar neste livro e espero que ele os anime e lhes traga alegria.

O Universo, por me mandar um mapa e vinte e seis coisas. Obrigada e, por favor, me mande outra história!

E, por fim, obrigada a mim, por ser a única pessoa que sabe o que foi preciso para não desistir.